# 失われた愛を求めて

矢嶋俊雄

冬花社

# 失われた愛を求めて

二男一女を育てた亡き妻に捧ぐ

## 第一部　青春時代——希望という光を求めて



## 第二部　美しき惑いの年——彷徨する無垢なる魂



## 第三部　随想　嬉遊曲——耽美と叡智の泉

# 第一部　青春時代

## ――希望という光を求めて

猟に行って森に逃げ込む美しい新鮮な田舎娘を見掛ける。この種の快楽に基づく恋愛を知らぬ者はない。どんなに干涸びた不幸な性格の男でも十六歳にもなればここから始める。

――スタンダール（マリ＝アンリ・ベール）『恋愛論』

（一九四八年、大岡昇平訳・創元社刊）

# 第一章　創作　奇蹟のめぐり逢い

# 序

昭和十四年七月に国の方針で、「国家総動員法」により「国民徴用令」が公布され、東京の学校生活は非常時の体制に代わりました。私たちは小学校のとき大日本青少年団という組織に組み込まれ、上級生になると教練と言って校庭で藁人形をアメリカ兵に見立てて竹槍に似せた木の棒で藁人形にヤーと突き刺す訓練をしました。また、東京麻布の女学校に入ると、「女子挺身勤労令」によって女子挺身隊に入れられ、上級生になると「学徒動員令」で近くの軍需工場で強制的に勤労奉仕をさせられて国中が戦時一色だったのです。

私が四年生になった春、母と小さい弟と一緒に土浦市郊外の伯父が住む父の実家に疎開して、県立の女学校に転校しました。町からは筑波山がくっきりと紫紺の姿で聳えるのが眺められました。筑波山を見るたびに、昔習い覚えた古事記の景行天皇のくだりで、倭建命《ヤマトタケル》が走水《はしりみず》の海で亡くした妻の弟橘比売《オトタチバナヒメ》を偲んで「あづまはや」と言った後、酒折《さかおり》の宮で「新治筑波《にいはりつくば》を過ぎて幾夜か寝つる」と詠ったところを思い出しました。

転校すると、こちらでも再び〈動員〉を掛けられて霞ヶ浦海軍航空隊に所属する第一海軍航空廠で働きました。そのうち戦争は敗色を濃くし、空襲で飛行場から爆音を響かせて飛び翔《た》つ飛行機に心が苦しくなりました。白く霞んだ雲の彼方へ吸い込まれる銀翼を見送る日々は、本当に不安な想いが夏雲のように湧き起こりました。

こうしてお話していても、炎暑でギラギラした滑走路が白っぽく照り返されている光景が眼に浮かびます。私には、戦争の始めから終わりまで、鞄を提げて校門をくぐる女学生の時代は殆んどありませんでした。敗戦を迎えて学校に戻りましたが、飛行場や格納庫は爆撃で破壊され、被爆した飛行機の残骸が凄まじい惨状を曝しておりました。

## 1

昭和十九年四月、土浦を流れる桜川に土堤の花が川面に映るころ、私は県立の女学校に転校して、東京の女子高等師範学校を受験するため勉強していました。ここでも「勤労動員令」が掛けられて、教師から今度の職場は戦場だと思えと訓示され、学業は進みませんでした。疎開した伯父の家は、この町から西へ七キロほど入った村里にあって、私たちは家の入り口に建つ長屋門に落ち着きました。

父は大戦前から広島の呉鎮守府に出向し、軍医として戦艦に乗っていることは知っていましたが、どこにいるかは判らず、めったに帰宅しませんでした。当時の私には軍人の娘という自覚はあまりなく、回りの他人《ひと》から、面高《おもだか》の顔立ちが父に似ていると言われて何となく父を意識したくらいです。

父の実家は草ぶき屋根の昔の素封家で庄屋と呼ばれていました。伯父や従兄弟たちは戦闘帽に国民服を着て兵隊のようでした。伯父たちは農業を営む傍ら村役場の仕事をしていました。私たちは疎開してから物資の不足を託つことは多少ありましたが、ひどいことはなかったのです。

伯父の家を出て学校に向かう途中、村道が切れて県道に入るところに恰好がいい二本松があり、そこから私鉄の駅まで数分歩き、ディーゼル電気機関車に乗って十五分ほどで女学校近くの駅に着きました。

学徒動員で家から航空廠までは遠くて通えず、母が市内の遠縁の家に私を預けようとしましたが私は断りました。、子供の時から神経質気味だった私は、窮屈な他人の家に体を寄せることは耐えられないからです。

翌昭和二十年一月、転校した女学校は、航空基地近くの工員宿舎を学生寮として借り受け、そこに遠距離通勤者が入ることになり、私も入りました。この寮舎は、点在する農家のはずれの桑畑がつづく高台にありました。それは侘しく古びた二棟建てで、一棟が八室あり、どの部屋もささくれ立った畳が十二枚敷かれ、一室六人が詰め込まれました。寮舎の入り口にカンツバキが赤々と咲いていたのを今でも覚えています。寮舎の北側に松林があって、その中に防空壕が掘れていると聞きました。その先には中学校の寮舎がありました。

私たちは北側の棟に容れられ、仕切られた四つの部屋が廊下を挟んで向かい合っています。南側の棟に舎監の部屋があり、女学校の二人の男性教師が隔週交替で詰めていました。

どの部屋も、夜間は灯火管制で電灯の笠に黒い布をかぶせて寝ました。廊下の隅にはいくつかの防火用水のバケツが並んでいました。

私の部屋の仲間は面白い特徴を持った人たちで、綽名《あだな》で呼び合っていました。市川瑛子さんはふっくらと肥って、鱈子のように指を腫らすので、〈しもやけ〉でした。小柄ながら大口を開けて話す原田房江さんは〈ラッパ〉、いつもおとなしい宮本逸代さんは〈仔山羊〉、大柄で身体を左右に振って話す毛呂正美さんは〈オバサン〉、細く切れ長の眼をした永山宏子さんは〈三日月〉、そして私は〈カマキリ〉と呼ばれました。痩せ気味だったからでしょう。五人のうち農家の出身は瑛子さんと房江さん、商人の娘は逸代さんと正美さん、そして宏子さんは市役所に勤めるサラリーマンの娘、私は軍人の娘というわけです。逸代さんは、海軍に医薬品を納める薬局屋の一人

娘で私となんでも話し合える仲になりました。彼女のうちの何人かが、
「〈カマキリ〉はどうしてるだっぺ？」
と心配顔で転入生の私を、職場まで様子を見に来てくれました。

寮生活の朝は、六時半に「総員起し五分前！」の号令で一斉に蒲団を抜け出し、廊下に並んで点呼を受けました。部屋や廊下を掃除したあと、七時に食堂で朝食、三十分後には工場へ出発しました。

午前八時の朝礼に間に合うように、八十人ほどの寮生は四列縦隊を組んで、兵士並みに膝を高く上げて歩きました。

寮舎から工場まで女の足で十数分かかりました。この道のりは、麦畑より一段高い台地で起伏が多く、台地の端は崖で切り落とされていました。道と並行して森の向こうに南北に走る鉄道が見え、時折り黒い煙をたなびかせて汽車が走っています。通勤の途中、沿道に生えているキンセンカやアネモネ、栗の喬木など、季節を覗かせる草花が眼を楽しませてくれました。

私たちの服装は、日の丸を赤く染めた木綿の鉢巻きを締め、木綿の防空頭巾を被り、浅黄色の作業服を着て、腰からアルミニウムの水筒を提げていました。腰から下はモンペのズボンに地下足袋のようなズック靴を穿くのです。中学生は戦闘帽をかぶり、カーキ色でスフという人造繊維

の動員服を着て、腰に水筒を提げ、ズボンの裾をゲートルという巻き脚絆を巻いていました。

航空廠にはおよそ三万人の工員が働いていました。敷地は三万三千坪、庁舎や組み立て工場、倉庫、格納庫などが百八十棟もあります。これらの建物の東側に広々とした滑走路が並んでいました。

私の働く修理工場は、飛行場に隣接した南側の乙格納庫です。格納庫は三棟あってどれも蒲鉾型の大きな広い建物で、私は飛行機部の銅工班の高野組に配属されました。組員は十人ほどで、高野組長は五十歳くらいで眼鏡をかけた温厚な人です。三棟の格納庫の修理工場には通称零戦《ゼロセン》と呼ばれる零式艦上戦闘機や雷電、紫電、月光など前線で戦って破損した機体が置かれ、一般工員と中学生や女学生の動員学徒二百人ほどが、好餌《こうじ》に集《たか》る黒蟻のように機械音を響かせて修理に当っていました。修理を終えた機体は別の格納庫に運び出され、そこで検査を受けて前線に飛び立つのです。それも月日が経つにつれて搬び出されなくなり、思わしくない戦局と合わせて虚しい巨体を曝していました。

私たち乙格納庫には二、三人の技術将校が腰の短剣を握り締めて巡回していました。彼らの中に、襟の階級章も真新しく、ついこの前まで大学生だった顔が透けて見えました。

初めての集団生活は、見るもの聞くもの、そして自分でやって見ることも総て珍しく、好奇な思いに駆られる明け暮れでした。何よりも驚かされたことは仲間との混浴でした。浴場は寮舎の北側の廊下の角にあり、八畳くらいの狭さで灯火管制のため薄暗く、隔日に開かれました。入浴の夜は、裸身を曝すので羞《はずか》しい思いをしました。それも日を重ねるうち自然に慣れて入浴できるようになり、髪を洗ったり背中を流し合ったりしました。

ある夜、原田さんに背中を流してもらいながら話し掛けられました。

「あんたはヨ、東京育ちのお嬢さんだっぺヨ、器量よしだから子供ん時はメンコイって言われたっぺ？　な、そうだっぺヨ？」

突然、こう言われて私は返す言葉もありませんでした。どう言われようと私には関係ないとはっきり言いました。これも集団生活に付き物の噂話に過ぎません。

こうして洗いっこをするうち、人間の身体は何と軟らかく、なめらかで、円い肉塊なんだろうと思いました。こんなことに今更気づくのは遅いのでしょう。それに、人間の体のどこに骨があるのか考えたこともありませんでした。就寝後の床の中でもいろいろ雑念が沸いて、私に初心《うぶ》な感受性が芽生えたのはこの時だったのかもしれません。その後、彼女たちから私はいろいろ啓発されました。

毎週土曜と日曜に〈帰省〉と言って家に帰りました。家から戻ったとき、モンペを脱いでス

カートを穿いてくる人もいました。すると、

「あーれ、いけねェんだ！　いけねェんだ！　こうた《（こんな）》戦争中にスカートなんど非国民だっぺナ！」

などと囃《はや》し立てられたものです。実際、モンペなど穿いたことがなかったので、皆は〈これじゃ婆さんだっぺヨ！〉と口々に不満をぶつけ合いました。私はスカートでもモンペでもどちらでもいいと思っていました。モンペは脚絆代りに足元から腰まで身体に密着するので活動しやすいのですが、スカートを穿きなれた者には気持ちの良いものではありません。戦時下ですから、装いはいつ、どんなときでも駆け出せるようにしていなければなりません。それにはモンペが適しているのは間違いないのです。

帰省した彼女たちの手荷物には、パンや握り飯をはじめ特産物の納豆、ワカサギ、オハギ、煎餅など、生活の小さな幸せが詰めこまれて、互いに交換しあい、私にもお裾《すそ》分けをくれました。

私の場合、伯父の家に居候《いそうろう》している母と弟しかおりませんので、皆のようにはお土産を持ち帰ることができず、肩身の狭い思いをしました。当時五十歳近い母は、一寸見《ちよつとみ》は小綺麗に見えるので村の人から〈掃溜めに鶴〉と冷やかされました。弟はまだ小学生で村の学校へ通っていました。帰省のとき、母の縫ってくれた防空頭巾の肩当てや手袋などを仲間に配りました。母は村の「大日本婦人会」の集会に出るため、着古した着物をモンペに仕立て直し、序でに私の分まで

作ってくれました。〈ラッパ〉の原田房江さんは母親が居ないので私たちは特に気を配ってお土産を上げました。私も、夜の床の中で布製の靴下を上げました。

気前がいいのは〈おばさん〉の毛呂正美さんです。綽名のとおり仲間の気持ちを汲みとるのが早く、地下足袋のホズレを繕ったりして苦労性の性格らしく、時には二十歳くらいのお姉さんに見える時もありました。

## 2

それはもうじき春の季節が終わろうとするころでした。軟らかな風が遥かの土手の菜の花を揺らし、気だるい陽ざしが揺曳《たゆた》い、睡気を誘われる午後、私たちの修理工場は幾組かが作業をしていて、銅工班は零式戦闘機の主翼の下の欠損をジュラルミンで補修していました。その日、ほぼ七割がた仕事を終えたとき、鬱々とした工場の空気を破って拡声機が休憩のサイレンを鳴らし、三時の休憩に入りました。工員たちは仕事を止めてその場に座り、配給の乾パンを食べ始めました。すると、北側の入り口近くに数台の海軍トラックがゆっくり走って来ました。新しい部隊が到着したのかと眺めていると、トラックは車体に灰色の幌を被せて荷台から筒型の土管のようなものが突き出しています。その隊列は異様な雰囲気を感じさせたので、

「へんなトラック！」

と言って皆は行く先を確かめに飛び出して行きました。トラックは西の敷地の甲格納庫の方へ進んで行きます。普通なら飛行場の端を通るはずなのに乙格納庫近くを通るのが不思議でした。ゆっくり進む隊列は、爆発物でも運ぶような重苦しい走り方で不気味でした。

やがて休憩時間が終る頃、人づてに、甲格納庫の北側に秘密兵器が搬入されたという噂が流れてきて、私たちは何か事件の前触れかと不安で仕事も手につきませんでした。

次の日、さらに事の重大さを知りました。その日の朝礼は廠長の海軍少将が式台に立ち、威厳を込めて、

「北倉庫の作業は絶対外部に漏れぬよう厳重注意せよ」

と訓示しました。それで例の秘密兵器が特殊潜航艇であることを知りました。

数日後、高野組から私と女子工員一人、他の組から三人、動員中学生二人が〈回天〉補助作業班として銅工班の班長から北倉庫詰めを申しつけられました。

私たちはトラックに分乗し、広々とした滑走路を斜めに走って北倉庫に入りました。そこに円《えん》墻《とうけい》形の〈回天〉二機が台座の上に黒々とした胴体を横たえていました。この機種については軍の機密なので、重ねて口外を禁じられました。

〈回天〉は潜水艦の胴体を丸くしたような形で、長さは十五メートルほど、機体の回り一メート

ル、排水量八トン、中央の屋根に当たる部分に水平に移動する分厚い防弾ガラスの蓋があり、そこから兵士が乗り込むらしく、中の機器がどうなっているのか判りません。

この作業は飛行科出身の北野中尉が指揮を執りました。北野中尉は神風《かみかぜ》特別攻撃隊員で、近いうちに戦地へ出撃するはずですが飛行機が無いので乗ることができないのです。北野中尉はこの作業班の責任者として中尉に任官したばかりでした。私の仕事は〈回天〉の機体の真ん中に潜望鏡を装塡することです。潜望鏡は水中で敵艦の位置を測る重要な装具です。これを取りつけた後、九州の基地に運ばれるまで北倉庫で待機します。日が経つにつれて私は仕事に慣れてきました。その間、倉庫の周囲をカーキ色の軍服に身を固めた数人の技術将校が何度も往復していました。後で知りましたが、〈回天〉には脱出装置がなく、操縦兵一人が特攻として乗り組んで死地に赴くので、人間魚雷、水中特攻、無航跡魚雷などと呼ばれていたそうです。

この苦しい戦況に備えて、東側の飛行場で神風特別攻撃隊の兵士たちが旋回訓練をする情景を、私は何度も目にしました。その一つに、「神風特別攻撃隊萬朶隊《ばんだたい》」と書かれた赤い吹き流しの幟《のぼり》が風に翻っているのが見えました。あの兵士たちは、やがて前線へ出て行って敵艦に体当たりをするのかと思うと、何とも言えず暗澹とした気持ちになりました。

戦後、ある資料から〈回天〉は魚雷を改造したもので、全国で四百二十機造られ、耐圧深度八十メートルと浅く、時速五十五キロメートルで航続力は二十三キロメートルと短く、機体は母艦の伊号潜水艇や駆逐艦に搭載されて出撃したことなどを知りました。その犠牲者は百六名に上り、今では回天記念館が作られているそうです。

私たちの作業が山を越した頃、戦局は悪化の一途をたどっていました。去年の十月、レイテ沖海戦で初めて神風特別攻撃機が出撃し、十一月にはマリアナ群島へのB29の爆撃、沖縄島へのB24の爆撃、そしてP51艦上戦闘機の硫黄島への攻撃など、日本は太平洋の制空権を奪われていきました。私は父が今どこに配属されているのか知らず心配でした。

今年の二月、鹿島灘沖に碇泊したアメリカ航空母艦の機動部隊が艦載機で日本の各都市を空襲し、三月には東京の大空襲で死者十万人、負傷者十一万人、焼失家屋二十七万戸と大被害を蒙りました。さらに霞ヶ浦航空隊や私たち航空廠を、六百機ものP51が飛び立って波状爆撃を始めたのです。これは私たちが標的にされている証拠でした。こうして日本は北海道から沖縄まで主要な都市すべてをアメリカの空襲に曝されたのでした。

六月の下旬、沖縄本島の南端で、負傷兵を看護していた女子学生が集団自殺を遂げたというニュースが入って来ました。その時、日ごろ大声を張り上げて話す房江さんが泣き噦《じゃく》りながら言いました。

「おらたち《あたし》、日本はもう敗けるだヨ、アメリカは首根っこサまでやって来てるんだわサ。あんた、怖くねェけ？　日本が敗けちまったらヨ！」

房江さんは食事当番だったので、皆より遅く部屋に戻ってきたところでした。当直室の週番教師から新聞の閉じ込みの整理を命じられ、初めて最近の戦局を知ったというのです。房江さんは昼から涎《た》れる唾液を手の甲で拭いながら甲高い声で話しました。

「だってヨ、勝つにしろ敗けるにしろヨ、おらたちは鉄砲も持てねェし、飛行機サ乗れねェしヨ、こんたな《こういう》わけで、戦争サ男たちに任せとくほかねェんだわ。しゃあねェやナ《しょうがないよ》」

房江さんが同意を求めるように皆の顔を眺めると、こんどは〈しもやけ〉の市川瑛子さんがひそひそ声で言いました。

「さっき舎監から聴いたんだけんど《けれど》、十日前《めえ》に中学生が何人か航空廠から選ばれてヨ、千葉の香取航空隊サ行って〈雷電〉に電波探知機取り付けたんだと。で、成績良かったから隊長からえれェ《たいそう》褒められたんだとヨ。中学生には出張があるんだわサ」

瑛子さんは中学生の出張が羨ましそうです。それを聞いた〈おばさん〉の毛呂正美さんが、思い出したように体を揺すって言いました。

「あのヨ、中学生らは軍人チョクユとかを筆で書かされたってヨ、なんでも三千字もあるんだと。〈ワガクニノグンタイハ……〉ちゅうやつヨ」

　聴いている皆はますます深刻な想いに取り憑《つ》かれていきました。そのとき、こんどは〈三日月〉の永山宏子さんが声を潜《ひそ》めて話し始めました。

「なヨ《ねえ》、この戦争、聖戦だ、聖戦だって言ってるけんと、聖戦て何だべ？　日本がアメリカから唾サ引っかけられたんで、その仕返しにハワイを叩いたって教えられたっけヨ、だけんと、やっぱ男が悪いのヨ。兵隊ってみんな男だっぺ……。んだから戦争は世界中の男が考《かん》げェてやってるんだべ。おらたちは、男に号令掛けれェて、指図のまんま動いてるだけだっぺサ、人形みてェにヨ。敗け戦《いくさ》して国中が騒いでるなんてバカでねえか！　勝っても敗けても、もうはぁ、尻拭いは男がやりゃええ《いい》んだべサ……」

　永山さんの話を聴くうち、ひょっとするとこれは当たっていると思えて来ました。確かに私たち女性は男の作った策略に動かされて、言われるまま行動するしかないのです。いま宏子さんに言われて初めて気がつきました。私たちはもともと女子挺身隊員です。こういうことに気がつく宏子さんは勉強家だけあって考え方が深いのです。父親は市役所に勤めていますが元は中学で国語の教師をしていたそうで、日ごろ、悪い成績はとれないと零《こぼ》していました。東京の女子高等師範学校を受験する宏子さんは駄弁の仲間に加わること少なく、戦争の実態を自分たちの仕事を通して摑もうと真剣でした。成績は悪い方ではなかった私も、宏子さんほど戦争の実態を摑めませんでした。それでも先日の空襲があってから、これから毎日危険な空襲に身を曝すのだと覚悟を新たにしました。

## 3

日中の暑気が寮舎の部屋を蒸しあげ、灯火管制で寝苦しい夜のことです。暗い寮生活に慣れだした私たちは、消灯までの時間を思い思いに過ごしていました。そのうち、いつか堕《だ》れた風紀が醸し出されました。

ある夜、就寝前の点呼が終わって寝間着に着換えていると、〈おばさん〉の正美さんが寄って来て、モンペの腰のポケットから薄汚れて擦り切れた袱紗《ふくさ》のような包みを取り出して、観音開きに畳まれたその紙を開いて見せました。それは男女が絡まる絵でした。正美さんは私の耳に口を寄せて、

「おめェ、これ知ってべ?……」

と訊きました。私は咄嗟のことで口ごもって、

「そんなの……知らない」

と言うと、正美さんはもう一度、

「よッく見ろヤ」

　と言って部屋の入り口まで連れて行かれました。

　皆に気取られまいとする正美さんの様子から、興味本位の好奇心に駆られている彼女から早く離れたくなって、

「おやすみなさい」

　と言って布団に戻りました。

　このことは、幸い誰にも気づかれませんでしたが、寝床に入って考えると、どうして私だけにあのような絵を見せたのだろうと思いました。正美さんは、いずれ同じように皆に見せびらかすに決まっています。


　食事当番は各室から一人が出て、朝夕の配膳を用意しました。料理人は近くの農家の主婦が毎日交代で通って来ます。食堂棟は寮舎の西側にありました。食堂の正面の壁に、畳一畳くらいの布で、「一粒《いちりゅう》の飯《いい》、一滴《いってき》の水《みず》、是祖神之賜也《これおやがみのたまものなり》」と筆太の墨字の標語が掲げられ、食事を始める前、一斉にこの言葉を唱えさせられます。

　食事のとき、「食当開け！」の号令がかかると、食事当番が我れ先に食堂棟へ駆けつけます。食堂棟の渡り廊下を渡るとき、踏み板を鳴らして駆け抜ける凄まじさは女学生とは思えません。

食堂棟の奥に琺瑯引きの大きなバケツが幾つも並び、麦の入った黒っぽいご飯が盛られています。当番は量の多そうなバケツに飛びかかります。それを二列に並んだ木製の食卓まで運んで、棟別に並んだアルミ食器にご飯を盛りつけ、それに野菜の煮つけや焼き魚、味噌汁などをアルミの食器に配りました。

このころからご飯の配分量が減り始めたため、当番が他の班のご飯を盗み始めました。ある寮生などは食事当番に、どうして自分の盛り付けが少ないのかと、

「あんた、依怙《えこ》贔屓《ひいき》してるんでねェのか！」

と食ってかかる一幕もありました。こうした食事の争いは見るもあさましく、食堂での規則も破られて勝手に行動する寮生が増えていきました。

そうするうち、中学生が松林を抜けて私たちの寮舎に侵入する珍事が起きました。

彼らは好奇心に駆られて数人でやって来て、風呂場の周囲をうろつくのです。やがて寮生たちは彼らの行動を〈夜襲〉と言って騒ぎ出しました。

ある夕方、<ruby> 面皰面《にきびづら》の三人の中学生が私たちの部屋近くに来て、

「おめェら、元気あったらここサ出て来いヤ」

などと噪《さわ》ぐので、一人の寮生が舎監の橋本教諭まで報告に走りました。教諭は現場に来ると、

「こら！　お前ら何しに来た！」

と大声で一喝して呼び止めました。彼らは一斉に逃げ出しましたが、教諭はその一人を捕まえて、

「貴様、こうた非常時《こんな》に何を考《かんげ》ェてるだ！　卑怯な真似するでねェぞ！」

と怒鳴りつけ、

「いいか、土浦ちゅう町は勤皇の志士の藤田東湖や佐久良東雄が活躍した土地だ。お前らの先輩は兵学校や士官学校で立派にお国のために働いてるんだ！　よく反省しろ！　解ったか！　解ったなら畏れ多くも〈青少年学徒の勅語〉を唱えてみィ！　出来たら赦してやる。二度と来るでねェぞ！」

とどやし付けました。彼は顔を引きつらせ、直立不動で唱え始めました。

「えー、国本《こくほん》ニ培《つちか》ヒ国力ヲ養ヒ以《もっ》テ……」

「もう忘れたか？　しっかり覚えろ！　国家隆昌《りゅうしょう》ノ気運ヲ、だ」

「……国家隆昌ノ気運ヲ永世《えいせい》ニ……」

「どうした？　だめでねェか！　維持セムト、だ」

「……維持セムトスル任《にん》タル極メテ重ク……」

「道タル甚ダ遠シだ。しっかりやれ！」

中学生は目を瞑り、真っ赤な顔で慄《ふる》えながら続けました。

「……道タル甚ダ遠シ而《しこう》シテ其ノ任《にん》実ニ繋《かか》リテ……」

「だめか！　汝等《なんじら》青少年学徒ノ雙肩《そうけん》ニ在リ、だ」

「……雙肩ニ在リ汝等其レ気節ヲ尚《たっと》ビ廉恥《れんち》ヲ……」

「重ンジ、だ！　もういい！　俺に続けろ！　古今《ここん》ノ史実ニ稽《かんが》ヘ中外ノ事勢《じせい》ニ鑒《かんが》ミ……」

「……其ノ思索ヲ精ニシテ其ノ識見ヲ長《ちょう》ジ……」

「執《と》ル所中《ところちゅう》ヲ失ハズ嚮《むか》フ所正《ところせい》ヲ謬《あやま》ラズ」

「各《おのおの》其ノ本分ヲ恪守《かくしゅ》シ、だ」

「……各《おのおの》其ノ本分ヲ恪守《かくしゅ》シ文ヲ修《おさ》メ武ヲ練《ね》リ質実剛健ノ……気風ヲ振励《しんれい》シ以テ……」

「負《ふ》荷《か》ノ大任《たいにん》ヲ全《まつた》クセムコトヲ期セヨ、だ！　全くだめでねェか！　しっかり覚えろ！　わかったか！」

「はい！」

中学生はおどおどして答えると、名前を告げて逃げ帰りました。橋本教諭は彼らを目で追いながら皺だらけの国民服の裾を引っ張って、

「全くしょうねェ奴らだ！」

と足元に唾を吐き捨てて、じろりと私たちを睨みました。

中学生とのやり取りで、橋本教諭が非常時と言ったのが耳に残りました。戦争中ですから非常時ですが、最近、戦意を高めるためか、新聞や看板はやたらに聖戦完遂とかゼイタクは敵だ、などと書き立てて非常時を煽《あお》っています。

たまに航空廠の偉い人が寮舎を視察に来ると、橋本教諭は急に態度を変えて鞠躬《きっきゅうじょ》如として諂《へつら》っていました。どうして軍人に対して揉み手をするのか、私は男らしくないと思いました。

中学生の夜襲はあれで収まったわけではなく、数日すると私たちの部屋の硝子戸の前まで来て様子を覗《うかが》っています。誰かがガラス戸を開け閉《た》てして威嚇しましたが、寮生の中には中学生に諂って面白がる人も出てきました。ある寮生は、風呂上りのあと彼らに囲まれて夕闇濃い松林の中に姿を消して行ったので噂になりました。

そのうち異性への接近を面白がって真似をする寮生も現われました。娘心に点された男性への好奇心は、昂ぶりこそすれ止むことがありません。その余波は私の部屋まで及んで、〈しもやけ〉の市川瑛子さんがその実践者となりました。彼女は就寝前の点呼までたびたび部屋を抜け出しましたが、行き先は見当がついています。私は彼女までがと思えて驚きました。勅語の暗記で絞られた中学生は二度と姿を現わしませんでした。

麦の穂が風に靡いて暑さも加わってきたある夕がた、一人の寮生が松林の奥に消えて男女の行いをしたと、寮生の一人が舎監に知らせて来ました。事態は全寮舎に知れ渡り、私たちまで白い目で見られるようになりました。そんな蔑視に甘んじなければならないとは悔しいことです。

　明日が帰省の土曜日という夜、部屋の曇りガラスに中学生の影が映るのを皆が認めました。今度は私が思い切ってガラス戸を開け、そこに立っていた中学生を見据えて、

「あんた、何の用があるの、こんなところへ来て！」

　と睨《ね》め付けて言うと、

「エイコ、おらんかネ、イチカワエイコよ。ちっと話してェことあるんでヨ」

　と鼻白んで言いました。瑛子さんはまだ寮に戻っていないのでそれを伝えると、中学生は無理に平静を装って、カーキ色の動員服から手帳の切れ端を取り出して、

「これサ、エイコに渡してくれや。俺《おら》ァ、あした家サ帰《けえ》らねばならねえでヨ……」

　と眼を瞬《しばたた》いて私に渡し、そそくさと帰って行きました。瑛子さんには悪かったのですがその紙を見ると鉛筆の下手な文字で「市川エイコさまへ」として、

〈お袋が具合悪くなっちまったんでナ、済まねェけんと、こん次にしてくれや〉

　とありました。部屋の人たちが、

「あの子、〈しもやけ〉をキズモノにしたんだヨ」

　などと言い合ううち、当の瑛子さんが戻ってきました。彼女を見ると、今のことを知っていた

のか陰鬱な表情でした。瑛子さんにとってはあの日々が初めて経験する人生の闘いだったのかもしれません。私たちは、いわゆるルサンチマンの心から暗に彼女を責めることに急でした。これはいつの場合も私たちが陥る安易な態度です。瑛子さんの受けた試練を思えば、キズモノなどという言葉が、いかに不当なものかと私は思いました。

娘時代と呼ばれる青春を、人はそれぞれ思いのたけを生きてみることで自分の青春を果したものと考えがちです。瑛子さんの場合、この動員生活の中に芽生えた一種の悪ふざけの中から、本物が現れ出たのだと思います。

瑛子さんの行為は、やがて氷山の一角に過ぎなかったことが判りました。寮生に限らず、普通の女学生なら異性への関心を抱かないものはありません。今思えば年頃の娘のこの関心は当然でしょう。寮生たちが瑛子さんに刺戟されたことも見逃せません。彼女は間もなく実家へ帰りました。事件が落ち着くまで、間に立って腐心した教師と母親はどれだけ困惑したかわかりません。母親は、狭い額に苦渋の皺を寄せて事情を聴きに私たちの前に姿を現しましたがほんとうに気の毒でした。部屋の仲間は、無責任にもこれを「しもやけ事件」と言って騒ぎました。その間、戦局は刻々と敗色を濃くして行きました。

## 4

その日の作業が終りに近づいたある日、聴いたことのない警戒警報のサイレンが繰り返し鳴りだしたので、私たちは何か異変が起こったのかと不安がよぎりました。そこへ、

「敵は至近距離にあり。速やかに機体を掩体壕《えんたいごう》に格納せよ！」

と命令が伝えられ、私たちは作業道具を置いて水筒をひっ提げ、武器代わりに鑢《やすり》を持って乙格納庫を走り出ました。

はじめは滑走路を斜めに横断するものと思いましたが、いつ来たのか〈回天〉作業班の北野中尉が大きく手を振って、

「中央滑走路の〈雷電〉を掩体壕に入れるんだ！」

と号令をかけました。

いつもなら警戒警報と同時に将官官舎の東第一棟から十数人の兵士が駆けつけて、

「エイ、ヤー、エイ、ヤー！」

と掛け声をかけながら滑走路の隅に掘られた掩体壕に飛行機を入れるのです。その日は私たちが押して行かねばならず、危険な遠回りで身を曝したくなかったのに、一刻を争うのでこのコー

スを走るしかありません。指示された壕まで三百メートルもありました。私たちは飛行場を横切り南側の土手まで走って、藁葺き屋根の農家が点在する近くまで早駆けに駆けました。滑走路は草一本生えていません。〈雷電〉にたどり着けても無防備な私たちは機銃掃射の餌食にされるのは明らかです。警報に脅えながら走り続けた三十数人は、やっと〈雷電〉を掩体壕に格納しました。今思い出しても足が竦《すく》みます。敵はこの隙《すき》だらけの集団を殺すのに一発の直撃弾で足りたでしょう。格納を終えた私たちは、早速待避壕へ避難するため土手下の民家に沿った海軍道路まで一目散に駈け降りました。途中で北野中尉が、

「散開！　散開！」

と何度も叫ぶ声が聞こえて、私たちは蜘蛛の子を散らすように散りぢりになって脇道に入り込んでひた走りに走りました。そこも遮蔽物の一つもない道路で危険この上もありません。目指す待避壕まであと数十メートルの所で空気を劈《つんざ》く不気味な空襲警報のサイレンが鳴り出しました。見上げると、東の空を早くもゴマ粒を撒いたように散らばった黒っぽい点々が近づいてきました。敵のグラマン戦闘機です。

「急げ！　急ぐんだ！」

北野中尉や男子工員たちが声を絞り出して叫びました。私たちは海軍道路の土手下の土塀に沿って身を隠すように走りました。

「散開！　民家の裏へ回り込め！」

こんども北野中尉の号令がかかって私たちは目標を変え、いったん土塀から離れて農家の畑道へ走り込みました。その間、グラマンはまっすぐこちらに向かって飛び続け、粒々がトンボほどの姿で手が届くばかりの至近距離に迫ってきたと思うと、機首を下げて急降下の態勢を取り始めました。そのとき誰言うとなく、

「伏せろ！　伏せろ！」

と言い合い、その場に一斉にうつ伏せに伏せました。

私は伏す間もなく桑畑の繁みに割って入りました。その時、地響きと共に爆弾の炸裂《さくれつ》する音が轟いて、畑の畝《うね》を透かして黒い煙がもくもくと立ち昇り、煙の立つ所は乙格納庫の方らしく胸の動悸が止りません。つづいて二、三発の爆発音が地を響《とよ》動もしたかと思うと、東の空一面に紅塵が舞い上がり、目の前を主翼に紅く大きな星を染め抜いた爆撃機が中空へ消えて行くところでした。

大かた滑走路に大穴を開けて行ったのでしょう。これに代わっていつ来ていたのかP51が編隊を解いて高度を下げ、機銃掃射で撃《う》ち込んで来ました。私は心臓の動悸が高鳴るばかりで生きた心地もしません。二、三機のグラマンがこちらに向かっています。

その時です。桑の木の下でうつ伏せしていた女子工員が、

「あんた、こっちサ来《き》ねェか？　一人じゃ怖かっペヨ！」

と叫んで来ました。私のことかと思って思わず首を擡《もた》げた瞬間、頭の上を土埃《つちぼこり》を立てて一人の女子工員が声のした方へ走り出ました。そこへ豆を煎るような機銃の音を立ててＰ51一機が攻撃を掛けてきました。予想どおり俄然耳を劈《つんざ》く急降下音を掻きたてながら降りて来ました。どこで叫んでいるのか、

「伏せろ！　出たらいかん！」

と呶声《どせい》が聞こえました。声の終わりは機銃の炸裂する音に吸い込まれ、私はもうだめだと思い、遮蔽物一つない畑の土深く顔を突っ込みました。声を掛けた女子工員と、桑畑の溝のあたりへ駈け出して行った足音が聞こえたと思うと、空気を引き裂くけたたましい絶叫が響きわたって、あとは不気味な静けさに戻りました。

私は土の臭いを嗅ぎながら、水筒の水を何度も口に含みました。

やがて警戒警報に変わり、いつ来たのか北野中尉が姿を見せて、

「全員起きろ！」

と声をかけられたのでホッとして起き上がりましたが、辺りは静まり返った空気で先ほどの出来事が嘘のように思えました。すぐ近くに白いヤマユリが風に揺れているのが見えます。真っ青に晴れ上がった夏空の下で、折り重なった二つの身体は兵士たちに担架で運ばれて行きました。

一人はなんと逸代さんです。私は身体の震えが止まりません。あの逸代さんが、たったいま弾に当たって亡くなった、こんなことがあっていいのか！　逸代さんたちの担架は将校官舎の慰安室へ向かったと思います。あの二人がどうして機銃に狙われたのか。私とはわずか数メートルしか離れていないのに、一瞬のうちに二人は生命を落としたのです。人間とは何と果敢なく脆い生きものなのでしょう。

その夜、寮舎に帰っても、逸代さんたちが眼の前で亡くなったことなど口にできず、六人の仲間はみなしょんぼりして言葉も交わせません。突然襲ってきた一発の機銃掃射で、瞬時に自分が死ぬことなど誰が予想できたでしょう。戦争では総ての死を誰も予想できません。

六人はクラスも違い、机を並べていたわけではなく、この寮で知り合ったばかりでした。

七月に入って間もなく、航空廠は何度も空襲に見舞われました。そして遂に忘れ難い一日がやって来ました。

私は回天補助作業班の任務を解かれて、焼け残った乙格納庫の工場の西側にいる高野組に戻りました。皆は無事で元気でした。

翌日の昼、拡声器から午前の終業サイレンが鳴ると同時に、また警戒警報が鳴り出しました。近くの拡声器から、

「総員直ちに待避せよ！」

と呼びかけの放送が何度も流れて、私たちは取るものも取りあえず水筒と鑢を握ってお定まりの避難コースを全速力で駆け出し、敷地の西の堰堤の松林に転がり込みました。そのとき空襲警報が鳴り渡り、サイレンと同時に足元からズドーン、ズドーンと地響きが伝わってきて、すさまじい爆裂音が轟いたかと思うと頭から全身土砂にまみれました。

どこからともなく、

「敵は近い！　壕へ行くな！」

と叫ぶ声が聞こえてきました。待避壕へ行けなくなったのかと思った途端、

「壕が破《や》られた！　草の中に潜れ！」

と聞き覚えのある声が伝わって、すぐ北野中尉だと直感しました。中尉がどこにいるのか判りません。私が潜った栗畑の畝の下に堤が続き、その脇に海軍道路が走っていました。道路には数台のトラックが乗り捨てられ、人の姿はありません。

落とされた爆弾の風圧はここまで届き、辺りの空気を切り裂いて弦を震わすようにビンビン振動させて来ます。爆弾が落ちた瞬間、ゾゾーッと爆風が吹き靡いて不気味な空気に包まれました。四つん這いになった私の頭上で空中戦が始まり、敵の艦載戦闘機P51三機が日本の戦闘機を波状攻撃で追撃して、その周りを一周したかと思う間もなく、日本の戦闘機に赤々と火を噴かせ

ました。それまで何度か空襲に遭って来ましたが、規模といい時間といい、この時ほどひどいものはありませんでした。

だいぶ時間が経って気が付きましたが、近くにいたはずの四、五人の女子工員が見えず、どこへ走り去ったのか判りません。体の下のしっとり湿った栗畑の赤黒い腐葉土が、異様な臭いを放って冷たかったのを覚えています。

そのうちP51は急降下を繰り返しながら近づいて来ました。やがて煎り豆が弾かれるようにピューンピューンと機銃掃射の銃撃音が響き、銃弾が辺りの小石を吹き飛ばして落ちて来ました。私は思わず〈お母さん！〉と叫びました。昼食も摂れずお腹も空いて来ます。周りに人っ子一人いません。北野中尉の声もあれっきり聞こえず、真夏の陽が頭の上でギラギラ照りつけるばかりです。熱気は松の繁みの下枝に日陰を作り、日陰は私の手の先まで伸びて来ました。この惨めな恰好を嘆いてばかりいられず、我慢して長いこと同じ姿勢を保ちながら麦茶を飲んでひたすら空襲解除を待ちました。

空中戦は遠くでまだ続いているようです。五十メートルほど離れた辺りで、伏せている一団の塊が見えました。修理を終えた攻撃機の検査をしていた甲格納庫の工員たちです。近くの梅の木の傍に待避壕があるのに、今は動くこともできずにいるのです。日本はどうして空襲ばかり受けるのかと怒りが湧いて来ました。私ばかりでなく、日本中の人が憤怒の塊でそう思っていたはずです。これでは仕事などできるわけがありません。

先日の朝礼で航空廠長が、

「戦いは本土決戦しか残されていない」

と訓示したとおり、いよいよ私たちの戦う秋《とき》が来たのです。

そんな思いに駆られていると、またもやB24爆撃機が大挙して航空基地へ向けて母艦を発進したという情報が伝えられました。敵の航空母艦は太平洋沿岸近くに錨《いかり》を下ろし、いつでも関東地方一帯を爆撃できる態勢にあるようです。

このまま夜を待つのかと私は心細くなりました。もう三時近くになっています。そうするうち、飛行場の西の端の海軍道路の入り口から、トラックが走って来て数名の兵隊がばらばらと降りると、

「これから我々が指揮する。トラックで東の待避壕に移動する！」

と号令し、私たちはトラックに分乗して誘導され、五分も走ったあたりでようやく待避壕に着きました。地上は平静そのもので、真夏の熱風で辺りはむんむんと蒸されています。

長閑《のどか》な景色とは裏腹に、指示された待避壕は海軍道路に程近く、中は坑道のように三人がやっと入れる幅しかなく、石や板塀で土留めをされ、天井には通風筒の穴が開《あ》けられて外気を取り込んでいます。入って見ると、そこに男女の工員や動員学徒たちや、先に降りた十人ほどが身体を

寄せ合っていました。天井が低いので、五尺二寸の私は腰を跼《かが》めなければ入れません。

待避壕には飛行機部の技術将校もいました。五、六人の女子工員が兵士の後ろで不安そうに塊っています。嫌でも眼の前の兵士と鼻を突き合わさなければなりません。暫くして兵士から乾パンが配られました。いまは昼の弁当など口にすることはできません。乾パンを配った兵士が、

「空襲はもうじき終わるぞ。もう少しの辛抱だ！」

と皆を励ましました。私は半ば諦め半ば情けない思いで眼を瞑り、一刻も早くと空襲解除を待ちました。

## 5

夕闇が迫ろうとする時刻になりました。不気味なサイレンが警戒警報を流し始めました。敵の機動部隊が太平洋岸に横付けし、北関東の沿岸一帯に艦砲射撃を浴びせているという情報が伝わりました。壕の中に動揺の渦が巻き起こったのも当然です。

兵士の一人が、

「この壕は何度も目標にされてきた、もっと離れた場所へ移ろう！」

と言いだし、私たちは待避壕を出て指示に従って分散し、数人と一緒に急いで海軍道路に出

て、最も近い壕に向けて駈け出しました。途中、三十メートルほど来たとき、東の空にゴマ粒を撒いたような十数個の敵機が見えました。私は愕然として思わず眼の前の農家の納屋へ転がり込みました。後に続いて数人の工員も入って来ました。

こんなに緊迫したときでも、日本の飛行機は一機も飛び立つ気配がありません。これでは戦争もお終いだと思った瞬間、あちこちで投下された爆弾の炸裂音が不気味に響き渡って来ました。この納屋も間もなく爆撃されて火だるまになるだろうと覚悟しました。

爆撃の音が少し遠ざかったかと思えるころ、三人の将校が納屋に入ってきて、

「動員学徒はおらんか？」

と声を掛けられました。

「はい、私です」というと、

「よーし、俺たちに蹤《つ》いて来い！」

と強い命令口調に促されて、納屋を出て将校たちについて歩き出しました。軍服の襟章は星二つです。一人はどこかで逢ったことがあると思いました。その兵士が振り返りざま、

「君、挺身隊の大芦君じゃないか！　俺だよ、北野だよ」

と私を見つめてきました。

「はい、回天作業にいた大芦です」

と答えると、北野中尉は何度も頷いて歩いて行きます。どこへ連れて行かれるのか不安でしたが、蹤いて行くしかないと思いました。畑道が切れてまた海軍道路が始まり、飛行場までつながっていました。そのうち離れて歩いていた二人の将校は海軍道路へ入ろうとしています。

「北野中尉、俺たちは将官官舎の東棟に戻る。貴様はどうする？」

と、訊きました。北野中尉は、

「東棟に戻ってもとっくに爆撃《や》られてるぞ！」

と言うと、

「それは構わん。貴様はどうする？」

「俺は挺身隊が待機する西倉庫まで彼女を送っていく。この分じゃ、今夜ハンモックで巡検ラッパは聞けないぞ」

と中尉が言うと、

「そいつは残念だが、今夜は仕方ないぞ」

そう言って二人は別れて行きました。

眼の先に木柵を繞《めぐ》らした小さな平屋の建物が見えてきて、近づくと物品供給所の酒保《しゆほ》でした。北野中尉は私の背中を押して小屋に入ると、

「誰かおらんか！」

と誰何しました。返事はありません。中尉は棚の柱にぶら下がった布袋を取りました。小屋の中は木製の棚がずらりと並び、棚の上に色々な食器類と固型の箱がいくつも積まれています。北野中尉が箱を開けると、中にごま塩のついた握り飯が並んでいます。これらの食糧は近くの農家の主婦が毎日届けてくれるそうです。

北野中尉は棚のシートをめくって目ぼしい食べ物を布袋に詰め込み、二つ並んだ大きな酒樽から飲料用の麦茶を、三本の中瓶水筒に詰めました。私はその一本を持たせてと言いましたが中尉は聞きませんでした。中尉は重そうな布袋を担いで歩き出しました。

布袋の中身は、ごま塩の握り飯、皮つきの落花生、チョコレート、葡萄パン、こげ茶色の飴玉、四角い海苔付きの煎餅、太く長いローソク、そして飯盒《はんごう》二個、麦茶の中瓶三本などです。小屋を出るとき、中尉は木箱に用意された受け出し用の短冊に持ち出した品目を書いて入れました。私は酒保の倉庫にこんな食品が用意されていたのでびっくりしました。

「さあ、行こう！」

北野中尉は汗が染み出た将校帽を被り直して、麦畑の道を戻りました。途中から畑の裏の細い道へ入って歩いているとき、私は兵士たちも酒保の品物で助かっているのかと思いました。

北野中尉は麦畑の中を歩きだしました。

このとき、中尉のそばにいれば安心だと思い、このまま蹤いて行くことにしました。

「大芦君、挺身隊の集合場所はどこだ？」

「乙格納庫に近い東工務局の建物です」

「東工務局は遠いな、ここから大分あるぞ」

日ごろ、私たちは兵士から「挺身隊」と呼ばれていたので、今、北野中尉からそう呼ばれてハッとしました。中尉は苦笑いしています。この人が作業班のとき、厳しく指揮した同じ人かと思えるほど優しい笑顔です。

「私、心配です、この空襲……」

「もう寮へは戻れんよ」

「はい」

「ほかの人は？　君は何組だった？」

「高野組です。さっきの警報で避難するとき、皆と離れ離れになって……」

私はやっとそう言いました。

「よし、これから敵《やっこ》さんが来たら近くの待避壕に行こう。……そうだ、いい所があった」

北野中尉は大股で歩き出しました。途中、トウモロコシ畑に来ると数人の兵士が屯して、北野中尉を見ると一斉に挙手の礼をしました。

日没にはまだ間があります。酒保から遠ざかり、中尉と私は道を北へ取って西陽を受けながら肌が灼けそうな暑熱を我慢して歩きました。途中の掩体壕に、一式陸上攻撃機や対潜哨戒機の〈東海〉、艦上攻撃機の〈天山〉、〈雷電〉、〈零戦〉などが格納されていました。北野中尉は、これらは東棟の兵士たちが待避させたのだと言いました。最後に見た掩体壕に、被弾した〈雷電〉の残骸が燻《くすぶ》っていました。

「この分じゃ滑走路は穴だらけだ！」

吐き捨てるように中尉は言いました。回天作業班のあった甲格納庫の屋根が吹き飛んでいます。南の方の黒い木造二階建ては廠舎で無事らしいです。これらの光景から、敵が標的にしたのは飛行場と航空廠だと判りました。歩くうち、もえさかる炎暑の熱気に体が熱《ほて》って汗塗れになり、何度も水筒の麦茶を飲みました。頭の上には白い夏雲が浮かび、地上の修羅場など全く知らぬげに穏やかそのものです。

北野中尉は重そうな布袋を担いで先に歩いています。しばらく行くと水田が見えてきて、手前の赤土の土手に出ました。古い木橋が架《かか》って小川が流れていました。木橋のところで中尉は足を止めて、

「川が流れてるぞ！」

と言って振り返りました。広い飛行場のはずれにこんな小川があるとは知らなかったので、私

はホッとしました。木橋の中ほどに来て川面を覗くと、白い雲がゆらゆら揺れて、透き通った
瀬《せせらぎ》に小さな魚が群れて細石《さざれいし》の間を泳いでいます。私は思わず、

「小さなお魚がたくさん泳いでまーす！」

と叫びました。中尉は大股で戻ってきて、

「ほう、メダカだ、たくさんいるな！」

と眺めています。私は思い出したので、

「ほら、メダカの学校ね！」

と言うと、中尉はにやりと笑って頷きました。

潺々《せんせん》と流れる小川の土手一面に松葉ボタンが固まって咲いて、すぐ近くに綺麗な紫色のエゾギクが顔を覗かせています。

私は嬉しくなって中尉に指《ゆび》さしして
「あの花、何ていうのか知ってます？」

と訊きました。中尉は首を振って、

「知らんね」

とそっけなく答えました。私は構わず言いました。

「エゾギクです」

「エゾギク？　ほう、こんな土手にも咲くんだな」

「向こうに松葉ボタンがあります」

中尉はしばらくその方を眺めています。

「お花は好きですか？」

と訊くと、

「ああ、好きだけどね、今はだめだ」

と力ない返事に、私はひるまず、

「中尉さん、私が好きなの言ってみましょうか？　エビネ、レンゲソウ、キンセンカ、それからミヤコワスレ、山吹の花……」

と、ちょっと大げさに挙げました。

「ずいぶん知ってるんだね」

と笑いながら先を歩いて行きました。

こんな時でも小川や草花たちは平和なんだと思いました。きっと蝶々やトンボが飛んで来て、ホタルも光を放って飛び交うのでしょう。空襲の最中、静かな小川のせせらぎが心に沁みました。

木橋を渡った先に村道が続き、どうやら航空隊の敷地を出外れたようです。右手に藁葺き屋根の待避壕が見え、入り口に莚《むしろ》が被せてありました。北野中尉は水田の畔《あぜ》を渡って煙草畑を抜け、藁でカモフラージュした壕の前に来て、

「ここだよ、溜り場は。仲間は同期の奴ばかりだ。やって来ても遠慮は要らんよ」

と垂れた莚を払いのけて中に入り、束ねた藁苞《わらづと》を足元に敷いて褥《しとね》を作ると、

「やれ、やれ！」

と腰を落としました。私も中尉を真似て莚を元に戻して藁を敷き、モンペのまま踞《しゃが》んで腰を下ろしました。壕は横穴式で奥まで五、六メートルしかありません。やはり石や板で土留めされて、幅は二人がやっと通れるくらいです。入ると暑熱が籠って汗が溢れ出て来ました。北野中尉は軍服を脱ぎ、海軍シャツ一枚になってズボンのポケットからローソクとマッチを取りだし、板きれに蠟を溶かして灯《とも》りを点しました。ほんのり明るくなった壕の中で、髭面の中尉の顔が浮かびました。

「これでよし、と。夜でも大丈夫だ」

と何度も頷いていています。それから一安心したのか灯りを吹き消して水筒の麦茶を飲みながら、

「どうだ、いい壕だろう！」

と笑っています。私は先ほど中尉が〈遠慮は要らんよ〉と言ったのが気になっていました。こんな狭い壕にあと何人入ってくるのかと。

私から進んで北野中尉に近づいたのですから入る人数など訊けません。隊列を離れたのは規律を乱したことで私が悪いに決まっています。或いは寮に帰って松林の待避壕に入る方法もありましたが、それでは一人で県道を歩かなければならず、憲兵に咎められるでしょう。そんなことを思うと、私は仲間からはぐれた仔羊で、中尉は何と思っているのか心配でした。

その夜、二度目の陰気な空襲警報のサイレンが森々と暗い飛行場を縫って壕まで聞こえて来ました。間もなく、

「敵機動部隊、鹿島灘西南を飛行中！」

という伝令が伝わって、来るはずの将校が一向に姿を見せないことに不安を感じました。北野中尉に訊くと、

「ここまでやって来るには遠すぎたかも知れん。君が最初に入った兵隊壕にでも飛び込んだんだ。……ようし、これからは君と一緒に居よう」

中尉は右手の拳で何度も左掌を叩きながら、入ってきた辺りを見つめています。私は今聴いた〈一緒に居よう〉と言われて、中尉が何を思っているのか、あるいは何かを試されるのかと不安でした。

それでも度胸を据えて、こうなった以上、この壕で中尉に守られているから敵は何でもやって来るがいいと心に決めました。

## 6

案の定、間もなく空襲のサイレンが狂おしく鳴りわたり、私の不安は恐怖へと駆り立てられました。

「いよいよご来光か。お出でなすったな！」

北野中尉は汗にまみれた軍服を褥《しとね》に広げて横たわったので、私もごろりと横になりました。明かりが消えて熱気に煽《あお》られた壕に、どこから来るのか微かな風が忍び込んできます。風は暫しの恩恵でもあるかのように快いものでした。この息苦しい壕を抜け出して、澄んだ空気を思う存分吸ってみたいと思って、起き上がって一歩踏み出そうとした瞬間、頭の上をけたたましい爆音が轟いて、爆撃機が飛び去って行きました。あまりの低空で、主翼の赤い国籍マークが見えたほどでした。まるで汽車が何台も走り抜けるような轟音でした。

「怖いか？」

北野中尉はむっくり起き上がりました。入り口へ出かかった私に、

「チョコでもしゃぶろう……」

と言って布袋からチョコレートの一片を取り出して私に呉れました。瓦のような角ばった分厚

いチョコで、一口噛み砕くとジーンとこそばゆい香りが口中に沁み渡り、この味はいつか食べたことがあると思いました。

数年前の正月、父が土産に持ち帰ったチョコレートの味でした。あれ以来、父と逢っていませんでしたが、チョコの味は、子供のころ、木綿の着物を着たときの匂いと一緒に懐かしい父を思い出させられました。しかし、チョコの味だけが遠い昔の歳月と同じであってもそれだけでは十分でなく、今は誰かにしっかりと抱きとめてほしかったのです。その時、目の前に閃光が煌《きら》めいて眼が眩むほど真っ白な光に包まれました。

「くそっ！　曳光弾《えいこうだん》まで使いやがる！」

北野中尉は入り口の莚を引き揚げて外を見ました。私も後ろから見ると、落とした爆弾を確かめるためか、敵はサーチライトのような照明弾をあちこちにばら撒いて炸裂させています。その瞬間私は手に何かを握っていなくては居られず、思わず舌を噛んで恐怖を怺《こら》えました。その間、落ちた直撃弾の振動がズンズン全身を震わせてきます。壕の周りはズドーン！　ズドーン！　と凄まじい爆撃の音が続いています。こんな時でも北野中尉は冷静で、兵士とはこういう人かと感心しました。

中尉は布袋から飯盒とスプーンを取り出し、

「こういう時こそしっかり食っておこうや」

と言って冷え切ったごま塩の握り飯を一緒に頬張りました。中に梅干が入っていて美味しかったです。食べ終わって人心地つき、水筒の麦茶を飲みました。

中尉は軍服に零《こぼ》れたご飯粒を拾って食べ、胡坐《あぐら》をかきました。

「美味《うま》かったナ！」

「ええ、とっても美味しかったわ」

そう言って、この味は一生忘れないだろうと思いました。

中尉は水筒の麦茶を飲みながら、

「今更、狂瀾《きようらん》を既倒《きとう》に反《かえ》すというわけにはいかんな……いかんよ」

と独り言のように言いました。私は何のことか判らず、

「今、何とおっしゃったんですか」

と訊きました。中尉は、

「いや、もうわが軍の勢力は挽回できないと言ったんだ。……ところで、君の父上は何をしてるんだね？」

と逆に訊かれました。

「軍医で、呉に居ると思います」

「ああそう、呉か。ほかに家族は？」

「母と弟だけです。父の実家に疎開しています」

「そうか、君は軍人の娘さんか。で、弟さんは？」

「小学二年です」

「まだ小さいんだな。軍人の娘さんは何かと責任が重いな」

責任と聞いて私はうろたえました。なぜ軍人の娘は責任が重いのか。でも今はそんなことを話す心の余裕はありません。私は今の気持ちを訴えました。

「父が今、どこにいるか知りたくて……、まだ呉だと思うんですけど」

「そいつは判らん。海軍は移動が多いからな」

私は言葉もなく、ただ無事でいてくれるようにと祈るばかりでした。


夕闇が壕の中に忍びこんできました。爆撃は遠ざかったようです。それまで寝そべっていた北野中尉が急に体を起して訊いてきました。

「君、今まで読んだ本で何か好きなのあったかい？」

あまりに突然だったので中尉が何を思いついたのか戸惑いました。

「本はそんなに読んでません。友達の文庫本を借りて読んだくらいです」

「どんな本？」

「あの、〈徒然草〉とか〈枕草子〉とか……」

「難しいのを読んだね。西洋のものは？」

「あまり読んでいません。……中尉さんはどこの大学ですか」

「僕か。僕は京都だ。僕はね、西洋史を勉強していたんだ。戦争で中途半端になってしまった。敵性語など読むなというわけでね」

「西洋史ってどんな勉強なんですか？」

「そうだな、まあヨーロッパの歴史だね。初めは小説を読んだんだが、そのうち人間の考え方に興味が沸いてね、モンテーニュとかパスカルとか、フランスの啓蒙思想家たちをちょっと勉強しただけさ」

「その本、どんなことが書いてあるんですか？」

「一口には言えないね、まあ、パスカルという思想家は『パンセ』という本で、〈人間は考える葦だ〉と言ってる。葦のように弱い生きものだとね。でも、弱い生きものだが、この世界や宇宙のことを考える力がある、と。それは人間に尊厳さが備わってるからだ、というんだ。考えることで森羅万象を理解できる、というんだよ。ほかにもいろいろあるがね」

　そう言われても難しくて私には判りません。それで普段思っていることを尋ねました。

「中尉さん、今一番大事なことって何ですか？」

するとなく中尉は私に肩を近づけて言いました。

「そいつは難しいな。僕は今、迷ってるんだよ。僕の中に二人の僕が居てね。一人は特攻として敵艦に突入してやろうとしている。もう一人は特攻という役目を何とかして降りようとしている。どっちが本当の僕か？　乗る飛行機が無いのでそう思えるのかどうか。正直に言えば、死にたくないと思ってる僕がいる。それは確かだ、生命《いのち》を生き切りたいとね。そうは言っても、ここで爆撃で死ぬなら死んでもいいさ。運命の偶然だから仕方ないよ……」

私は暗がりの中で、黙って頷くだけでした。聴くうち、中尉の心に生きようとする情熱が沸いていると感じました。生殺与奪の権を握る軍隊は、兵士一人一人を組織の歯車として本人の意志など構わず死地へ赴かせようとしています。予備学生として入隊した北野中尉は、死の呪縛を振りほどこうと抵抗しているように思いました。私は、この戦争があまりに無駄なことなので悔しくて、そして悲しくて涙が溢れてきました。

この時、北野中尉は私を見つめて手を握ってきました。私はそっと振りほどいて中尉の胸倉を摑んで揺さぶりました。そうしないではいられませんでした。

「死なないでください！　中尉さん！　生きていてもこの国は守れます。自分は飛んで行かないで、他人に後に続けと特攻を煽動する人は本当にずるくて悪者です。物すごくずるい人です。特攻隊を作った人が率先して行けばいいのに！」

私は噎《むせ》びながら叫んでしまいました。中尉は私の手を握り直して、

「いいかい！　誰でも皆そう思ってるさ。有無を言わさず征《ゆ》けと命令された兵士は嫌とは言えないんだ。自分から進んで特攻を志願する兵隊もいるんだ」

中尉は穏かに言いました。

「中尉さん、死んではだめです！　だめです！　大学の勉強を続けなければ……」

私は必死でした。北野中尉は言いました。

「死ぬことはいつでもできる。生きていてこそ何かの価値を生み出せるんだ。たとい葉書き一枚でも書ける。それなのに僕の同期はこうした煩悶を繰り返して死んで行ったんだ。結婚したばかりで奥さんを後に残した男や、故郷に許婚者を置いたまま急いで散った男たちや、みんな日本が勝つと思って犠牲になったんだ。高慢で卑怯な奴は、特攻機に乗らずに陸で眺めてるだけだ！

……」

「中尉さん、そんなこと言わないでください。他人《ひと》は他人《ひと》です。いまは早く戦争が終わればいいだけです。寮の人たちも、もうじき戦争は敗けると言ってます。前線の兵隊さんたちより銃後で働いているとよく判ります。もう〈回天〉も造れないんですから飛行機なんか造れるわけがありません」

私はしっかり強く言いました。

「こんな戦争、誰が始めたんですか。その人は今どこで何をしているんですか！」

私はまた中尉の胸元を揺さぶりました。それに構わず北野中尉は続けました。

「この国の一握りの人間だよ。彼らは〈一天万乗の君に忠誠を尽くせ〉と号令した。天皇のため〈この戦争に命を賭けろ〉と。これが国の至上命令だと。その上帝国憲法を〈不磨の大典〉だと勝手に美化して国民に押し付けてきた……」

「それに黙って従ってきたほうも悪いんじゃありませんか」

「そうじゃない。従わざるを得なくさせられたんだ。学業半ばの僕たちを戦場に引っ張り出そうとしてるんだよ。君たちだって学業を放り出して働かされているじゃないか」

「けれど、もうじき軍隊は解体されるんじゃありません？　そんな気がします。こんな状態で、いつまで戦えるんですか？」

言ってはいけなかったかも知れません。北野中尉がまさに死に直面しているからこそ、私も真剣に話したかったのです。

北野中尉はローソクの灯りを土の上にあった板に点しました。

暗闇の壕の中がポッと明るくなりました。月が出たのか外の道が白く光って、それが壕の入り口に射し込んでます。時おりＰ51が重厚な金属音を立てて低空で飛ぶ音が聞こえます。その時私は反射的に防空頭巾ごと藁に頭を突っ込んで体を縮めてしまいます。北野中尉がもっと僕の生命《いのち》を生きたいと言われた時から、中尉の今までのことが気になっていたので訊いてみました。

「中尉さんは結婚なさっていらっしゃらないのですか？」

するると中尉は苦笑いをして、

「してないさ、君。本当ならまだ学生なんだよ。結婚なんてできるわけないさ」

訊き方が悪かったので中尉が気分を毀《こわ》したのかと心配でした。それを打ち消したいので重ねて訊きました。

「……なにかお話して下さい。何でもいいですから……」

中尉は気分が悪いわけでもなさそうでした。それから声を低めて話してくれました。

「君が〈回天〉の作業班に回ってきた時、僕は飛行機屋なのに指導技官として隊から派遣されたばかりだった。これは偶然と言えば偶然だが、こんな出会い方は世の中にいっぱいあるよ。親子の仲もそうだし、父と母の結婚もそうだ。仮にだ、僕が神を信じる人間なら、神のお導きとか摂理のなせる業《わざ》とか言って、今の自分を肯定するだろうね。その神も元はと言えば人間が想像した産物だよ。人間の苦痛を前に、どんな憐憫《れんびん》も同情も表わさないのが神だ。人として生を享《う》けるというのは、魂にではなく生命《いのち》、肉体に享けるんだ。人は肉体で考え、知識を持ち、感情を覚え、意志する。そこまで行くには時間がかかるがね。だいたい人の誕生とその成長はすべて偶然の要素で成り立っているんだ……」

　私は判りやすく話してもらいたいので言いました。

「偶然の要素って何だか判りません。私たちの生活とどんな関係があるんですか」

　その時、またＰ51の爆音が聞こえてきました。

　中尉はしばらく目を瞑っていましたが、やがて私の顔を覗き込んで言いました。

「偶然はね、物事の原因や理由が判らないのに、予期しない出来事が起こる、そういうことだよ。原因と結果の法則から言えば、人間の認識が足りないからだとも言える。どんな偶然でも原因があるはずだからな。因果関係って聞いたことあるだろう？」

　私はますます判らなくなってきたので、話を変えました。

「聞いたことありますけど、じゃ、戦争も偶然と関係があるんですか？」

　北野中尉は笑って言いました。

「関係がないこともないがちょっと違う。戦争は現実の事柄だ。ただ、戦争はそれを決めた人間の意志が働いた結果だ。これは判るだろう？　人間の意志によって戦争は始まったからな。こうした人間の意志は、どうやって生きていくかという方向を決める。戦争しようと意志して選び取った結果が今の日本の現状だ。ひどい話だ。こいつは偶然じゃないんだ」

「その、人が意志するって、どういうことなんですか？」

私は食い下がりました。

「君は学生だから難しいかもしれんがね、僕は工場の君たちを見て、君たちはいま働いていることをどう思ってるか知りたかったんだ。戦争のために働くのでなく、本当ならもっと別の方法で生きたいんじゃないのか、とね。それを判断するのは人間の意志だ。僕たちの生き方にはその判断が必要なんだ。敗け戦の中でどう生きて行くか……、僕はいま、そんなことを考えてる」

「私もこのままでいいのかしらと思ってます……」

私は舎監室の掃除に入ったときに読んだ最近の新聞記事のことを話しました。

それは一日遅れの新聞の閉じ込みでした。大きな見出しだけを見たのです。そこに今年の一月、敵がルソン島と硫黄島に上陸したこと、本土を爆撃するため宣伝ビラを撒き、艦載機が関東と東海地方を爆撃したことなどが出ていました。また三月には、マリアナ基地からB29が日本本土を無差別爆撃し、焼夷弾三十三万発を落として東京中を焼け野原にしたこと。それで犠牲者が十二万人も出たと書いてありました。五月には、沖縄に上陸した敵と市街戦を戦って〈ひめゆり部隊〉や〈おとひめ部隊〉の女学生が手榴弾で自決したことなども出ていました。

# 7

北野中尉は、何を思ったのか突然がばと跳ね起きて言いました。

「軍部はね、君、敵の戦力を見誤ったんだ。そのうえ軍隊を外地へ強制的に送り込んだ。これは一握りの軍の上層部がやった見込み違いで、しかも思い上りだ。最初から戦争そのものに誤った考え方があった、そこに責任がある。こうなった経緯《いきさつ》を見直すには、いつか国民を戦争に導いた軍部の判断を洗い出さなければならんと思うよ」

北野中尉は語気を強めて言い切りました。

「でも、それはもう遅すぎるんじゃないんですか？　みんな、責任をなすり合うか負わないように逃げまくるに決まってます」

私はもうこの話を止めようと思いました。軍部というとき父が顔を出さないわけにはいかないからです。私が軍人の娘と知った以上、中尉はそれを意識しているに違いありません。しかし中尉は言い足りなそうに、腕組みをして壕の天井を睨んでいます。それから声を落として言いました。

「君が言うように戦争は退《ひ》くに退けないところまで来てしまった。あれかこれか選択できる段階はとっくに過ぎた。かりに選択出来たとしても人間のやることだから間違いが起こる。それが人間の哀しさだし、愚かさだ。判るかい？　だが哀しいからと言って間違った選択を赦《ゆる》すわけにはいかない。間違いは正さなければならんが、僕らは正し方を知らない。正そうとすると、とんでもないことをやってしまう。正したつもりが実は過ちを深めてしまって将来に禍根《かこん》を残す。そうして悔恨が生まれる。それが人間だ、人間が取り返しのつかない決心をするのは一時の出来心のせいだ。それで傷ついた心にはただ闇と沈黙がふさわしいのかもしれん。……僕が今、何を言いたいのか、判るかい？……」

判らないとは言えませんでした。

「ええ。じゃ中尉さん、私たちはどうすればいいんですか」

私は焦りました。

「今は判らんがね、その当座にならなければな。一つの見当はつけられると思うよ」

中尉はそこまでは判らないらしいのです。

「それこそ現実にやって来ることだよ」

たしかに誰が見てもこの戦争が敗けるのは明らかです。こちらに勝ち目はありません。

「このごろ〈尽忠報国〉とか〈悠久の大義に生きる〉とかいう言葉を聞くだろう。こんな標語に惑わされてはいかんのだ」

「私も小さい頃から聞いてきました。〈忠君愛国〉や〈八紘一宇《はっこういちう》〉や……」

「そいつは三年前の秋の学徒出陣のとき、東条首相が使ったんだ。もとは『戦陣訓』にある。大体ね、〈悠久〉だなんて言葉は歴史の長いのを美化した言葉だよ。〈大義に生きる〉も忠義を尽くして死ねというまやかしさ。言葉を弄《もてあそ》ぶだけだ」

私も本当にそうだと思いました。そして、

「〈大東亜共栄圏〉とか〈鬼畜米英〉というのも知ってます」

中尉は私を見つめて頷きました。

「そういうのは全部まやかしだよ。いいかい、日本はアジア全体を征服しようとこの戦争を始めた。それが覇権を握ろうとする国策なんだ。戦争で日本はアジア全体を掌握できると思ってる。その結果が今見てる負け続きの戦いだよ。

僕は前から日本人とは何かと考えてきた。日本人の八割は農耕民だったね。弥生時代から田を耕して米を作って。そう、この国に生まれた僕らは土地も両親も選べない。これは偶然だ。結婚して家を継ぎ、子供をもうけ、子孫を作る。これはみな偶然だ」

話がどこへ進んでいくのか戻っていくのか判らなくなりました。

「人間の暮しというのは決まっているものなんですか？」

「そうじゃない。人間は絶えず未知の時間へ向かって生きて行く。そうして働いて死ぬんだ。子孫も続いて行くが、一人一人はみな孤独だ。その孤独の重荷は生涯下ろせない。僕は戦争の時代に生まれ合わせて軍隊の駒として特攻とされた。これも偶然さ。君もそうだ。たまたま僕と遭った。これも偶然の仕業だ。人生にはこんな時もやってくる。それで、すべてのことは過ぎ去る。人生の不可抗力だよ」

北野中尉の話は自嘲気味に聞こえました。私は何と言っていいか判りませんでした。

「じゃ、私たちはどうすればいいんですか？」

「偶然の呪縛だよ！　……。何度も言うが、この国の為政者が戦争という黒いカードを切って国民を死地へ追いやって来たことだけは許せない。僕はこのカードを切り崩したい。有限なら有限のまま行きたい。僕はそう思う」

中尉が何を言いたいのか判りませんでした。私は何となく精神的な距離のようなものを感じていました。

「戦争は人間を機械にした。兵隊という機械を。よく働く歯車を造ったんだ。戦争の歯車を回す油になれと。だが油と力を注がなければ歯車は動かない。いつかは止まる。そして今、止まろうとしている。戦争とは仏教でいう殺生《せっしょう》だよ。そう、人間は輪廻転生《りんねてんしょう》という生死を繰り返すんだ。僕は特攻兵として死刑を宣告された。生きるのを止めろと。生命《いのち》とはいったい何だ、人生僅か二十余年、その五分の一は敵を殺す生活だ。敵を殺して自分は生きる。次の殺しに向かうために……。軍人生活の目的はこれに尽きる。何れは死ぬ番が回って来る。だから今、死に対して正しい解釈を与えねばならん。戦争は人間を人間でなくさせ、理性や知性を失わせるんだ。死んで転生してこの次は何に生まれて来るというのか……」

「いけません、そんな……。まだ死んでなんかいません……」

「そう、今からでも遅くない……。いや、ごめん、ちょっと興奮してしまった。結局人間の作為なしに人も物もすべて偶然に置かれている。その自然な在り方を僕は大切にしたい。そういうことだ。自然の在りようの中に本当のもの、真実があるに違いないんだ。今は壕の中に居るけど、ここに爆弾が落ちれば二人とも死ぬ。それだけだ。これも偶然だ。君や僕が意図したのでもなく……」

「いいじゃありませんか、それならそれで。このままの偶然でも……」

しばらく沈黙が来ました。北野中尉は何を思うのか深く頷いています。おそらく、それからそれへと想いを巡らしているのに違いありません。私はそれまで背負っていた体の周りの重たい殻が割れて、別の私が今生まれ出たように、私は体が軽く宙に浮いているように感じました。

この時まで、どれほど時間が過ぎたのかも判りません。

「いいかい、大芦君、人生は一回きりの正念場だ。生き方によっては永い場所でもあり短い場所でもある。この人生が短いとするなら、僕たちが何かをやろうとするのは一羽の鳥が地上に舞い上がろうとするたった一度の羽ばたきに過ぎない。バタバタとやるだけのことだ。これしきのこともやれないでどうして生きたと言えるかい？　人生の悲哀を知らんと人間はダメだ。それは人類に対する無私の愛だよ。すべてはこの悲哀から出発するんだ、これは僕の悟りかも知れん。……悟りとは、真理を知ることだ」

掠《かす》れてくぐもった声で中尉は言いました。その時、暗がりの中でどんな顔をされていたか判りません。中尉が横たわる莚に脚を伸ばしてそっと抱いてあげたくなりました。そうしてじっとしていることで、心が休まるかもしれないと思いました。もう少しでその衝動を抑えきれなくなりそうになったとき、心が通うとはこのことでしょうか、以心伝心というのか中尉は腰を上げて座りなおし、私の背中に胸をぴったりつけて両手を私の肩に懸けて言いました。

「僕はきっと生きて見せる。戦争が終わって生きていたら、そうしたら――こういうことを言うと死んでしまうかもしれんが――そうしたら大芦君、結婚しよう。今夜、初めてもう一人の自分が見つかった。君が居てくれたので心の整理が出来た。そうだ、君の住所を聞いておこう。ここに書いてくれないか」

中尉はポケットから紙切れと鉛筆を取り出して私に渡し、

「大芦君、君は信じられないだろうが、君と結婚することは僕、真剣だよ、いいかい？」

と声を低めて言いました。それは半ば強制的にも聞こえる言葉でした。私は否応なしに住所を書いて渡しましたが、中尉と結婚するなど、それまで考えもしないことなのでとても信じられず、半信半疑でした。すると、

「君、解ってくれるね？」

そう言って中尉は紙切れをしまうと私の頬を両手で挟みました。それはほんの束の間でしたが私の神経は麻痺したように痺れて息がつまりそうでした。中尉はもう一度両手を私の肩に懸けました。その時私は自然に中尉の手の上に右手を重ねました。

二人きりという今は、親密な関係の始まりを示すばかりか感動的なものにさえ思えて来ました。暫く目を瞑ってじっとしていると、場所も時間も判らなくなりました。私の人生にこんなことが巡って来るとは……。

暫くして、私はそっと立って壕の外へ出てみました。空襲は疾《と》うに熄《や》んで、先ほどまで射していた淡い光も消え、曇り空に薄い半月が浮かんでいました。

## 8

日本の敗戦は、北野中尉や私たちが予想したとおり、それからひと月たったころ巡ってきまし

た。北野中尉とお別れしたのは七月半ばで、飛行機がないと言われても、時どき西の空の白く霞む千切れ雲の中へ吸い込まれて行く小さな機影の航跡を見ました。九州の鹿屋《かのや》へ向けて飛び立った最後の特攻機だったでしょうか。あの中に北野中尉が乗っていらっしゃるのではと何度も胸騒ぎを覚えました。

八月に入ると、広島に新型の原子爆弾が投下されて三十二万人もの被爆者を出し、つづいて長崎も原子爆弾を浴びて十八万人も犠牲になりました。これで敗戦は決定的となったのです。この酷《むご》い戦禍はいつ癒されるのでしょうか。

八月十五日は朝から灼けるように暑い日でした。正午前、甲格納庫前の広場に工員と動員学徒が集められ、拡声器から玉音放送のくぐもった声が流れてきました。前のほうに見かけない将校たちが神妙な面持ちで整列しています。声が消えると、歔欷《すすりなき》が聞こえました。日本は敗けたのです。敗戦によって、私たちが働いていた蒲鉾型の乙格納庫では、工員たちが次々と郷里に引き揚げて行きました。ほかの工場も、屋根が吹き飛ばされた以外は何事もなかったようにがらんとしています。修理を待つ何機かが、胴体に穴を開けられたまま放置されていました。

寮生活もこの月で終わりました。仲間の〈おばさん〉の毛呂正美さん、〈しもやけ〉の市川瑛子さん、それに〈三日月〉の永山宏子さんや〈ラッパ〉の原田房江さんとも別れました。宮本逸代さんが亡くなったことは、みな口にこそ出しませんが小さい胸に悲しみを抱いていました。寮を引き揚げるときの素早いことと言ったら驚くばかりです。週番や当直の先生方も動揺を隠さず、あたふたと帰宅して行きました。なかには国粋主義を標榜する地元の大東塾に加わって、天皇を警護するといって行動を共にする兵士もいて、大人たちの身の処し方はいろいろでした。

　兵士に混じって私たちも倉庫から毛布を担ぎ出して寄宿舎に戻り、そこから家に帰りました。


　私の住む村にも、背嚢を背負い、毛布や軍用品を担いだカーキ色一色の復員兵が帰って来ました。九月半ばから二学期が始まり、私も電車通学を再開しました。最初の朝礼で、校長は亡くなった三人の生徒の名前を読み上げ、全校で黙禱を捧げました。寮舎の仲間たちは組み替えもなく、私たち四組はみな無事でした。五組の教室の逸代さんの机には龍胆《りんどう》の弔花が供えられていました。私の教室では、髪を伸ばした若い教師が歴史の時間にハンニバルのポエニ戦争を熱っぽく説いていました。北野中尉から少し話を聞いていたので、教科書に載っている思想家たちの名前に親しみを感じました。それと、〈森羅万象〉の意味も解りました。

　私は北野中尉との出会いを誰にも話さず、教わった言葉を辞書に当たって調べ始めました。たとえば、『戦陣訓』とはどんなものか、学校の資料室で閉じ込みの官報の号外を見ると、昭和十六年一月二十五日付けで次の目次がありました。

《本訓其の一》皇国、皇軍、軍紀、団結、協同、攻撃精神、必勝の信念
《本訓其の二》敬神、孝道、敬礼挙措、戦友道、率先躬行、責任、死生観、名を惜しむ、質実剛健、清廉潔白
《本訓其の三》戦陣の戒め　一～九、戦陣の嗜《たしなみ》　一～九
《結》克《よ》く軍人の本分を完《まっと》うして皇恩の渥《あつ》きに答え奉るべし

空襲の最中《さなか》、北野中尉が言われた標語は「死生観」のなかの、「従容《しょうよう》として悠久の大義に生くることを悦《よろこ》びとすべし」とあるところでした。

そのうち、思いもよらぬ消息が齎《もたら》されました。父が呉港の海で戦死していたのです。突然の知らせに目の前が真っ暗になり、心が疼《うず》きました。その公報は敗戦後一週間目に入ったのでした。父は軍医中佐で戦艦〈榛名《はるな》〉に乗っていたそうです。私は母を支えることに懸命でした。幼さの取れない弟の健一は、

「お父さんは帰って来ないの？」

と腕白顔で母に訊ねています。母は言葉もなく涙に噎《むせ》ぶばかりでした。私としては、北野中尉に父の死をお伝えしたらきっと慰めてくださるだろうと思い、それができないのが残念でした。

しかし、依頼心を起してはいけないと、自分を戒めました。

　父の死は、私をさらに父に近づけました。父というと、私の記憶はあの生々しい一日が甦ります。それは〈二・二六事件〉という暗黒の一日です。

　雪の日は、たいてい父と幼い私は庭に降りて、お手伝いさんと一緒に炭団《たどん》と木炭を運んで大きな雪だるまを作りました。お盆くらいの雪の塊に、目玉と鼻と口を作っていくのは本当に愉快で楽しい遊びでした。

　その日は朝から大雪で一歩も外に出られずがっかりしていると、昨夜から父がいないことに気がつきました。母は家の中を右往左往するばかりで、時どきラジオにしがみつくように聴いているので、

「どうしたの？」

　と訊きますと、

「お父さんがどうしてるのか、ラジオで聴いているのよ」

　というだけです。痩せた背中を見せてラジオにかじりつく母の姿は子供心にも頼りなく寂しそうに見えました。いつもなら、母の背中に凭《もた》れて甘える私ですが、それもできなくて哀しかったことを覚えています。

見ると、庭に面した塀の外に、数人の兵士が立っています。それは憲兵でした。お昼には〈戒厳令〉が布《し》かれるというので、叛乱軍の命令で近所の人と一緒に雪の道の大通りを歩いて近くの神社の広い境内まで憲兵に付き添われて避難しました。母は弟を負ぶって私の手を引き、蒼い顔をして広場に向いました。その時、この家と別れるのだと思いました。神社までの道は長く感じました。私たちは夜遅く家に帰されました。家は無事でした。翌朝も相変わらず三人の憲兵が門の前に立っています。私たちが家に入っても夜通し立っていたのでしょう。あくる日の午後、父が疲れ切った表情で帰ってきました。それでも私たちに笑顔を見せました。あの時の父は、私の知っている中で一番優しく美しい父でした。

三年前、私たちがこちらへ疎開してきてから正月にしか帰らなかった父、痩せぎすの私が父とそっくりと言われてきたその父は、もうこの世にいません。深く冷たい瀬戸内の海に沈んで行ったのです。

海行かば　水漬《みづ》く屍《かばね》
山行かば　草生《む》す屍
大君《おほきみ》の　辺《へ》にこそ死なめ

かへり見は　せじ

聞き覚えた旋律が、父への鎮魂歌のように聞こえて来ます。

その後、軍から父宛てに僅かな弔慰金が送られてきて、もと部下だった技術将校が母を見舞いに見えました。

忘れていましたが、寮生活が終って母が待つ仮住まいの長屋門に帰った数日後、一通の封書が届けられました。表書きに「大芦攝子様」と達筆な筆が走っています。裏を返すと「九月八日、京都市東山××番地　北野純一郎」とあって、思い過ごしかも知れませんがこの墨筆に何か不吉なことが隠されているように思えてなりませんでした。

私は封を切るのを躊躇《ためら》いました。読むのが怖かったのです。もっと私自身に立ち返れる時が来るまで、手紙を披くのを止めようと。ここで読めば今の私が変ってしまいそうな気がしたのです。私は手紙を読めるときが来るまで机の引き出しの奥にしまい、いつか開封できる日が来ると自分を慰めました。

とつおいつ過ぎる日々、それでも記憶の中の北野中尉は私から離れることはありませんでした。その時の私のイメージは、北野中尉の軍服姿と父の遺影とが二重映しにダブって見えたことです。それればかりか、母の悔やみを毎日聴かされて、父は安んじて眠れないだろうと思い、お位牌にお詫びしました。

　私は思い切って、京都の町並みを想像しながら北野さんにお手紙を書きました。その中で、父が亡くなったことをご報告しました。あとは、一日も早くお会いしたいと下手な字で書き上げてお出ししました。

## 9

　敗戦後の混乱した有様は「ドサクサ」の一語に尽きます。世の中はすっかり落ち着きを失い、事情はこの村でも同じでした。疎開者たちは食糧難を歎くようになり、一升五十五銭のお米が七十円も出さなければ買えず、私は和箪笥の中の母の着物を抱えて近くの農家を何軒も尋ね歩き、お米やサツマイモと交換しました。街では〈リンゴの唄〉がはやり、第一回の宝くじが発売されて一等十万円の夢を見る人が先を争って買い求めました。

　そのころ、東京の第二復員省に勤める嘗ての父の部下の方が、麻布の家が焼け残っていると伝えてきたので、私は飛び上がって喜びました。母も、

「東京に帰れるわね！」

と大喜びしました。当時の伯父一家は、戦争が終わったので長屋門を明け渡すよう私たちに

迫っていました。都会の人が村に住むのは戦時中ならともかく、今では厄介者扱いにされます。それで焼け野原とはいえ自分の家があるというのは何ものにも代えがたく心強いことでした。母の鬱屈して霽《は》れない気持ちもこれが転機となって立ち直ってくれるかしらと期待しました。私は東京の区役所と連絡して転入を申請すると、「転入抑制中」ということで、帰京の期待も糠喜びに終わりそうでした。そのとき第二復員省の方のお骨折りで、『戦争未亡人一家の実状』という申告書を役所に提出してくださり、半ば強引に転入の許可証を取って下さいました。

復学する女学校も以前の麻布の公立学校と決まり、翌年一月から第三学期の授業が受けられるようになりました。十二月になって、私は戦争一色にまみれた想い出深い女学校と別れを告げました。あと一週間で新年を迎えるという年の暮れに、伯父が調達した大型の荷馬車に家財を積み込み、屈強な炭焼きの男が馬を曳き、私は冬着を何枚も重ね着して荷台の先に乗って東京に向いました。年末には母と弟が汽車で東京に帰ってきます。馬車が村を出るとき、近所の人から餞別としてお米や大豆、小豆などを戴いたので大助かりでした。

馬車は車軸を軋ませながらひたすら水戸街道を南へ進みました。馬方は途中で疲れた馬を休ませ、飼葉桶に青々と刻まれた飼葉を与えました。そんなとき、馬は大きな鼻を桶の縁にこすりつけて黙々と食べています。長い首を震わせ尻尾を振りながら一心に食べる馬を見ていると、何と健気な生きものだろうと思いました。

荷馬車が荒川を渡った辺りから、空襲で焼けた街の名残がそこここに見られ、東京に入ると三年前のあの絡繹《らくえき》とした人の往来は見られず、見渡す限り焦土が広がっていました。切れた電線が垂れ下がり、焼け焦げた電信柱があちこちに突っ立ち、街道沿いの家はどれも焼け爛《ただ》れた残骸ばかりで、どんな通りだったかその面影を思い出すことすらできません。

そのようなとき、馬方は、

「田舎に居た方がえかったン（よかった）でねぇかヤ」

と声を掛けてきました。焼け野原になっても私は住み慣れた東京が好きです。原子爆弾で被爆した広島や長崎はもっと酷い惨状だろうと思うと、これから日本はどうなるのか心配でした。

麻布までの道のりは灰燼に帰した焼跡の道路を大きく迂回しなければなりません。上野駅の前を通るとき、駅舎の周りを人、人、人が蟻地獄のように群がって凄まじい灰色の大集団となって驚かせられました。この前聞いたことのある餓死者は、この中から幾人も出たに相違ありません。馬車が進んでゆく道々には、寝場所のない人、襟章を剝ぎ取られた軍隊服の人、地面にへたり込む白衣の傷痍軍人、毛布にくるまって暖をとる女性などでごった返しています。みな乞食同然の浮浪者です。私にしても、家財道具を剝き出しにして馬車をごろごろ牽く一介の転入者に過ぎません。焼け残った東京の風景は、戦争に敗けた現実をまざまざと見せつけ、爆撃の凄まじさ、悲惨さ、哀れさが呼び覚まされて来ました。家を焼かれ、食べるものもなく、働くにも仕事がない今、死ぬものは死ねという声さえ聞こえて来そうで、〈コメ寄こせデモ〉までありました。まさによく言われる五濁悪世《ごじよくあくせ》の地獄絵を見る思いです。この町の人たちは、よくぞここまで死なずに生きて来られたものだと感嘆させられました。

その日の夜六時半時ごろ、荷馬車は懐かしい家の前に着きました。辺りの佇まいは疎開した当時と変らず、この辺りは焼け残っていました。荷物を運んで簡単な夕食を作り、馬方と一緒に食べました。馬方はこのままトンボ帰りに取って返すと言います。馬が疲れているから少し休んで明日の朝にしたらと言うと、

「なァに、馬メは平気でさぁ、空車《からぐるま》だしヨ」

と疲れも知らぬ気で帰るほうが嬉しそうです。こんな夜でも焼け野原には一時《いっとき》も居たくないのでしょう。私は彼の言うのにまかせました。彼は食後の休みも取らず、僅かのチップを握りしめて、川の流れる山国への郷愁からか、馬と一緒に帰って行きました。空荷の馬車がカラカラと音を立てて遠ざかるのを聴くうち、紫紺の筑波山や田舎の低い山並みが思い出されて、あそこもここと地続きの日本なのだと、つい感傷的な気分に駆られました。

私は六畳間の小さい机と椅子を丹念に拭いて電灯を点けました。その夜の寝床は湿った布団でしたが家に帰れて嬉しくて、北野中尉の気品に満ちた顔が脳裏に浮かんだりしてなかなか寝つけませんでした。

翌朝、八畳間のお仏壇を掃除しました。お位牌の前に柊の葉を供え、茶湯器にお水を注ぎ、蝋燭に火を点してお線香を上げて、無事に帰宅したことを感謝してお祈りしました。

## 10

年が改まった元旦の新聞に、詔書として、「天皇ヲ以テ現御神《アキツミカミ》トシ、且日本国民ヲ以テ他ノ民族ニ優越セル民族ニシテ、延テ世界ヲ支配スベキ運命ヲ有ストノ架空ナル観念ニ基クモノニモ非ズ。」という人間宣言が出されました。今まで唱えてきた天皇は神だというまやかしが払いのけられたのです。私は、日本はこれからどう変わるのか不安と期待半々の気持になりました。

私は以前の女学校の三学期も始まるので、正月休みはその準備の明け暮れでした。十畳間と八畳間、それに二つの六畳間の掃除で疲れてしまい、後は台所と納戸を片づけ、広くもない庭の梅モドキや金木犀、そして下草の枯葉を整理して三日間はあっという間に過ぎました。どの部屋も天井に蜘蛛の巣が張り、留守の間の年月をあからさまに見せています。それを払い落して拭き掃除をすると疲労感が這い上って来て、机の前の椅子に腰かけて休みました。そのうち身体の芯から力が抜け、机に突っ伏してしまい、心配事が次から次へと浮かび、終いに地上のすべての不幸を背負い込んだみたいに悲しみが込み上げてきました。

この時から、混乱した時代の荒波に翻弄されながら、私はひもじい青春の季節を生き始めたのでした。私は大事にしまっておいた九月八日付の北野中尉の手紙を机の引き出しから取り出しました。手紙の手触《てざわ》りから、初めの時の不安は消えて、今は幸福の前触れのようなものすら感じました。それは和紙二枚の海軍用箋で、灯りに近づけて見ると、黄ばんだ紙に整然と墨筆が並んでいます。私は一字一句を食い入るように読んでいきました。

「攝子さん、お手紙有難う。久々のお手紙を嬉しく読みました。読みながら、父上が亡くなられたことを知り、驚きました。心からお悔やみいたします。母上にもよろしくお伝えください。

お手紙から、攝子さんが僕のそばに居るのを感じました。そうは言っても攝子さんは僕を恨んでいるのではないかと心配です。というのは、戦争で婚期を失くした女性が日本には沢山いるからです。攝子さんも自分をその一人と思っているのではないかと。もしそうならそれは違います。約束どおり、僕はあなたと結婚します。いっそのこと、攝子さんがこちらへ来てくれれば一番望ましいのですが、それでは母上が困るでしょう。ですから、もう少し辛抱してください。

ところで僕は四月から、大学に復学して西洋哲学の勉強を続けることになりました。おそらく数年間は勉学に打ち込むことになるでしょう。その間、いつか言ったように、亡き戦友を弔う行脚を続けます。あなたをすぐ迎えに行くことは難しくなりました。申し訳ありません。原爆で被災された人たちを思えば、むしろ私の生活は贅沢なことだと思っています。ですからこの国のすべての被災者や犠牲になった人たちを忘れてはならないと思います。

こちらの大学の環境は最適です。そもそも哲学や思想は人生に備える一種の訓練に過ぎません。僕の希望は、こちらで教師になることです。弟さんも成長されたことでしょう。どうか僕との結婚を諦めないでください。比翼連理の契りを忘れないでください。両親も君を心待ちにしています。では母上によろしく。身体をお大切に。元気で頑張ってください。

九月八日

北野純一郎」

読み終わって、手紙を胸に押し当てました。そうしていると、温かい感情が昂まってきて、明るく幸せな未来が予感されてきました。しかし、それが現実になるためには、この先どんなことが待っているのか。この幸せな予感を、過ぎて行く中に溶かしこむ余裕があるのかどうか、お手紙の原爆のことを思うと、北野さんと同じようにあらゆる犠牲者に対して、襟を正してご冥福をお祈りする事しかないと思います。

お手紙を戴いてから、かなりの時が経ちました。北野さんは生きていらっしゃる。でも今は郷里に帰られて、私の連絡を待っていてくださるかも知れません。そうだとすると急に身辺が遽《あわただ》しく感じられてきました。それで一刻も早く母に話そうと思いました。

始業式の前日の夕方、母と弟が一週間遅く、父の郷里を後にして東京に帰ってきました。私は僅か一週間の独り暮らしでしたが、玄関先には浮浪者がうろうろと家内の様子を探るようにしていてとても怖かった毎日を話しました。幸い両隣りの家族の方と連絡が取れたので、その間、無事に過ぎることができました。母は早速、鎌倉に住む父の姉に帰京を伝えてホッとしたようでした。そしてすぐ働き出す算段をしました。私も三月に卒業すれば、進学を諦めて働くことに決めました。北野さんとのことを母に言いだすのは勇気が要りましたが、一月半ばに漸く切り出しました。いったん口を開いた以上、総てを漏らさず話してしまうと、あとは清々《せいせい》した気持ちになれました。この時の母は即答を避けて、

「しばらく考えてみるわ」

と問題を与ってしまいました。私は北野さんに手紙で事情をお知らせしました。

内容は、私が暮れに東京へ帰って来たこと、母の考え方、追って母からもご挨拶すること、などです。

それからひと月ほど経って、待ち遠しかった北野さんからのお手紙を戴きました。時候や無沙汰の挨拶に続いて、あと数年もすれば、私を迎えに来るという言葉が認められていました。私はこれですべては決まったと思って安心しました。

大寒に入ると、小さな庭の隅の椿が艶やかに深紅の花を着けました。次の休日、折からの雪が庭の花たちを白い衣で装《よそお》ったのを見て、戦争が終わったあと、季節の花を見過ごしてきたことに気が付きました。そうです、あのせせらぎの堤のエゾギクや松葉ボタンを見て以来、秋が巡って萩や牡丹がどこに咲いていたか、見逃がしてきました。

家の中では、障子も襖も色が褪め、あちこち破れが出来て傷んでしまいましたが、私の部屋からは青木や柊《ひいらぎ》や宇木《うつぎ》などが窓のそばに眺められるので、これがせめてもの慰めです。これらはみな父が植えて遺してくれたものです。

通学の途中、信号のない大通りの交差点で、白い鉄兜を被ったアメリカ陸軍憲兵隊のＭＰが交通整理をしています。東京中の通りにジープが走り、兵隊たちを移動させています。その進駐兵は元日本の陸軍の兵舎に仮住まいしているそうです。

連合軍は去年の十月、上陸用舟艇で神戸や小樽に入ってきました。その軍隊は日本の主な都市に駐在して、東京を根拠地に連合国軍最高司令官総司令部のＧＨＱが日本全土を統轄しているのです。その中で、東京銀座の松屋や和光がアメリカ軍に接収されて軍の酒保のＰＸとなり、周りでは浮浪者や靴磨きの子どもたちが兵隊からチューインガムやチョコレートをもらって喜び、銀座の夜店には、アメリカ兵の軍服や煙草のラッキーストライク、キャメル、石鹼などが闇値で売られています。男性の服装は殆んど開襟の国民服の甲号か詰襟《つめえり》の乙号を着て、戦時中の戦闘帽を被り、破れかかった靴を穿いています。女性は私のように洋服を着出した人や、モンペ姿でいる人など、服装はまちまちです。日本の各地では復員兵がやつれた姿を曝してぞくぞく帰国してきました。

驚いたことに、アメリカの軍紀が乱れているせいか、夜の銀座や新橋では「パンパン」と呼ばれる女性がアメリカ兵に媚びて性を売っています。〈輪タク〉という二人乗りで幌が付いた自転車が、彼らを塒《ねぐら》まで運びます。日本の女性はこんな惨めな人間になり下がりました。これも敗戦が生んだ病弊でしょう。このような話は学校でも聞きますが、母も勤め先から聴いて来ました。

三月のある日、お勝手で七輪から搔きだした炭火を、八畳の居間の火鉢に移して五徳に鉄瓶をかけてお湯を沸かし、母の帰りを待っていました。母は日比谷のホテルの厨房で働いています。帰宅した母は、進駐軍が使う石鹼の包装用の油紙を畳んでお勝手の水屋にしまい、居間で火鉢に手をかざしていました。私はお茶を淹《い》れて母と飲んでいると、

「攝ちゃん、北野さんのお話だけど、やっぱり攝ちゃんにはもう少し働いてもらわないと困るの

よ。健一もこれから中学でしょ、私も仕事を続けるから、あなたも少し手伝ってちょうだい。お母さん、今はどうしてもあなたが必要なのよ。ね、判ってちょうだい……」

こうして母から哀願されて、言われるまでもなく判っていましたから、

「いいわよ、とにかく働かなければやって行けないんですもの」

と答えました。母はほっと吐息をつくと私の手を執ってさすりました。それで私は母の前に頭を垂れて承知しました。

「ありがと、攝ちゃん。それでこそお父さまの娘よ！　判ってくれて、ほんとにありがとね！」

母は着物の袂で目尻の涙を拭いました。考えてみれば、私は細身の母一人を頼って生きて行くより、母と二人で働いていくのが当然のように思えました。

## 11

月日の経つのはほんとうに早いものです。過ぎ去った年月を数えることは易しいのですが、これからは苦労の日々が続くように思えて、幸せな日は遥かに遠ざかってしまったようです。それにしても今度の戦争の犠牲者たちはどのように償われるのでしょうか。多くの戦死者や内地で被爆して亡くなった方、そして遺族の方がたが癒される日は来るのでしょうか。

その後私は、日比谷の厚生省の復員局に働き出して一年が過ぎるころ母を喪いました。前年、ささやかに父の一周忌を営んだばかりでしたのに、母はそれで気落ちして一度に疲れが出たのか持病の肺を病んで床に臥し、年が変わっても起き上がれず、春浅いころ亡くなりました。この時から弟と私の生活が始まりました。

母の納骨を終えた日、土浦の伯父たちは二十歳になった私を、牛にも馬にも踏まれない歳だと言って私の依存心を警戒しました。私はもともと他人に依存する気はないので、そのあとで伯父たちの杞憂は霽《は》れただろうと思います。そして今日まで無事に暮して来ました。幸いに鎌倉の谷戸に住んでいる伯母が、百坪ほどの敷地の中に私たちも住んでいいと言うので、麻布の家を処分して伯母の屋敷の隅に小屋を建てて弟と移り住みました。伯母は夫を早く失くし、今は陸軍軍属の一人息子が南方のパラオ島から帰るのを待っていました。

私は父と母を送りましたが、まだ若かったせいかそれほど悲しみの深傷《ふかで》も負わずに過ぎて来ました。弟と質素に暮らしました。それでも出来るだけのことはしたいので、復員局が解散した後も厚生省の本省に残って働きました。そこは渉外課で、新宿にあるアメリカ軍の陸地測量部が新たに日本地図を作る補助をする仕事です。私のような娘が働くのは、当時としては珍しいことではなく、あのころの日本人は誰しも生活に負けまいと必死で働いたものです。若くてエネルギッシュだった私は、気落ちなどせず働き通しました。

厚生省の務めが数年経ったある年の夏、送られてきた北野さんのお写真には、ミカン畑でご両親と働いて居られる姿がありました。その写真は、若やいだ学徒兵とは違ってやはり美髯《びぜん》を蓄えて農夫のように逞しい北野さんでした。私はその写真を肌身離さず持っています。

私は、時間と共に老けこむ心と体を出来るだけ若々しく保ちたいと思い、北野さんが仰った「自分のしたいことをする」という励ましの言葉に支えられて暮しました。北野さんは、弟の将来までご心配くださいました。弟は、高校を終えるとき、大学へは行かないと言ったのですが、せめて私の代りに好きな学問をしてと励まして、北野さんのことを話すと感化されたらしく、史学を選んで勉強しています。今は親切な伯母に守られて、この家から通学しています。

その頃頂いた北野さんのお手紙があります。少し長いのですが写します。

「僕はあの時、あなたと待避壕の中にいて、このまま爆撃に遭って死んでしまったらどうなるのかと悩みました。いっそ、その方がいいのかもしれないと何度も考えました。それは犬死にかもしれませんが、攝子さんと一緒ならそれも人生最後の冥利に尽きると自分を慰めました。乗るはずの特攻機がないばかりに地上勤務となりましたが、考えてみれば僕ら第十三期の予備学生は、三年前に飛行科に配属されて、疾《と》うに敵と一戦交えていたはずです。飛行機がないために翼を捥《も》ぎ取られた鳥でした。それが当時の僕です。〈回天〉の作業班に回されたのも乗る飛行機が無かったからです。攝子さん、あの時の僕は判っていました。口にこそ出さなかったけれど、空襲はもうじき終わる、もう怖いことはないんだぞと。壕に入るのもあと何回もないと思っていました。攝子さんの作業場も閉鎖されたし、これで戦争を続けられるはずがないからです。

あの時、あなたは、〈特攻隊〉や〈回天〉という悪事は誰が考え出したのかと尋ねましたね。あれを考えた人が乗るなら判るけれど、他人が死ぬ武器を、死なない人が作るのは卑怯だと言いました。その通り、彼らは卑怯で傲慢です。〈特攻〉などを考えた人間がどこのどいつか判らない。〈特攻〉の死とは、森羅万象と決定的に別れてしまうものです。あなたが言ったように、特攻隊は敵の船に突っ込む前に高射砲で撃ち落とされてしまいました。特攻一機で敵の一隻を沈めることができたとしても、所詮は虚しいことです。

特攻隊が虚しいということは、早い話、人間の生命《いのち》は脆いということです。同期の飛行科二十八人のうち生き残ったのは僕のほか四人です。海軍の予備学生は一万五千人も入隊しましたが、そのうち二千五百人が戦死して、特攻は七百人近くが突っ込んで亡くなりました。そんなことを知る由もない親父は、僕の帰るのを待っていました。帰郷すると、僕の姿を通りの向こうから見て手を振って喜んでくれました。その印象が僕の脳裏に強く焼き付きました。

　僕の郷里はミカン畑の段丘が続く町です。今は、七十七歳になる父と七十歳の母がいるだけで、親父は僕が文科へ進むのを嫌っていましたが、生きて帰ってほんとに喜んでくれました。母は戦争に行かせまいとしていましたからなおさらです。あなたの生まれたのは東京でしたね。母上と弟さんが居て、父上が戦死されたことは本当に残念至極です。たしか軍医でしたね。傷病兵を診る軍医の仕事はたいへんご苦労があったと思います。

　外から射し込む照明弾の光に照り返された壕の中で、あなたと巡り会ったとき、僕はあなたに軍人の娘は責任が重いなどと言いましたが、いま思えば僕こそ無責任でした。僕がそういったとき、あなたはきっと僕の心の隙を覗かれたのだと思います」

　ここまで読んできて、壕の中の北野中尉の木綿の軍服や私のモンペ姿がぽっと浮かび上がって、あの情景が甦りました。あの時の北野さんは美々しく凜とした横顔を見せていました。当時はそれと気づく私ではありません。それより、死を目前にする兵士を傷ましく感じていたはずです。あのあと、壕に横揺れが来て土の天井がぼろぼろ崩れ、もう終わりだと中尉も私も覚悟を決めたのでした。

思えば、そんな中で、北野さんは自分に言い聞かせるように仰いました。生命《いのち》とは何かとか、僅か二十年そこそこの生命の五分の一は敵を殺す兵隊の生活だとか、特攻は何のために死ぬのかとか。軍人だからそう言うしかなかったでしょう。北野さんは、特攻で死ねば国は守れるのか？一人の死を百人もかき集めると国の守りは百倍守れるのか。守れなければ九十九人の死は犬死にではないかと怒っていました。そこまで見通せる特攻兵はいなかったのかもしれません。居たとしても、それを口には出せなかったでしょう。特攻兵として死の宣告を受けても、心の根っこでは、どうしても生きたいという欲求があったに違いありません。

そうです。壕の中で、私は持って行き場のない怒りを感じて言いました。

「死なないでください！　中尉さん！　生きていてもこの国は守れます。自分は飛んで行かないで他人に後に続けと特攻を煽動する人は本当に悪者でずるいです。特攻隊を命令した人が率先して特攻に行くべきです」

そういった時の私は真剣でした。必死でした。

北野さんは、同期の人が犠牲になってしまったことを悼むように言われました。

「みな、日本が勝つと思って犠牲になったんだ。卑怯な奴だけが特攻機に乗らずに陸で眺めているだけだ」

それで私は言いました。

「いまは早く戦争が終わればいいだけです。戦争は敗けるに決まってます。前線の兵隊さんより銃後の人のほうがよく判っています。飛行機を造れるわけがないんですから」

こうして強く言った覚えがあります。

## 12

その後北野さんから戴いたお手紙には、大学院へ進んでフランスの思想家を研究されているとのことでした。お手紙の中に、「約束の時期が遅れてほんとうに申し訳ない。もう暫く今の勉強を続けさせてください」という文言がありました。私は北野さんの信念を信じて結婚を待つことにしました。私はその思想家たちの本を本屋さんから取り寄せて、自分でも判るところまで読もう、少しでも北野さんに近づこうと心がけました。それは確かに難しい本でした。それでも人間の思想というものの片鱗が少しずつ判って来ました。

北野さんが、「われ何をか知る?」とか、「人は考える葦である」というフランスの思想家の言葉があると言われたとおり、その本に書いてありました。北野さんはそういう思想家と、どのように関わっているのか知りたくなりました。

そんな中で、ここ数年、厚生省で働いていた間、幾つかの結婚話がありました。その度に、北野さんの言葉を信じてきたので感情が揺れることはありませんでした。正直、結婚の時期が遠ざかってしまったので、もう結婚はできないだろうと諦めたこともありましたが、その弱気が芽生えるたびに、「今度お会いできる日が、僕らの幸福を契る日となる」という北野さんの言葉を思い出して、必ず添い遂げる日が来ると信じて心を奮い立たせてきました。

最後に私たちの手紙を認めておきます。

《北野純一郎さんの手紙》

「攝子さん、お元気ですか。僕は相変わらず元気で勉強しています。この前戴いたお手紙から大分月日が経ちました。母上が亡くなられたこと、驚きました。本当に残念ですし、それよりあなたとの結婚がどんなに待たれていたかと、それを思うと申し訳ないことをしたと慚《ざん》愧《き》の思いです。攝子さんにもお詫びします。ごめんなさい。でも、そのあいだ攝子さんが無事に過ぎてこられたことは何よりの感謝です。

最近の僕は、例の戦友の弔問行脚も終りに近づいたので何となく責任を果たせそうで嬉しく思っています。そして、敗戦の日が遠ざかれば遠ざかるほど、ますます馬鹿げた戦争だったことが身に沁みて思い返されます。

一体あの戦争の原因はどこにあったのか？　これについては待避壕の中で少し話したことがありましたね。あの戦争には三つの悪手がありました。一つは陸軍大学校の出身者たちで構成された大本営参謀本部の存在です。陸大で成績一番から五番までの優秀な学生が参謀本部に集められる仕組みは明治以来の悪しき伝統だったこと、二つは最近判ったのですが、某海軍中将が神風特別攻撃隊を創設したこと、三つは、連合国軍と日本軍との軍事力の差を誤算したこと、などです。この三つとも、一握りの陸軍の大本営参謀本部と海軍の軍令部とが、無責任極まる無定見な作戦で安易に兵士を敵地に投入して戦死させたのです。その間、大本営の参謀本部にたいして何人《なんぴと》も抵抗できず、そのため悲劇が生まれたのです。

今では戦争の渦中は悪夢を見ていたように思います。僕は最近、思想家だけでなく、自分に合った好きなことをしようと、音楽や絵画に興味を持つようになりました。その一つはモーツアルトです。レコードでピアノ曲や弦楽四重奏曲などを聞いています。またオランダやフランスの画家、ゴッホやセザンヌが好きになりました。攝子さんも展覧会などで芸術作品に触れてみたらどうだろう。心が慰められます。勝手なことを言ってごめんなさい。

最後になりましたが、母上のご冥福をお祈りいたします。

まだまだお話したいことがありますが、今日はこれでお終いにします。またお便りします。お元気で。

×月×日

北野純一郎」

《撮子の返事》

「季節は秋へ移ろうとしています。私にとって秋はトルコ桔梗や撫子の花が見られるので楽しみです。でも本当は心さびしい季節です。早くそちらへ行きたくなって来ます。これは我が儘かもしれませんが、本当のところ、一人でこちらに住んでいますと、このごろ心淋しく考え事ばかりして気持ちが落ち着きません。北野さんだから本当のことをお話しするのです。

旅行好きの伯母は三日前からお友達三人と大分県の奇勝耶馬渓へ旅行に行き、今は私一人です。この谷戸の家は広い庭を挟んですぐ山懐が始まって、風が吹くとざわざわと木々が揺れ出して怖いくらいです。先日、台風が関東地方に上陸したときは大雨で、裏の崖が崩れるのではないかとひやひやしました。台風が通り過ぎたあと、市役所の人が検分に来て、崖に土留めをすると言いました。それと、工事に来る数人の人たちが庭に入って来た時は、私も何かと接待をしなければならず、とても嫌で、一人で堪えているのがやっとでした。工事が終わった時は本当にホッとしました。

こんな愚痴を言ってごめんなさい。でもほんとに淋しいんですもの……。

去年、職場の課長さんから、いい加減で私が薦めた人と見合いをしたらどうかと言われて困ってしまい、主人は今単身赴任なんですとはぐらかしました。一人でいる女性がそんなに目障りなのかと少し腹を立てましたが、これはいけないことだったでしょう。人はどうして自分の価値観で他人を計るんでしょう。それが好きなのかもしれませんね。私は他人の目線で計られたくありません。

これはあなたに訴えようと思ったわけではないのです。ただ、一人でいると、このようなことも身に降りかかることを、お伝えしたかっただけです。

その後の弔問行脚はいかがですか。この前のお手紙ではそろそろ終わりだと書かれていましたが、講義の合間を見て方々へ出張なさると、さぞお疲れでしょう。身体に気をつけてください。それには良いものを選んで食べて、栄養をつけてください。お願いします。

戴いたお手紙から私も音楽に耳傾けるようになりました。北野さんに倣ってＬＰでショパンの曲が好きになりました。ピアノを聞いていると、知らぬ間に心地よい旋律に体をゆだねて恍惚というのですか、心安らかになります。北野さんはお好みではないだろうと思いますけど、どうかしら？

いろいろ書きすぎました。今日はこのへんで。お元気でね。

×月×日

大芦攝子」

《北野純一郎さんの手紙》

「いろいろ勉強しましたね。よかったです。お別れしてから何年になるか、それさえ忘れてしまいます。今年はきっと鎌倉へ行けるでしょう。それまで辛抱して下さい。

私は今度の戦争で、嫌というほど絶望感を味わいました。その感情は未だに抜けきれません。特攻兵としての運命を決められて、この世にもう用がないのだと、大きな諦めに襲われたものです。今、僕の耳にこんな歌が聴こえます。あなたも聴いたことがあるでしょう。

貴様と俺とは　同期の桜
同じ航空隊の　庭に咲く
あれほど誓った　その日を待たず
なぜに死んだか　散ったのか

これは紀元前の中国の歴史家で司馬遷という人がいましたが、彼は生き恥さらしたと自嘲して自責の念に駆られました。同じように僕も生き恥をさらして生きていますが、その罪滅ぼしに、鬼籍に入った二十四人の戦友の家族に、懺悔の巡礼行脚を今終えるところです。終えたら教壇に戻って亡き戦友の分まで勉強します。そして両親に君と結婚することを話します。喜んでくれるでしょう。それまであとわずかです。

ここで僕の好きな格言を書きます。いつか君に話したかもしれません。フランスの哲学者モンテーニュの『エセー』にあるホラティウスの詩です。この人は古代ローマの詩人です。この文章の意味を、僕の心と思ってください。原文を添えておきます。

毎日はいつもお前の最後の日と考えよ。
そうすれば思わぬ今日を儲けて喜べるのだ。

Considère comme ton dernier jour celui qui luit pourtoi ;
L'heure que tu n'attendras plus viendra pour toi comme une grâce. (Montaigne)

攝子さん、あなたに言ったように、生きている間、僕は自分のやりたいと思うことをやって行こうと思います。僕が選んだモンテーニュたちのフランスの啓蒙思想は、戦争の渦中に生活した経験をもとに、さらに学問の領域を拡げてくれるはずです。折があれば勉強して下さい。もう一度言います。お会いできる日が、僕たちの幸福を契る日となること、それを祈ります。

×月×日　　　　　　　　　　　　北野純一郎」

## 13

　この町は久しく古都と呼ばれてきました。住み慣れてみると、温和な気候で暮らしやすい町です。私は厚生省の勤めを終えてから、伯母の手ほどきで裁縫や生け花を習った甲斐があって、いまでは出稽古をして結構忙しく働いています。それに、暇を見ては、お茶を点てたり展覧会とか能舞台でお能を観たりして愉しんでいます。先日観たお能は〈西行桜〉でした。桜が好きな私にぴったりで、いいお謡でした。お会いしたときお話します。

　そうこうしているうち、時どき戦争の日々が遠い日の出来事のように霞んで見えます。

　着付けの出稽古で、当時のことをお話することがあります。そんなとき、娘さんたちはよその国の出来事のように聴いています。あるいは偏頗《へんぱ》な考え方かもしれませんが、戦争を経験しない人には本当の幸せは判らないのではないでしょうか。よく平和ボケと言われますが、平和な時代に生きていると、万事が薄められたコーヒーの味のように人生の機微を見失うことになりかねません。そういう彼女たちと出会うたびに、結婚もしないで散華した特攻隊の方々が気の毒でなりません。北野さんの懺悔の行脚もここに意味があるのですね。

北野さんは、自分の中に、もう一人の自分を見る目を持つようにと仰いましたが、それも難しいことです。

お能の本で、世阿弥《ぜあみ》の〈離見《りけん》の見《けん》〉という言葉を知りました。自分を客観的にみることを言うらしいですが、心を込めて物事に接すれば必ず確かなものが見えてくるということに通じるようです。北野さんの言われるとおり、悟りとは真理を知ることですね。それが判らなければ幸福の価値も判らないでしょう。

こうして生きていられるのも、戦死者たちのお蔭です。お蔭などという前に、生者は死者によって裁かれ、生き方を厳しく正されるのだと思います。歴史とは、人間が作るものだそうですが、いつの世でもこの歴史を裁く者は死者であると聞いたことがあります。それを弁えていれば、人は安んじて死への旅を続けることができるのだと。

＊

今日は佳いお日和です。谷戸の一隅にあるこの家は、朝から軟らかい春風が吹き抜けています。南に連なる低い山の中腹に、咲き残りの山桜が楚々とした風情を見せています。

この屋敷は家のぐるりを石塀が巡り、それに沿って槇《まき》、柘植《つげ》、貝塚などが植えられ、芝生の庭には椿や躑躅《つつじ》など数種の灌木が季節ごとに花を着けて楽しめます。西のはずれには三メートル近い枝垂れ梅の木に小鳥たちがピーピーと可愛い声を響かせて遊びます。南側の茂みに山茶花や馬酔木《あせび》や金木犀が並んで植え込まれ、その端に四角い石の蹲踞《つくばい》がひっそり設えられています。私はこの長閑な庭が大好きです。

たまにウグイスが爽やかに啼き、夏にはホトトギスの谷渡りが聞こえます。それが終わると山鳩がクークーと啼き、幽境の使者のように哀愁を帯びて蜩《ひぐらし》がカナカナと鳴いて、遥かな国へ誘い出されるようです。

ほんとに月日の経つのは早いですね。八幡さまの桜も散って夏の装いを見せ始めました。でも往還は行楽を兼ねた参詣人が、引きも切らず賑わっています。

一昨日、北野さんからお逢いしたいというお手紙を戴いて、とうとう約束の日が来たかと、嬉しく懐かしく、この日をお待ちしていました。思えば七年ぶりの再会です。

昨日の午後、散り花を浮べた平家池が眺められる美術館の喫茶室で、北野さんとお逢いしました。ほんとうに久しぶりでしたので、心に仄かな灯が点ったようで温かなものを感じました。約束の二時ちょうどに喫茶室に入ると、北野さんはベランダの丸テーブルの椅子にレインコートを掛けて待っていました。私が入っていくと、すぐ立ち上がって、

「やあ、ほんとにご無沙汰しました！　おお、美しく歳を取られましたね！」

としみじみと私を見つめてにこやかに仰いました。そのひと言で戸惑ってしまい、

「ほんとうにごぶさたいたしました。お元気そうでなにより……嬉しいわ！」

とお答えするのがやっとで、込み上げてくる涙を拭う間もなく握手を交わしました。北野さんは昔とお変りなく颯爽として古武士のような気品と凜とした面持ちで、椅子に掛けるようにと手招きされました。この時、とっさに昔の女学生に戻ったような気がしました。

長らくお待ちした甲斐があって、今日の僥倖に巡り逢えたのです。最後にお別れした後はお手紙を戴いただけで、学会で上京されてもお逢いできませんでした。その間、北野さんは亡くなった戦友を弔う巡礼の行脚に出られていました。私との約束のため結婚もされず、ご両親と京都に住んでおられます。北野さんは念願の弔問行脚を果されて、いよいよ私と結婚する時が来たとお話し下さいました。

池畔の美術館で江戸後期の画僧の「仙崖展」をご覧になり、お手紙のとおり午後二時に喫茶店でお逢いしたのでした。そのあと長谷の大仏を観てコーヒー店の〈邪宗門〉に入り、お話をしました。お歳を召した父上が、近在に住む弟さんに農産物の集荷を引き継がせたこと、北野さんは京都の大学に勤めること、結婚後は私が母上を援けながら家事をすることなど、すべて現実的なお話でした。

再会を果した私は、これまで過ぎてきた歳月が、決して無駄ではなかったことを心から感謝しました。お互いにこの日を待っていたことは、それなりの必要があったからと理解し合いました。こうして夕刻の三時間はあっという間に過ぎ、北野さんは最終の特急「はと」でお帰りになりました。

戦争という大きな渦に巻き込まれた私たちでしたが、その中で北野中尉と出逢えたことは運命の不思議、奇蹟のめぐり逢いというほかありません。戦争は七年前に終わりましたが、私の中での戦争は決して古くならず、北野中尉の励ましのお言葉と共に今でもまざまざと甦って来ます。

北野さんとご一緒しているあいだ、私は心の平衡を取り戻して安らかでした。お話の最後に、この秋、京都で式を挙げることに決めました。

あの日、待避壕まで誘導されて隊列から離れた私が、一瞬の決断で北野中尉に近づいて行ったあの時こそ、二人の前に運命の女神が降り立ったのだと思います。今は北野さんと契る日を愉しみにお待ちするばかりです。

（了）

# 第二章　パリ・イタリア旅情日記

## 【某年】（五〇歳）

### 憂愁の空・パリ

〔パリ・第1日目〕

曇。朝と晩、眼が痛いかどうか訊くことが日課となる。眼が覚めると八時だった。外はまだ夜の闇から抜け出していない。ここはオペラ座に近いHôtel Ambassdeur《オテル アンバッサドゥール》の三階、327号室。小綺麗な部屋だ。案内されたとき、garçon《ガルソン》にチップ（pourboire《プールボワール》）を渡す。わずらわしいが、これからいつも注意しなければならない。

リリの身仕度を待って一階のレストランに降りる。朝食（petit déjeuner《プティ デジュネ》）はクロワッサンと熱いカフェ・オレ、それにプリンで済ます。リリがルーヴルを見たいという。枕の下にチップを差し込み、Ｊに貰った毛皮のコートを着て急いで行くと休館。入口でリリが「何で調べてくれなかったの！」と私をなじる。半分は自分に癇癪玉をぶつけている。踵を返してシャンゼリゼ大通り（Avenue《アヴェニュ》 des《デ》 Champs-Elysées《シャンゼリゼ》）のソルド（安売りセール）を見に行く。どれもこれも高価なものばかり。一通りショッピングを続けるうち、エリゼ宮の付近に来ると警察が通行人を遮断して見張りを立てている。誰の警護か知らないが、威圧的な態度にリリが反応して「このバカもの！」と敷石を蹴る。

「そんなに昂奮することでもないだろう」と言ってやると、さらに激昂した。

「そういう弱腰で臆病者だから何にも出来ないのよ！」

これを無視する。一昨年この地で亡くなった森有正氏も書いていたように、街衢《がいく》は重層する石造りで冷酷そのものだ。人間を拒否する沈鬱な佇まい。

八年前、プルーストとコンブレーの「友の会」が出来て、そこから発信される情報で調べるのが便利になった。彼が取り上げた音楽家も載っている。

「プルーストが住んだところ行ってみない？　パリでは六回も引越ししてるのよ。そのどれかを見たいの」

地図を片手に、プルーストの住居を古い順から住所を探す。容易ではない。初めに、生まれたところのラ・フォンテーヌ街96は遠くて駄目だ。一八七一年から三年住んだロワ街８の家と、一九〇六年から一三年まで住んだBoulvard《ブルヴァール》 Haussmann《オスマン》通り１０２の家をそれぞれ突き止めた。その家はホテルから意外に近く、オスマン通りとBoul Malesherbes《ブールマルゼルブ》通りが交差する六叉路の東側にあった。銀行と事務所になっていて、彼が住んだことを証する「Marsel PROU-ST/1871-1922/Habita cet immeuble/de 1907 à 1919」と書いた銘版が架かっていた。通りを隔てて『失われた……』に出てくる「ポタンの食料品店」や「砂糖菓子店のラタンヴィル」がある。今は人の住居ではなく倉庫だ。その西北の先にSt.augustin《サントーギュスタン》教会があり、さらに南東側にロワ街8の建物がある。また一八七三年から一九〇〇年まで住んだMalesherbes《マルゼルブ》通り9の家、一九〇〇年から〇六年まで住んだCourcelles《クールセル》街45の家は大分離れていたが車で行ってみた。当然ながら、すでに眼にする建物はない。

「ここまで来たんだから、ちょっと足を伸ばしてオデットが住んでいたLa Pérouse《ラペルーズ》街へ行ってみない？　凱旋門の近くだから、すぐ判ると思うの」

地図を広げると、それは大通りのAvenue《アヴェニュー》 Kléber《クレベール》にあった。タクシーを拾い、ラ＝ペルーズ街に入る。人と車が行き交う平凡な通りだ。

「カトレアの花をスワンに貰って交際が始まったのはここよ」

「小説が書かれてから半世紀も経ってるんだから」

同じように凱旋門に近く、一九一九年に住んだLaurent-Pichat《ローラン・ピシャ》街8と、亡くなる前の四年間住んだHamelin《アムラン》街44の家は跡形もなく普通の家並みになっていた。まるで無駄足の感じだが、気を取り直してリリが言う。

「ね、Pere Lachaise《ペールラシェーズ》に行ってみない？　地下鉄で」

「誰の墓を見るの？」

「もちろんプルーストよ。二号線でPhilippe auguste《フィリップオーギュスト》駅で降りればいいの」

「遅くならないうちに帰らないと、寒くなるよ」と不承不承いうと、

「まだお昼になってないのよ」

「パリは暮れるのが早いんだよ」

　私は時間を心配した。地図を見ると東の二十区にある。地下鉄を出てから花屋に寄って紅薔薇を三本買い、墓地入口まで十数分歩く。五米《メートル》ほどもある石塀の門を入り、左右に並ぶ墓標をいくつも通り過ぎて上まで歩き、漸く見つける。プルーストの墓は、歩道沿いに平たい長方形で黒大理石の寝墓だ。上端にcroix ancrée《クロワザンクレ》型の先が太い十字架が刻まれ、傍に花束が二つ添えられていた。表面花受けの手前側面に、金文字で「Marcel PROUST/1871・1922」と彫り込まれ、両脇にそれぞれ両親と弟の名が刻んである。リリが墓石の上に薔薇を手向けた。

「それほど大きくないのね」

「大きさを競うわけじゃないから」

意味のないことを言いながら、それでもモリエールやバルザックの墓の前を通る。ラディゲやモジリアーニの墓もある。

遅い昼食になり、リリが刺身を食べたいと言うので店を探したがない。日本の正月を思い出したらしい。昨日見つけた日本食の〈あじ半〉でカツ定食、味噌汁。日本人の板前が景気づけにビールをおごってくれる。二人とも久しぶりの日本食に舌鼓を打つ。

午後も大分まわった。でも夜までにはまだ時間がある。店を出て車を拾う。

「じゃ、セーヌ川に出ましょうか。Pont《ポン》 Neuf《ヌフ》まで行ってちょうだい」

リリが勝手に決めた。車をポン・ヌフまで走らせ、右折してQuai de《ド》 Conti《コンティ》に入る。

「ポン・ヌフってシテ島を渡る橋だったのね、知らなかった」

すると運転手が車を止め、こちらを振り返った。

「ケー・ドルセー（Quai《ケー》 d'Orsay《ドルセー》）まで走《や》ってみますか？　あすこから見る向こう岸はいい眺めですよ」

言われたとおり行ってみる。橋を数えていくと八つある。それぞれ趣は違うが、Quai《ケ》 Anatole《アナトール》 France《フランス》に面するPont《ポン》 Royal《ロワヤル》、Pont《ポン》 de《ド》 Solferino《ソルフェリーノ》、Pont《ポン》 de《ド》 la《ラ》 Concorde《コンコルド》の三つの橋はなかなか綺麗だ。川幅が広く、ちょうど対岸の向こうがQuai《ケ》 des《デ》 Tuileries《テュイルリー》で、チュイルリー公園（Jardin des Tuileries）

があり、その空間だけが建物のない広々とした緑の空間を予想させる。外気は耳を衝く寒さ。すぐ車にもどり、サン・ルイ島（L'ils St-Louis《リールサンルイ》）にあるローザン館（Hôtel de Lauzun《オテルドゥローザン》）へ行く。

「『petit Larousse《プティラルゥース》』にも載ってるけど、ボードレールやリルケやワーグナーが住んでいたマンションよ。日曜と月曜しか開いてないの。だから今日は大丈夫」

「ここで『悪の華』を書いたのかね？」

「それはどうだか。ボードレールはサン・ルイ島を自分の庭くらいに考えていたらしいから」

門衛（portier《ポルティエ》）に鍵で開けてもらい、中庭から二階に上り、入場料を渡して中に入る。思いがけず壁面一体にルイ王朝風の華麗な装飾が施され、ロココ風の油絵やゴブラン織りや、どの部屋も大きな鏡が掛けてある。リルケやセザンヌもこの鏡に姿を映してナルシスの思いに耽ったかと想像すると、ちょっと胸騒ぎを覚える。

「ボードレールはね、〈ダンディは鏡の前で生きねばならぬ〉って言ったの。それが彼の美意識と罪意識の原点よ」

「そんなナルシシズム（narcissisme）は僕にはわからない」

「ちょっとジュンには無理ね」

「ダンディなら、ヴァンサン・ダンディを知ってる？」

「知ってるわ。フランスの音楽家でしょ。こう書くんじゃなかった？　Vincent d'Indyって」

「そうだね」

「どんな作品があるの？」

「彼は一八五一年生まれでね、二十三のときドイツでリストやワーグナーに会ってるんだ。あの〈パルジファル〉を理想として歌劇を六曲作ってる。彼は後期ロマン派で、交響曲も三つあるよ。その一番が『フランスの山人の歌による交響曲』っていうんだ。ピアノ曲じゃ〈旅の画集〉十三曲がある。〈夢〉とか〈雨〉とか〈緑の湖〉とか」

「みんな聴いたことないわね。じゃ、モーツァルトはパリに来たことあるのかしら？」

「そう、そう。モーツァルトは一七七八年の三月にパリに来て、七月と八月にかけて十四、五通の手紙を故郷のザルツブルクに出してるね。作曲法や演奏のことや収入なんかを詳しく書いて。それで九月にミュンヘンに帰っていたな」

「その手紙、誰に宛てて書いたの？」

「お父さんや姉さんや友達だよ。イタリア語でも書いているし」

「それ、モーツァルトが幾つのとき？」

「二十二くらいかな」

「ずいぶん勉強したのね。この町をどんな風に見てたのかしらね……」

「初めてのパリだから僕らと同じじゃないのかな。そう、横光利一の『旅愁』にも、こういう文章があるよ。

フランスのことをどんなによく知っているものでも、長くここにいるものには頭の上らぬ先輩意識が起り、自然と日本人は圧えられ謙遜になるのだったが、矢代は、その先輩を気取っているものさえ、どこまでフランスを知っているものか、怪しいものだと思った。日本人が他国を見るのに自分の中から日本人という素質を放して見るということは、どんなことをするものかよく分らず、またそのようなことは人間に出来得られることでないと、今もなお思い通していることに変りはなかった。

これはね、一緒にいた塩野が、その年のパリ祭が寂れてることを歎いたとき、矢代が〈僕らは旅人だからそう言われても、どうも分らない。これじゃ、フランスも表面を素通りしているだけで、何も知らないのだな〉って言うんだ。これって横光の述懐なんだろうけど、僕たちみたいじゃないか」

「ほんとね。そうなら、どうしたらいいの?」

「だから、日本人はなかなか自分から日本人を止められないってこと。所詮日本人は自分の殻から出られないってことだよ」

「リリは違うわ。そんな国籍なんか考えたことないわ」

「自分じゃそう思っても、どうしようもない絶対的な人種性ってやつがあるよ」

「じゃ、ジュンはそう思っていればいいじゃない」

　勝手に持ち出した話はここで引っ込める。

「ここらでホテルに帰ろうよ」

　ローザン館を出ると外は真っ暗だ。車を拾い、「オペラ座前まで」と頼む。車でオペラ座広場（place de l'opéra）に来て降りる。

「あら、こんなところに〈三越〉がある」

「これ、七年前に出店したそうだ」

　三越を過ぎて二つ目の角を右に曲るとレストラン〈La《ラ》 Fayett《ファイエット》〉があった。リリが、

「少し早いけど、夜の食事にしない？」

　と言うのでこの店に入る。コートとマフラーと帽子を脱いでクロークに預けると、奥にいたボーイ（garçon《グワルソン》）が気がついて近寄ってきた。いや、彼はmaître《メートル》 d'hotel《ドテル》という給仕頭兼司厨長だ。

「予約が必要なんですか？（Dois-je réserver ?《ドワージュ レゼルヴェ》）」

　とリリが訊くと、要らないといって奥の窓側に案内される。リリがメニュを見ながらオーダーする。

まずエスカルゴ、鵞鳥のフォアグラ、トリュフ風味のブイヨンと、溶けて消えるオスティ、ワインはシャトー・ローフルールの白。初めて食べる料理の味は、正直言ってまだ判らない。しかし、食べるうちなんともいえない甘く香ばしい味が口に広がっていく。値段は四七六フランと少々高いが味は良いほうだ。

「こういう味を知ってるヨーロッパの人は、東洋人とずいぶん違うわね。大体ヨーロッパの文明は狩猟民族から始まったらしいから、それに合った調理法を考えてきたんだわ、きっと。生活だって旧約聖書が土台でしょうから。もっとキリスト教を勉強しないとここの文明は理解できないわ」

「かと言って、おいそれとは勉強できないよ」

「そういうことを言ってはだめなの。やろうと思えば誰でも出来るんだから」

リリの声が周りに響く。口をすぼめて注意してやる。

外へ出ると、明日は寿司が食べたいというので寿司屋を探す。なかなか見つからず今夜は諦める。地球の裏側に来た感じ濃し。夜、カトレアする元気なく、リリの脹脛《ふくらはぎ》を摩《こす》る。そのあと疲れて休む。

ベッドに横になって白い天井を見ていると子供たちの顔がちらつく。祥也十七、遼十四。もう大人だ。

寝入るまで、持ってきた久米邦武《くめくにたけ》の『米欧回覧実記』で、明治五年十一月十七日のパリの様子を読み直す。

凱旋門ノ正中ヨリ、「シャンゼルゼー」ノ広衢《コウク》ヲスキ、其衝当《ツキアタリ》ニ「チュロリー」宮アリ、宮門ノ前ニ、又一場ノ広区ヲ開ケルヲ、「コンゴルト」ノ苑ト云フ、巨大ナル石磐ヲオキ、水ヲ噴跳シ、石雕《せきちょう》ノ大像盤ヲ環《めぐら》シテ立ツ、中央ニハ埃及《エジプト》国ヨリ遷《うつ》シタル「オブリスキ」塔ヲ建タリ、塔ノ高サ二十六「メートル」、紫文ノ一本石〈所謂花剛石《みかげいし》ナリ〉ニテ造リタル古代ノ塔ナリ、此塔ハ埃及国ノ古物ニテ、元地底ニ埋没セルヲ、一千七百九十九年、拿捕破倫第一世埃及ヲ并セシトキ、器械ヲ以テ掘出シ、此地ニ持来リ建タリ、其雛形ハ「ルーヴル」宮ニ存ス、其時ニ塔基ノ辺少シ欠タルハ、白璧ノ微瑕《びか》ト云ヘシ、一千七百九十二年ノ一揆ノトキ、「キョツチン」ト云器械ヲ仕掛ケテ夥《おびただ》多シキ無辜ヲ殺戮セルハ、乃《すなわち》此処ナリト、此苑昼ハ明沙雪ノ如ク、地ニ繊塵ヲ潔《いさぎよ》シトセス、緑樹嵐ヲオクリ、層楼傑閣ハ、其杪上《そのびょうじょう》ニ露《あらわ》ル、夜ハ気燈ヲ点スレハ、天球ノ倒《さかさま》ニ浸スカ如ク、「シャンゼルゼー」ノ大道ニ、燈球貫珠シテ連ルハ、身画中ニオク心地ソスル

（十一月十七日）

〔パリ・第2日目〕

曇。寒気激し。ホテルで昨日と同じ軽い朝食を済ませ、チップを置いてまっすぐルーヴル美術館（Le Musée du Louvre）へ。寒いから眼が痛くないか訊く。痛くないという。入館者の列が蜿蜒とつながっている。中に入り、ルーヴル全体の略図を見ると、東側の方形宮の一階に古代ギリシャとローマ関係の作品群、二階に工藝関係品、そして三階が膨大な絵画コレクション、西寄りの別棟が彫刻館となっている。所蔵品は二十余万点。

原始と東洋部門を除いた西洋美術の粋、それが、ナポレオン三世が作った〈ドゥノンの門〉を潜り、ダリーの階段を上ると、ほの暗い雰囲気の中に古代彫刻群が現れる。まず初めに眼に入るのは、階段の踊り場に立っている〈サモトラケのニケ像〉だ。メソポタミアから運ばれた紀元前三千年に遡る、先住民族シュメール人の彫像、バビロニアの覇者ハムラビ王の浮彫り〈太陽神シャマシュとハムラビ〉や〈有翼の人頭牡牛像〉など。

いくつもの部屋を通り、だんだん疲れてくる。歩廊の前で模写する日本人がいる。画集で見たことのある絵が架かっている。リリはそれらを通り越して、早く外に出たがる。確かに、絵描きでもない限り、毎日通い詰めては来られない。

リリは絵よりもプルーストのほうに気が行っている。途中から思い出したように、三階のモナ・リザの「La Gioconda《ラジョコンダ》」を観ようと言い出す。店を後にして、急いで絵の前に来る。

「あら、こんなに小さかった？　ね、背景の水平線が右と左で違っていない？　なんだか山水画を思わせるじゃない。ダ・ヴィンチに東洋趣味があるんじゃないかしら」

「そうだね。昔、美術評論の矢代幸雄がそういうことを書いていたな。ダ・ヴィンチに『東方旅行記』ってのがあったよね」

「それと、これ黒い服でしょ、それに宝飾を着けてないわ」

黒いヴェールを纏い、深遠な峨々たる山を背景に、なぞの微笑を湛えている。上体を少し右に回し、顔を正面に向けた姿は、横向きの画像のものとは違う。肘つき椅子の上で、右手を上に腕を交差させた両手は、何かを語っているようだ。普通にいう「Monna Lisa《モナリザ》」はイタリア語だ。

「この女性は妊娠してるんじゃないかな。そんな喜びの顔だよ、これは」

今までこのモデルについては各説あった。

一つは、フィレンツェの商人の妻だということ。証拠は、一四七七年に印刷された本の余白に、ダ・ヴィンチについての手書きの記述があって、それはフィレンツェの役人が書き付けたもので、「一五〇三年十月」の日付があり、「ダ・ヴィンチが、フィレンツェの商人の妻リザ・デル・ジョコンド（リザ・ゲラルディーニとして知られている）の肖像画を制作中だ」ということで、モナリザの制作時期と一致するという。これはハイデルベルク大学の図書館で見つけたものだ。もう一つ、モデルはマントーヴァの貴婦人イザベラ・デステで、公国の財政が厳しく、宝飾など身に着けられず、こういう服装となったという説。

もう一つの異説。第二一六代教皇ユリウス二世、イタリア語でジュリアーノ二世は、メディチ家の出身、その恋人パチフィカ・ブランダーニがこの肖像画の人物。一五一一年四月一九日、ジュリアーノの息子イッポーリトが亡くなり、サンタ・キアラ教会に葬られた。ジュリアーノは傷心を癒すため、ダ・ヴィンチに頼んで恋人の遺影を模作させた。そのため喪服を着せ、すべての装飾を取り去り、母親の慈愛の眼差しを息子に注がせたというもの。この資料はウルビノ大学に現存するという。

次に目指す部屋へ直行したが、〈アルストン嬢〉はいない。確かめるとまだ第二室だ。廊下を戻って第一室から見る。最初に目に飛び込んできたのはダヴィッドの〈戴冠式〉だ。全体の結構がダイナミックで圧巻。次から次へびっしりと並べられた絵が続く。これでは全部見るのに一と月はかかる。やや疲れてきて途中トイレの前で小休止。

ルーヴルの中にあるレストランで茹でたジャガイモとカルパッチョ。一皿だけのスパゲッティ。味が判らないほど濃い。これは失敗。コーヒーを飲んで舌をごまかす。簡単な昼食だ。ゴーロワーズ（Gauloise）を一本吸って気分を癒す。

立ち上がったリリは健脚ぶりを見せてすいすい先を行く。膨大な絵の数に圧倒され、そろそろ疲れが出始める。ここでも歩廊に架かる人物画を、日本人らしい画学生が模写している。ようやく第二室に来て、お目当ての物と出会えた。リリの手を引いて絵の前に立たせる。

「ほら、リリが居るよ、こんなに堂々としてる」

絵は、暗い樹木の茂みを背景に、左の頬を四分の三ほど見せる、いわゆる四分の三正面に描かれた〈アルストン嬢〉だ。八百点の肖像画を描いた十八世紀イギリスの画家トマス・ケーンズボロ（Thomas Gainsborough）の作品。肩から流れるガウンの上に、透明の錦紗のような布を羽織り、優美な肉体の線をなぞるように流れてすっくと立っている優雅な女性。きりっとした黒い眼が、あくまでも艶やかに、また涼しげに右前方を見つめる。よく見ると、左手首に黒い布製のブレスレットを巻きつけ、同じようにそれを頸にも巻き、ロマネスク調の襞の多い裳裾をクリノリンによって広げて、今にも彼女の息が聞えてきそうだ。

画集で見たのと違い、滑らかに生き生きと輝く軟らかそうな頬は、薄っすらと微笑すら漂わせている。肖像画というより実物のグラマラスな女だ。つい今そこに立っている人間としか見えない。

「あら、ちっとも似てないわ、これ、ただのお人形じゃないの」

きっぱりと裁断するリリ。好みではないらしい。この良さが判るまで、あと何年かかるだろう。

地階のスーヴェニール・ショップで葉書や写真類を買い、二時半に出る。三時、車で一旦帰宿。少し休んでからバンク・フランスで一〇五〇フランと六万円を換金。St.Honoré《サントノレ》街で迪子にバッグと斐子に財布を買う。リリに見立ててもらう。八九五フラン。リリは母親にネッカチーフ、浩へ皮のジャンバーなど、土産を買う。近くのバーでcafé au lait《カフェオウレ》を飲む。

ルーヴルを後にして、再びChamps-Elysées《シャンゼリゼ》通りを歩く。カルダン、エルメス、グッチなど高級品店が並んでいる。ふと、暁子の顔を思い出した。こんなときに不思議だ。土産を考えたからか。暁子と壽代には何か買って行きたい。麻季や佐保子には買わない。

車を拾い、エッフェル塔（Tour Eiffel）に来る。展望台に昇ると、曇っているが景観は素晴らしい。それにしても寒い。降りてすぐコーヒー屋に飛び込んで熱いのを飲む。美味い。身体の芯から温まる。続いて「エール・フランス」の事務所へ。外務省機関で出国手続きをするための窓口に美貌の女性が現れ、本を取り出して街区を調べてくれる。ページをめくる指が細長く綺麗だ。リリも見惚れている。「アリタリア航空」の事務所を教えてもらう。

もう一つの街衢を越え、「アリタリア」のパリ支店に行く。最初に国内の移動予定表を見せ、イタリア入国の手続きをして、ローマ行きの航空券を受け取る。×日出発を確認。このとき両替することを忘れていたので、円貨とトラベラーズ・チェックをリラに替える。シャンゼリゼ通りのソシエテ・ジェネラル銀行まで歩き、二人分で三十万円をリラに替える。総てリリが手続きする。言葉が出来るので助かる。

銀行からサン・トノレ街（Rue Str. Honoré）へ来て、食料店でレモン・パンと葡萄酒を買う。ショッピングしていると、コートが一五〇〇〇《フラン》の値札をつけている。日本で七、八万円か。通りが尽きるころ、リリがまたコーヒーを飲みたいというので車を拾い、オペラ座前の〈カフェ・ド・ラ・ペ〉(Café de La Paix) に来る。食事は予約が要るらしいがコーヒーなら自由だ。気品ある店構えで店内も調度品が黒く輝き、茶色の制服を着た garçon《グワルソン》 が魚のように店を回遊している。熱いコーヒーとケーキで暖を取る。コクがあってうまい。隣の席で鼻ペチャの日本人男性とフランス美人がコーヒーを飲んでいる。男はテレビでよく見かける顔だ。

「そろそろ腰を上げないと……」

「そうよね、夜になっちゃう。じゃ、お勘定お願いします (l'addition《ラディション》, s'il《スイル》 vous《ヴー》 plait.《プレー》)」

garçon《グワルソン》 がとんできてリリから小銭を受取る。

「ついでに訊いてみるわね。Où《ウ》 sont《ソン》 les《レ》 toilettes《トワレット》 ?」(トイレはどこにあるの?)

リリが立っていく。こんな調子で店に出入りできれば心配ない。リリがいると助かる。

カウンター脇の煙草ケースに、〈Gauloise《ゴーロワーズ》〉〈Gitane《ジターヌ》〉〈Boyard《ボワイヤール》〉〈Week-end《ウイーク-エンド》〉〈Royale《ロワイヤル》〉〈Flash《フラッシュ》〉などが並べられ、コインで買える。

外務省のエリゼ宮に来る。美しい壁、今日も警官が建物を護衛している。人払い。リリは人間観察より、寒いので早くベッドに潜りたいという。寿司屋を探すのもやめてホテルに戻る。

フロントでは私が鍵の受渡し役だ。毎回「327《トロワッサン・ヴァントセット》」と言ってフロント係りの男と渡り合う。このホテルは三つ星だがサービスが悪く、フロントも人相が良くない

疲れた一日。夕食は一階のレストランで。リリは食欲旺盛だ。ワインも進み、フランスの女が腰を振って歩く姿がおかしいと、けらけら笑う。あれがどうしておかしいのか判らない。急に買い物の話から、明日、土産を船便で送るという。

今夜もカトレアは休む。代りにリリが調べたプルーストの趣味について話す。

「プルーストの好きな鳥はなんだと思う？」

「判らないな」

「燕よ。可愛いでしょ。彼にはアントワネットという幼馴染がいたの。彼女は後で大統領になったフェリックス・フォールの娘さんよ。彼女が持っていたアルバムの中の質問帖でプルーストにいろいろ質問してるの。そこにプルーストの答えがちゃんと記録されているんだって。たとえば、憧れの女性はクレオパトラ、好きな画家はダ・ヴィンチとレンブラント、作曲家はベートーヴェンとワーグナーにシューマン、詩人はボードレールとアルフレッド・ド・ヴィニー、散文家はアナトール・フランスとピエール・ロチ。よく勉強してるのよね」

「リリみたいだね」

「茶化すんじゃないわよ。プルーストはね、美は色にはなくて色の調和にあるっていうのよ。花の中で好きなのはと聴くとね、花はあの人の花、すべての花、つまり愛人のことなんだって」

「今思い出したけど、確か小林秀雄が言ってたね。〈花の美しさ〉というのはなくて、〈美しい花がある〉のだって」

　これは記憶違いかもしれないが、ほかにどんな話をしたか忘れた。

　ベッドに入ってから話したがそれも忘れた。うろ覚えに覚えているのは、窓の向うのセーヌの水や、艀や、遥かに見えるノートル・ダムを絵葉書でも見るようにぼんやり思い出していたことだけだ。乳房を優しく握るうち睡魔に襲われる。

**〔パリ・第3日目〕**

　曇のち雨。眼は大丈夫。朝食（petit déjeuner《プティデジュネ》）で熱いミルクをすすりながらリリが珍しく気を逸らせて言う。枕の下にチップを入れる。

「今日は美術館を見ようかしら。どこにする?」

「午後からシテ島の病院に行くんだから、車で行こうよ。クリュニーがいいな」

　私が提案して、車でBoulevard St. Michel《ブルヴァールサンミシェル》通りから入り、Boulevard St.Germain《ブルヴァールサン・ジェルマン》通りとの交差点にあるクリュニー美術館（Musée de Cluny）へ来る。すぐ二階に上がると、〈貴婦人と一角獣〉(Tapisseries de la Dame à la licorne）のタピスリーが待っていた。館内は褪色を避けるため照明が暗い。学生のころ、リルケの『マルテの手記』を読んで、そこに書かれたゴブラン織りを見たいと思った。この一角獣は伝説的な動物だ。姿は馬に似て性格が荒々しく、処女の懐ろの中なら従順になるという。この伝承から、純潔の象徴ともなり、処女マリアによって地上に生れたキリストの譬えとされた。

眼にした六枚組みのタピスリーはみな仰ぎ見るようで、思ったより大きい。深紅の生地に深い青が使われ、真ん中に貴婦人と侍女、両脇に紋章を掲げた獅子と一角獣が描かれて、千花模様で埋め尽くされている。

一枚を除くあとの五枚は、それぞれ人間の「視覚」「聴覚」「味覚」「嗅覚」「触覚」の五官を主題にしている。もう一つの大きい一枚は、貴婦人が函から宝石を取り出す図柄で、「欲望」を象徴するという。それらのどれもが深紅の背景と濃いブルーの地面の上に、貴婦人と獅子と一角獣が描かれ、周囲は草花や仔犬や鳥などが小さく描かれている。

リルケが書いているのは「視覚」のタピスリーだ。そこに侍女はいないが、貴婦人が合わせ鏡を持ち、右手に紋章を持った獅子を従え、左手に一角獣が貴婦人の膝に足を乗せて鏡に映る自分を見つめ、周囲には野原で遊ぶ鳥や兎が点在している。

「すごいものね、これがギリシャ時代からの伝統の織物だなんて！」

初めて見たゴブラン織りにリリは驚嘆している。

「あんな素晴らしい織物が人の手で紡ぎだされるなんて、信じられないわ」

美術館を出て車でセーヌを渡り、二、三の博物館やギメ美術館（Musée Guimet）と国立近代美術館（Musée National d'Art Moderne）を素通りしてシテ島（Île de la Cité）に入る。車を降りると寒さが身に沁みて来た。古色蒼然としたサント・シャペル（Sainte-Chapelle）の礼拝堂に入る。ここではパリ最古のステンドグラスが見事なまでに華麗で、壮大な光を放散しているのに驚く。それは三面を飾る十五の区画のステンドグラスで、「旧約」や「新約」の聖書から採った物語が描かれている。一二四八年の献堂というから鎌倉の大仏が出来たころだ。

「ほら、ここに立つと宝石函のなかに立たされたみたいよ。来てご覧なさい！」

西側の薔薇窓の下でリリと並んで立つと、まるで巨大な宝石の詰まった函の中にいるようだ。

続いてコンシェルジュリー（Conciergerie）へ。マリー・アントワネットが七十日間幽閉された独房がある。地下の贖罪礼拝堂に降りる。質素な聖堂のほかに、見る目も痛々しいギロチンの刃が生々しく掛けてある。

「もう出ましょうよ、陰気な部屋ね」

リリは何も感銘を覚えないようだ。シテ島寒し。急いでノートル＝ダーム寺院（Cathédrale Notre-Dame de Paris）に行く。これが「貴婦人《ノートル・ダーム》」かと思う。日本人観光客で一杯。高い天井を一本が四キロある杭棒で支える。エッフェル塔と同じ構造様式か。幾つもの告解室。ステンドグラスの薔薇窓が雨で暗い。陽が射していたら素晴らしかっただろうに。ふと、光太郎の詩を思い出した。

うたるるカテドラル

おう又吹きつのるあめかぜ。
外套の襟を立てて横しぶきのこの雨にぬれながら、
あなたを見上げてゐるのはわたくしです。
あの日本人です。

……………………

おうノオトルダム、ノオトルダム、
岩のやうな山のやうな鷲のやうなうづくまる獅子のやうなカテドラル、
灝気《こうき》の中の暗礁、
巴里の角柱、
目つぶしの雨のつぶてに密封され、
平手打の風の息吹をまともにうけて、
おう眼の前に聳え立つノオトルダムド　パリ、
あなたを見上げてゐるのはわたくしです。
あの日本人です。

（「道程」以後）

……………………………………………………

雨のノートル＝ダームは淋しい。リリはブティックで記念に小物や絵葉書を買う。次にサン・ジェルマン・デ・プレ聖堂（St.Germain-des-Prés）に来る。ここも古色蒼然。ある日本の俳人は、「ここは老僧のようだ」と呟いたが確かにそういう感じだ。ルオーの国葬が営まれた寺院。そこを出ると、道の向いに有名な老舗のカフェ〈レ・ドゥ・マゴ〉（Les Deux Magots）の庇が雨に濡れて煙っている。往年、この店にサルトルやボーヴォワールが屯《たむろ》した華やいだ季節が想像されてくる。

　昼食はまた「あじ半」で日本料理。味噌汁がうまい。五十二フラン。車でオテル・デュー病院（Hôtel Dieu）へ。病院の金子医師の紹介状を眼科外来に出す。五分と待たせず今野医師の診察室に入る。顔中髭だらけ。暗室に連れて行かれ、暫く時間が経って私が呼ばれた。H医師は、現状なら大丈夫という。帰国する前に十数日イタリアを廻るがどうかと訊くと、それもOKとのこと。良かった。「K医師に宜しく」という医者に礼を言い、病院前からタクシーでホテルに戻る。レストランで夜食。普通の à la carte《アラカルト》三品と白葡萄酒、パン、五五フラン。今野医師の診察がなんとなく信用できないとリリは言う。根拠もないのに感情が先走っている。「信じようよ」と何度も言い聞かせる。

部屋に戻ってバスに飛び込む。リリがシャンソンの「パリ祭」を低い声で歌いだし、バスの中で声が反響する。

*Quatorze Juille*

À Paris dans chaque faubourg
Le soleil de chaque journée
Fait en quelques destinées
Éclore un rêve d'amour
Parmi la foule un amour se pose
Sur une âme de vingt ans
Pour elle tout se métamorphose
Tous est couleur de printemps

À Paris quand le jour se lève
À Paris dans chaque faubourg
À vingt ans on fait des rêves

## Tout en couleur d'amour

*Ils habitaient le même faubourg*
*La même rue et la même cour*
*Il lui lançait des sourires*
*Elle l'aimait sans lui dire*
*Mais un jour qu'un baiser les unit*
*Dans le ciel elle crut lire*
*Comme un espoir infini*
*Après des jours dépourvus d'espoir*
*Tous deux se sont rencontrés un soir*
*Ils n'ont pas osé sourire*
*Mais leurs regards ont pu lire*
*Que bientôt ils pouvaient être heureux*
*Et s'ils n'ont rien pu se dire*
*Leurs yeux ont parlé pour eux*

À Paris dans chaque faubourg
Quand la nuit rêveuse est venue
À toute heure une âme émue
Évoque un rêve d'amour
Des jours heureux il ne reste trace
Tout est couleur de la nuit
Mais à vingt ans l'avenir efface
Le passé quand l'espoir luit
À Paris dès la nuit venue
À Paris dans chaque faubourg
À toute heure une âme émue
Rêve encore à l'amour

バスを上り、リリがワインを用意して待っている。baiserして乾杯。何を思ったかリリが目を輝かす。

「やっぱりリリはパリで勉強しようっと。決めたわよ、もう」

「何で急に決めたの？」

「だって、日本にないものが、ここに在るってわかったんだもの」

「どういうものがある？」

「言っても解らないでしょうけど、スピリチュアルなものよ、文明っていうのかな、すべてよ、すべて」

「まあ、身体を直して出直すんだね」

「そうよ、リリ、そうするの」

そうはいっても、次の瞬間、快美な感覚を求めて揉みあってしまう。情癡《じょうち》に酔いしれて放埒のうちに歓喜の波が打ち寄せ、いつしか部屋全体がどこかへ流れ出す。そのうち儀式は研ぎ澄まされ、やがて貪欲な探求の終焉が告げられる。リリにとってこれが唯一の癒しの時だ。そうでなければ穏やかに明日を迎えられない。

**〔パリ・第4日目〕曇のち雨**

眼は大丈夫という。朝はホテルのレストランで軽食。夕食を〈Café de La Paix〉に予約する。どんよりと曇った空を見上げて歩いていると、どこで鳴らすのか十時の鐘が聞えてきた。鐘の音は低く鈍いが、聞いていると気持が落ち着いてくる。

十一時発〈Cityrama《シティラマ》〉の大型バス「パリ・ヴィジョン号」で市内観光。暖房を効かせて温かい。順路は昨日とダブる。コンコルド広場―ヴァンドーム広場―モンマルトル―カジノの前―サクレクール寺院―葡萄畑―再びモンマルトル文人の墓―凱旋門―エッフェル塔と来て遅い昼食となる。

バスが止まった前にレストランがあり、リリが店に駆け走って席を取る。

「〈シティラマ〉って外国の人ばかりで、日本人はあたしたちだけじゃないの。観光客も少なくて何だか拍子抜けしたわ」

「空《す》いていて良かったじゃないか」

「雨だから寒くて。いちいちバスを降りるのが面倒よ」

「じゃ、中で待ってなよ、風邪を引いたら困る……」

ワインで身体を温め、ハンバーグとパンを口に放り込んで発車時刻ぎりぎりに間に合う。再び観光バスでシテ島―ノートルダム―カルティエ・ラタン―マドレーヌ寺院からリヴォリ通り(Rue de Rivoli)を通ってヴァンドーム広場(Place Vendôme)を抜け、オペラ座前で解散する。

リリが通りにある本屋に入って、V・D・リット補訂のプレイヤッド版・スタンダール『イタリア紀行文集』を買ってくる。

「これを読んでおくと、便利よ」などという。

見知らぬ都会にいるせいだろうか、日が翳りだすと、これから夜に向って何か起こりそうな、そんな期待に似たものを感じる。リリが傍にいるのに、これは人間ではない、ある種の物理的な幸福感といったような感情だ。これから媾曳《あいびき》しようとする男が、来るはずの女がまだ現われないときの、あの言葉にできない期待感と、それが裏切られるのではないかという不安の入り混じった感情。

寒さも寒し、昏れてもくるしで、オペラ座通り（Avenue de l'Opéra）を歩きながら、なにやらもやもやしたものが胸一杯に湧いてきた。その時お誂え向きに、

「ね、お芝居見に行ってみない？」

とリリが提案した。急に気が変ったらしい。それではと、気が変わらぬうちに急いで車を拾い、リシュリュー街2（Richelieu）のコメディー・フランセーズ（Comédie-Française）へ直行する。入ると館内まで外気が侵入して寒い。思わずコートの襟を立てて首を埋める。入ってすぐ、寒いので途中から出ようと思う。

演目はジャン・ジロドゥーの「シャイヨーの狂女」（La Folle de Chaillot..1945）。主人公はシャイヨー街に住むオーレリーという狂女。若い頃、恋人に棄てられ、彼との美しい思い出の追憶にすがり、言い寄ってくる悪党どもに背を向けて暮らす。近所の人々は、彼女の気品ある物腰と素

直な心をよく理解して、彼女を「伯爵夫人」と呼ぶ。だが彼女に金がなく、近くのレストランに出入りして皿洗いのイルマから残り物を貰って生きている。そして散歩が好きで、行くたびに「私は散歩に出かけます。悪人がどこにいるか、監視に行きます。唇をひん曲げる人たち、樹木の敵、動物の敵を監視するためにね」と言い放つ。そのあと、三人の狂女を集めて、近頃評判の悪党のたくらみを見事に暴き出す。そしてこの街から樹木を愛した人々、動物を愛した人々に護られて生きていく……という筋。

「ちっとも面白くなかった……」

とリリは不満を隠さない。外は夜の闇だ。通りを歩きながらリリが言った。

「そろそろ排卵期になるの。だから、préservatif《プレゼルヴァティフ》を買ってきて」

「何？」

「あれよ……」

取り出した手帳の紙をやぶり、スペルを書いて寄越す。早速薬局屋を探して買いに行く。途中、さっきの期待と不安の実態が判った。「イタリア行き」というハプニングがそうさせたのだと。それと、カトレアでサックを着けたことがなかったので、これは小さなハプニングだ。排卵期のリリは早くもそれに気づいたわけだ。やっとPharmacie《ファルマシー》（薬局）を見つけ、入って紙切れを見せると、奥の調剤室から出て来た女店員が、無関心を装いながら事務的にそそくさと手渡す。

その眼はこちらを睨みつけている。気のせいかもしれない。それとも日本人の客が珍しいのか。
予約しておいた〈Café de la paix〉で珍しくフルコース。メニュはこれだ。

MENU

---

ENTREES

Soupe aux truffes noires V. G. E

ou

Crème de grenouilles cressonnière aux cocos

POISSONS

Rouget barbet en écailles de pommes de terre croustillantes

ou

Fricassée de homard àl'américaine

Granité des vignerons du Beaujolais

VIANDES

Carré d'agneau persillé à la fleur de thym

ou

Filet de boeuf à la moelle et à l'échalote, sauce marchand de vin

ou

Volaille de Bresse en vessie, sauce fleurette（à partir de 4pers）

FROMAGES

Sélection de fromages frais et affinés "Mére Richard"

DESSERTS

Crème brûlée à la cassonade Sirio

Délices et gourmandises

Petits fours et chocolats

文字は読めるがどんなものかわからないのでリリに決めてもらう。ナイフもフォークも重たい。ナイフは綺麗な線描のデザインが彫られて藝術品のようだ。

「これ、失敬していこうか」

「何を言うの！　不謹慎にも程があるわ」

リリに窘《たしな》められる。ワインはアルザスの〈Riesling《リースリング》〉の赤。これは高級だ。

「たまにはジュンもメニュを読んでごらんなさいよ」

リリにいわれて単語だけ拾い読みする。

「わからないよ。単語を見ると、アントレは黒トリュフのスープか、それともオランダ辛子で和えた食用蛙のクリーム煮？　これは怪しいね。魚料理は似鯉《にごい》と食用キノコ？　またはボージョレーの葡萄で漬したアメリカザリガニのシチュウ？　立ち麝香草、白黴と……、霜降り仔羊の腰肉……、言葉の組み立てがわからないよ」

「ちょっと貸してごらんなさい。これはね、〈お魚の糸縒《いとより》のフィレのクルスティヨント〉と言って、〈ルージェのじゃがいもの鱗仕立てパリパリ焼〉っていうこと」

「なんだかさっぱりわからないね」

ともかく運ばれてきた料理はすべてgoodだった。

支払いは思ったより安い。リリが払う。テラスに出て通行人を品定めしながらコーヒーを飲む。

店を出てオペラ座通りを歩く。休日で全店が閉まり、買物は出来ない。昨日ウインドーに出ていた可愛いフランス人形が欲しかった。六百フラン。これから逵たちの土産が宿題だ。ふと見ると、交通事故らしく何台もパトカーが停まっている。

横断歩道を渡っていると、軒先の布の垂れ幕に、〈大盛りラーメン、14フラン、ラーメン亭〉と書いた赤い字が眼に入った。

「あのラーメン、あした食べてみようっと」

リリが声を上げて道を横切り、店の中を眺め回している。

「食べないんだからみっともないぞ」

「下見をしてたのに、すぐ怒るんだから」

「怒ってやしないさ」

細長いテーブルに客が並んで食べているのが見えただけだ。ラーメンは脂っこさがなく、物まね程度で麺もお粗末だ。

「あの店が悪いのよ、もっと探せばきっと美味しいお店あるはずよ」

文句を言いながらホテルに戻る。もう八時。窓をあけ、夜のパリを眺めながら吸いなれない〈ゴーロワーズ〉を吸って噎《む》せて咳き込む。辛《から》い。そのあとバスに飛び込み、洗い合う。上がってから、ベッドでリリがカトレアを待っている。眼の痛みなど吹っ飛んだようだ。妊娠の予防にサックを使う。

リリは明日、シャルトルへ行くと言って聞かない。言う通りにする。リリが突起を撫でながら言った。

「ね、こうしてるけど、これが幸せなんかじゃないわよね。そうでしょ。これが愛のすべてだって錯覚したがってるだけよね、ジュンが……。そう思わない？」

「そんなこと解らない。それより、リリを強く動かすものは何かってことだ」

「あたし、誰からも動かされないもの。当り前のエロキューションではリリを攻略できないわよ」

「女心を動かすもの、それは、利害と快楽と虚栄心だってさ」

「だってさって何よ、誰が言ったの？」

「誰だと思う？」

「どうせ女性専科の作家でしょ。カザノヴァとか、スタンダールとか」

「違うよ、百科全書家のディドロだよ」

「え？　ディドロが？　どこで言ってるの？」

「Les《レ》 Bijoux《ビジュー》 Indiscrèts《アンディスクレット》 という一七四八年の小説。いつか話したと思うよ」

「ああそれ、〈不謹慎な寶石〉だったかな？」

「そうだよ。ある国王が、仙人から貰った指輪の螺子《ねじ》を女性の性器に向けて回すと、ここが過去形で経験したことを話し出すというわけ」

「ずいぶん凝《こ》ってる話ね。そんなの面倒くさいじゃない。女の人はそれを知らないまま寝てるの？」

「そうじゃないよ。起きていても寝ていても、指輪が向けられると話し出すんだ。穿いてるスカートの中から、彼女の経験談が聞こえ出すという仕組みで書かれてる。これはルイ十五世を風刺した話なので、ディドロはそれで投獄されたんだよ」

今更何を言い出すのかと思っただろう。訳者が私の恩師であることは言わない。リリはまだ後を追って考えている。

「リリの寶石にも、その指輪を回してみたいね」

「ばかおっしゃい！　何にも出てこないわよ。それよりリリの肩や頸を摩ってよ」

「わかった」

言われるまま、愛撫に似た摩り方でいい加減にしていると、

「もっと、気を入れてやるの！」

と叱られたので、これ以上きつく抱けないくらい圧迫してやる。そのうち快感がよみがえって、思わず抱きしめてbaiser。これを越しては明日に差し障る。止めようと言って手を握り合って眠りにつく。

〔**パリ・第5日目**〕
快晴。七時半起床。眼は大丈夫。パリで初めて太陽を見る感じ。昨夜モーニングコールをしておいたので部屋で朝食（petit déjeuner《プティデジュネ》）。陽が上がって室内は明るい。リリも気分がいい。チップ

を置き、荷物の整理をして市内を散策し、十一時半、「あじ半」で親子丼。

昨日、バスガイドの看板で見た「Paris et Provinces de France」の案内で、予約金一人八八フランを払い、〈Cityrama《シティラマ》〉のRapid Pullman《ラピッドプールマン》という大型バスに揺られてシャルトル大聖堂（Cathédrale de《カテドラーレドゥ》 Chartres《シャルトル》）へ向い、午後一時出発。田園風景の中、高速道路を突っ走る。途中、三、四本の尖塔が、遥か南のボース平野（La plain du Beauce）の空に突き出て見える。その情景は、昔読んだ「スワンの恋」の中で、話者が馬車から教会の尖塔を見つける場面と重なる。リリが嬉しそうに女車掌（receveurse《ルスヴォーズ》）と話している。何を話題にしているのか解らない。私の方を見たりするので、どうも気になる。

「あのね、シャルトルには聖母マリアの聖遺物が祀られているんですって」

そんなことだったか。だからマリア崇拝の中心地なのだそうだ。二時半シャルトル着。女車掌の話で、「カテドラル」とはその土地の司教が座る椅子がある司教座聖堂のことだと知る。カトリックの司教区の重要な聖堂で、これを「司教座教会」ともいうらしい。

ロマネスクとゴシックの様式が混じる大聖堂が目の前にある。一一九四年に大火にあったが、それで再建されたから盛期のゴシック建築の典型となったらしい。車掌の説明で、今いる入口が西の正面で、左の北塔と右の南塔が非対称で聳えている。右の方が古く、左はゴシックの末期まで建造され、どの塔にも入口がある。二つの塔は、ロマネスクと違って「神の国」を目指すように高い。

「王の門」と呼ばれる正面の十二使徒たちの彫像は、ロマネスク後期の作品だそうで、胴と脚が不均等に長い。聖堂の中はかなり暗く、その代わり、大窓に嵌め込まれた十三世紀の三つの薔薇窓が、外の光を透して美しく神秘的な光を放って一堂を演出している。この光彩が唯一の光だ。

北側の窓は、中心に幼児キリストを抱く聖母マリアが描かれてキリストが到来するまでの「旧約聖書」に捧げられているという。南側の窓の中心には復活したキリストが君臨して、その生涯と「新約聖書」に捧げられ、そして西側の窓は、太陽が沈む滅びの方角と見て最後の審判者たるキリストに捧げられているという。これらの薔薇窓の中の図柄は、キリストが君臨する中心の丸い絵を取り巻くように、外側へ放射状に配置されている。どの輪も十二個の図柄がある。内陣の中は何組もの観光客が案内の説明を聞きながらあちこちに屯《たむろ》し、それらの声が堂内に反響している。

解説によれば、十二・十三世紀の三つの薔薇窓は、北側は過去（「旧約聖書」）、南側は現在（「新約聖書」）、西側は未来（来るべき最後の審判）という三つの時を象徴し、それがnef《ネフ》（身廊＝ラテン語のNAVISから派生した船の意味）を通して漂い、それとともに永遠の真理、つまりキリスト自身であるロゴスを象徴化しているのだそうだ。このロゴスを通して、人々はキリストの救いの道に入ることを許されるという。こうして中世の象徴主義の壮大な世界観が表明されているのだと。

近くにいた団体の男が、旨いコーヒー屋があるというのでついてゆく。男はリリをじろじろ見る。暖を取り、サンドイッチとコーヒーで腹を満たす。粗末な昼食。身体が温まり、ホッとしてバスに乗り込み、帰途に着く。再びリリが女車掌と話しだす。私は眠くなって眼を瞑る。ボーズ平野から北へ、黒い冬空の雲を眺めながらパリに着き、オペラ座前で解散。

そこから急いで車に乗り、ジュー・ドゥ・ポーム美術館（Musée du Jeu de Paume）と、反対側にあるセーヌ河沿いのアナトール・フランス河岸（Quai Anatole France）にあるオランジュリー美術館（Musée de L'orangerie）を観て回る。モネの〈睡蓮〉で三十分、長い椅子にかけて観る。

「まるで夢の中の池のよう、ほんとに綺麗！」とリリは感嘆しきりだ。

「あ、そうだ、ミラボー橋へ行ってみない？　行きましょうよ、五分でいいから。リリ、この眼で見ておきたいわ」

言い出したら聞かない。地下鉄を探して十番線に乗り、ミラボー駅で降りる。薄汚れた電車を降りてほっとしたのも束の間、地上は何と車の多いことか。ここは15区。向こうに赤茶色の長い橋が見える。リリは鼻声でシャンソンの「ミラボー橋」を口遊《くちずさ》んでいる。

「ミラボー橋」
*Le Poont Mirabeau*

Sous le pont Mirabeau coule la Seine　ミラボー橋の下をセーヌが流れる
Et nos amours　そしてぼくたちの恋
Faut-il qu'il m'en souvienne　ああそれを思い出さなければならないのか
La joie venait toujours après la peine　喜びはいつも　苦痛のあとにやってきた

Vienne la nuit sonne l'heure　夜がきて　鐘が鳴る
Les jours s'en vont je demeure　日々はすぎる　ぼくはとどまる

「ラララ、ラーララー……」

「ララじゃないよ、全部歌ってみな」

「歌えるわよ、リリだって……」

André《アンドレ》 Citroën《シトローエン》通りを越えて、ルイ・ブレリオ河岸（Quai Louis Blëriot）まで二百メートルほどの橋をゆっくり歩く。冬の陽は黒く霞んで寒々しい。リリのメロディーに私も合わせた。

Les mains dans les mains restons face à face
Tandis que sous手をとりあい　じっと顔と顔とを見あわせていようよ

Le pont de nos bras passe
Des éternels regards l'onde si lasse

Vienne la nuit sonne l'heure
Les jours s'en vont je demeure

L'amour s'en va comme cette eau courante
L'amour s'en va
Comme la vie est lente
Et comme l'Esperance est violente

Vienne la nuit sonne l'heure
Les jours s'en vont je demeure

Passent les jours et passent les semaines
Ni temps passé

ぼくらのくんだ腕の橋の下を
永遠の眼差しの疲れきった波が通ってゆく間

夜がきて　鐘が鳴る
日々はすぎる　ぼくはとどまる

恋はすぎる　この流れる水のように
恋はすぎる
なんて人生はおそく
なんて〈希望〉ははげしいのだ

夜がきて　鐘が鳴る
日々はすぎる　ぼくはとどまる

日々はゆき　そして週もゆく
すぎた時も

Ni les amours reviennent　　恋たちも　もどっては来ない
Sous le pont Mirabeau coule la Seine　　ミラボー橋の下をセーヌが流れる

Vienne la nuit sonne l'heure　　夜がきて　鐘が鳴る
Les jours s'en vont je demeure　　日々はすぎる　ぼくはとどまる

(Guillaume Apollinaire : *Alcools 1913*. Le Pont Mirabeau. 瀧田文彦訳)


「……ああ寒い寒い！　でも来てよかったわ。パリにきた記念よ」

それにしても寒い。川から吹き上げる風が冷たい。橋を往復して再び地下鉄にもぐる。

六時、いったんホテルに戻るとリリがお酒を飲みたいという。また夜の街へ繰り出す。昨夜見つけたラーメン屋には行かず、その裏通りにある寿司屋に入り、ビールを飲みながら久しぶりに寿司をつまむ。

何カ月ぶりかの鮪の刺身、烏賊、蛸などを食べて気分高揚。二人で顔を見合わせて、「よかった、よかった」を連発する。魚は地中海で獲れたものだが、日本からも空輸している。

店を出ると小雨が降り出していた。エッフェル塔が薄靄の中に眠っている。遥か向うにアンヴァリッド（Hôtel des Invalides）の丸屋根が小さく霞む。チュイルリー公園（Jardin des Tuileries）

は落葉の絨緞。ひっそりと小鳩が地を這う。先ほど通ったリヴォリ通りをショッピング。ここだけは店が開いている。ネクタイ、ネッカチーフ。〈オデュール〉のママに〈シャネル五番〉を買う。五千円。

急いでホテルに帰って明朝七時のモーニング・コールを頼む。モンマルトルへ外商に来ているミケーレを電話口に呼び、リリと話しあってもらうことも決める。それからリリに訊いた。

「そろそろジャン＝クロードが懐かしくなったんじゃないか？」

「どうしてるかしら、J……。ミケーレと連絡取ってるから判ってるんじゃない？　でもあたしたち、このままだったらどこへ行くの？」

「リリが身体を直して出直せばいいんだ。そのためにこうして経験を積んでおくんじゃないか。日本に帰ってから計画をやり直したっていいんだよ」

「そう？　じゃ、……そっと抱いてて」

「静かに過ごそう」

「うん。イタリアに行ってる間、カトレアなしにしない？」

「どういうこと？」

「謹慎するの」

「謹慎？　何で？」

「どうしても。禁欲よ」

肩を抱いて背中を撫でる。抱き合ったまま暫くじっと沈黙が過ぎる。

「どっちが我慢できるかだな」

「我慢じゃなくて禁欲するの。身体も疲れるし、それに、聖堂を回るんだから宗教的な感情も判らなければだめでしょ」

身体を離すと、リリはふーっとため息をつく。

「リリ、憂愁の巻ってところか」

「そうじゃないの。〈人は一人で時を失い、一人で時を見出す以外にない〉ってプルーストは言ったわ。死ぬ時も一人で死ぬ以外にないのと同じにね。そういう感情を持つのよ。そうでないと、宗教画は理解できないの」

「いまからそんなこと言ってちゃ、先が思いやられるね」

いつのまにか淋しい笑いに変わっている。一時にせよ、このときを誤魔化すつもりはなさそうだ。

酔いは覚めた。バスに入り、身体を洗い合う。先に上がったリリがベッドに横たわった姿は、飢えて略奪者を待つ女だ。静かに過ごそうと思ったのは、身体を曝してカトレアを待つ肢体を見た途端どこかへ消えた。私の役柄は、やはり官能の喜びを持ち運ぶ闖入者に徹すること。

今夜で当分カトレアは出来なくなる。そう思うと、これが最後という感覚が強まる。爛々と輝くリリの眼の奥に、欲情の焔が燃え上がり、儀式は苛烈をきわめて力強い夜の顫動《せんどう》の中にリリを押し込む。昨夜の分を含めて、欲情と陶酔と癡態と亢奮とが、二人の愉悦となって快美なひとときを演出し、淫蕩な世界を存分に味わう。やがてベルトをねだられ、「手加減しないで」というので思いきり振り回す。ぴしぴしと肌に食い込む革の音。見えない鍵にぐるぐる巻きにされた彫刻品のように、リリは一打ちごとに苦しさ余っての喜びを白い肌に受け止めている。喜びの震えを見るうち、こちらまで身体がばらばらに砕けそうだ。

饗宴は深夜まで続いた。秘密の癡態は凄まじいまで快美感を齎し、放恣《ほうし》を極めた悦楽の中で性の満足へと繋がり広がっていく。やがて遥か原始の頃の不死、原初の暗黒へ突入して身体ごと沈んでいく。リリは眼を瞑り、歓びの声を顫わせながら無意識の底に落ちていった。この饗宴が再開できるのはいつのことだろう。

## 古代の風・ローマ

〔イタリア第1日　ローマ・第1日目〕

晴。寒し。眼のことはもう訊かなくてもよさそうだ。訊くと不機嫌になる。昨夜、イタリア行きの準備で少し疲れているが、もっと寝ていたいというのを無理に起こす。旅行中の下着は手で洗濯する。部屋で朝食（petit déjeuner《プティデジュネ》）。出発に遅れないようにコーヒーとクロワッサン（café et croissant）で済ます。九時半、ミケーレが泊っているホテルにリリが電話をかける。

「JOLLY HOTEL LOTTI　402 7, rue de Castiglione 75001
Paris France/ Tel. 42603734」

　空港での落ち合い先を決め、チップを置き、荷物をまとめて車でド・ゴール空港（Aéroport Charles de Gaulle）へ直行する。北ウィングのコンコースで背の高いミケーレを探す。約束したとおり、黄色の皮のジャンパーを着た背の高い男が国際線の掲示板の下で立っていた。長い脚だ。リリが近づいて行き、習い覚えたイタリア語で、
「Mi《ミ》 scusi《スクージ》, è《エ》 Lei《レイ》 ? Signor《スィニョール》 Michele《ミケーレ》 Biondi《ビオンディ》 ?」（すみませんが、あなたはミケーレ・ビオンディさんですか）
　と問いかけると、男は頷いて「Ciao《チャオ》 !」と笑いかけ、肩に手を掛けてきた。馴れたものだ。
「Piacere《ピアチェーレ》, Mi《ミ》 chiamo《キヤーモ》 Ririko《リリコ》 Hazama《ハザマ》, e questo è《エクウエストエ》 Signor《スィニョール》 Jyun《ジュン》 Yanaghi《ヤナギ》」（はじめまして。私が硲リリ子、こちらは柳潤さんです）と言って笑うと、

「Piacere《ピアチェーレ》, Mi《ミ》 chiamo《キアーモ》 Michele《ミケーレ》 Biondi《ビオンディ》」と同じように笑いながら返してきた。

外商で国中を回り、陽に焼けた顔に口髭を蓄える頼もしい青年だ。独身のマストロヤンニというところ。私たちの荷物を持って口笛を吹きながら先に立って歩く。まるで古い知り合いでもあるように。人柄の善さが眼に見える。リリと英語で話し出す。

一時間半待ちで十一時半に搭乗する。リリが握手をしながら、

「Jとあなたの友情で、私たちは大変助かりました。これからの旅も愉しいものになるでしょう。これもあなたのお陰です。今度のハプニングはすべて貴方のご厚意から出たことで大いに感謝しています」

と言う。ミケーレが、

「君たちのことはMonsieur《ムッスュー》 Sauvonnet《ソーヴォンヌ》 Jean《ジャン》=Claude《クロード》から聞いてよく知ってますから、安心してイタリアを回ってください」

と言ってにっこり笑った。リリがさらに感謝をこめて、

「じゃミケーレ、grazie《グラーツィエ》 mille《ミッレ》, Arrivederci《アッリヴェルデルチ》！ Ciao《チャオ》！」（ありがとう、またね！）

と言うと、ミケーレも、

「Arrivederci《アッリヴェルデルチ》！ Ciao《チャオ》！ Bon《ボン》 viaggio《ヴィアッジョ》！」と言って手を振って別れていく。皮ジャンパーの広い背中が頼もしい。

機内に乗り込み、座席に着く。最前列から三列目。ミケーレがどんな商用で次のフライトにしたのか知らないが、私たちを遠慮したわけではないだろう。

まもなくアナウンスが流れた。

「signori《シニョーリ》 passeggeri《パッセジェッリ》, il《イル》 comandante《コマンダンテ》 ed i《エディ》 suoi《スウォイ》 equipaggi《エクイパッジ》, dell'Alitalia《デッラリタリア》, vi《ヴィ》 porgono《ポルゴノ》 il《イル》 benvenuto《ベンヴェヌート》 a《ア》 bordo《ボールド》 del《デル》 DC8《ディーチーオット》 in《イン》 servizio《セルヴィーツィオ》 da《ダ》 Parigi《パリージ》 a《ア》 Roma《ローマ》.」

「リリ、何て言ってる？」

「たぶん会社の挨拶らしいわよ。〈皆様ようこそパリ―ローマ間のＤＣ８にご搭乗くださいました。アリタリア航空を代表し、機長および乗組員一同ご挨拶申し上げます〉って言うことらしいわ」

知らぬ間に勉強していたリリのイタリア語も、これなら不便はなさそうだ。

「奥さん、どうしてるか気になってるんでしょう？」

突然迪子のことを言い出した。

「なんで今頃急に気にしだすんだ？」

「だって、ちょっと悪い気がして……」

「どうして悪いの？　ここまで来て、どうしようもないじゃないか」

「そう……、そうなんだけど。ジュンがそれでいいなら、いいの。何にも言わないわ」

リリが気遣う気持ちは判る。しかし致し方ない。
気を変えて、去年私が持ってきたゲーテとスタンダールの『イタリア紀行』をリリに渡す。リリはメモを取り始めた。だが、迪子のことをまだ考えている様子だ。

＊

日本人としてイタリアに初めて足を印した天正少年使節の動向を、私は知りたかった。一行は四人、大友宗麟の名代伊東マンショ、大村純忠・有馬鎮貴の名代《みょうだい》千々石《ちぢわ》ミゲルの正使、中浦ジュリアン、原マルティーノの副使。一五八二年二月、長崎を出港した彼らは、途中、リスボンでフェリーペ二世に謁見、八五年三月二十二日、ローマに入ってヴァチカンでグレゴリウス十三世に謁見、その逝去後シスト五世に拝謁する。その後は北イタリアを経てリスボンに戻り、印刷機を携えて帰国の途に着き、一五九〇年七月、長崎に帰還した。一行が見学した都市を次の記述から拾っておく。

『クアトロ・ラガッツィ』

「(一五八五年)六月二日早朝、使節らはローマを出発した。すでに全ヨーロッパに向けて東方使節到来のニュースが飛んでいたので、多くの国が彼らを招待した。その多くは断わるしかなかったが、それでも、新しい教皇（シスト五世）は旅費を出して、回るべき土地には便宜を命令したので、事実上、彼らをさしむける特権は教皇にあったと推測できる。また一行は一刻もはやく帰国したかったが、教会内外の政治的事情で断わることのできない北イタリア諸国を歴訪しなければならなかった。フェッラーラ、ヴェネーツィア、ヴェローナ、ヴィチェンツァ、マントヴァ、ミラーノ、ジェノヴァ、クレモナ。この土地の名を見れば、教皇庁にとってゆるがせにできない国や、教皇庁に住む枢機卿らが、その領土に使節を送ったのだろうということは推測できる。それが教皇庁政治の一環であって、基本的には使節の本来の目的からみればどうでもいいことだった。しかし、その結果、きわめて多くの西欧側の記録がこの使節の印象を書き留めた。それは一五八五年当時における日本および日本人の西欧史におけるめざましい登場であったことは確かである。」

（『天正少年使節　クアトロ・ラガッツィ』（下）若桑みどり著。P.89）

ゲーテの『イタリア紀行』によれば、一七八六年九月、ゲーテはヴェローナに、それからヴェネツィア、フェラーラ、ボローニャなどを回って十一月の一日にローマに着き、翌年の二月まで滞在している。初めてローマに来て、「とうとう世界の首都に到達できた」と喜んで、次のように書いている。

われわれが最もすぐれた事象に接しようとてローマの市中を歩きまわるとき、この巨大なものは悠々としてわれわれの上に働きかけてくる。他の土地では意味の深いものをこちらからさがしてまわらねばならないのに、ここではかえってわれわれが圧倒されるほどそうしたものに充満している。行くところ止まるところ、あらゆる種類の風景画が繰り広げられ、宮殿と廃墟、庭園と荒野、遠望と小景、家、厩、凱旋門、円柱。時にはこれらすべてが一ヵ所にかたまっていて、一葉の紙に纏めあげられたくらいだ。人は千の絵筆を使ってそれを叙述すべきで、一本のペンが何の役に立つであろう。実に観賞と驚歎の連続で、夜になるとわれわれはすっかり疲れ切ってしまう。

（ゲーテ『イタリア紀行』相良守峯訳。岩波文庫〈上〉一七八六年十一月五日）

ゲーテはその後、ナーポリやシチリアをまわって一七八七年六月から十一月まで、再度ローマを訪れている。

一方、スタンダールの『イタリア紀行』は、ゲーテから遅れること三十年、一八一六年の十二月十日から一月八日までローマに滞在した。それからゲーテと同じにナーポリに行き、三月八日

まで いて、十三日にまたローマに戻っている。

わたしはかの有名なポポロ門からローマに入る。コルソのルスポリ館に宿をとる。ああ、何てわれわれは騙されやすいのだ。これはわたしが知っているほとんどすべての大都市の城門よりも劣っている。ベルリンのはるか下位だ。エトワール凱旋門を通ってのパリ入市は言わずもがなである。現代のローマでラテン語を弁じたてる機会を見つけた衒学者どもが、この都市は美しいとわれわれを説きつける。

ローマのイタリア人たちのたいそう純潔な習俗を危険にさらさないために、教皇はカーニヴァルのあいだしか芝居を許可しなかった。一年の残りの日々は、マリオネット（劇団）がある。

（スタンダール『イタリア紀行』臼田紘訳。一八一六年十二月十日）

このうえもなく美しい太陽、パリなら、九月はじめの爽やかな日というところだ。わたしはサン・ピエトロ寺院の壮麗な儀式に参列する。音楽を除いて、すべてが堂々としている。あの尊ぶべき教皇は、白絹の衣裳をつけ、ジェノヴァの人たちから贈られた輿《こし》にのって、この崇高な寺院のなかで祝福を与えているが、これはわたしの見た数々の美しい光景の一つとなる。わたしは参観者の右手、板でつくられた階段座席の下にいた。その席には二百人の婦人がいた。二人のローマ女性、五人のドイツ女性、そして百九十人の英国女性であった。教会内のそこ以外には、ひどい姿をした百人ばかりの百姓のほか誰もいない。わたしはイタリアで英国旅行をしている。これらの婦人たちの大部分は儀式の美しさにたいへん感動していたので、その心が、籠の中に隠れて歌う神聖な去勢鶏の滑稽さを感じ取るのは、いくらか困難だった。システィナ礼拝堂と同じである。考えるに、彼らは式典司宰者たちのさえずりの伴奏をするのにすぎないと見なされている。（前同。一八一六年十二月二十五日クリスマス）

昨日、わたしは友人の司祭とヴァチカンの同じ庭を散歩した。われわれは教皇聖下にばったり出会い、わたしは少しもいやな気持をもたないで地面に跪いた。われわれから二十歩のところで、一人の偽善者づらをしたのが教皇の膝もとに駆け寄るのを見た。わたしは誰か罪人の恩赦を求めているのだと思った。全然そうではなく、その黒い顔は祝福を求めているのであった。こういったことはもはや効き目がないのだ。私の友人の司祭がすぐにこう言った。「あれは昔の慣わしです。それに、誰かが教皇聖下に紹介されると、教皇の従者たちが翌日この名誉を受けた人物と浮かれ興じるということが、教皇聖下にもやっとわかりました。この儀式はある国民にはたいへんいやがられていました。予約制だったのです。紹介された人はそれぞれ従者たち用に定まった額を挙げるのですが、この報酬は紹介する人の手に委ねられますし……。」わたしはローマでは何事も秘密にしておけないことがわかった。

さらに、それより五十五年遅れる一八七一年、明治四年の十一月十日、郵船亜墨利加《アメリカ》号で横浜を出航した岩倉具視ら「遣欧米特命全権大使」一行は、ローマをどのように見ていたのか。久米邦武の『米欧回覧実記』でその一端を見ておく。一行は明治六年五月九日、フィレンツェを経て十一日にローマに着き、二十六日にヴェネツィアに向かっている。

○此府ノ街衢《がいく》ハ、多ク狭隘不規則ニテ、掃除至ラス、飛塵目ヲ昧《くらま》ス、屋造大ナレトモ、多ク古時ノ建築ニテ、壮麗ヲ欠ク、府ノ辺鄙ニ至レハ、草菅夭暢《そうかんようちょう》トシテ、屋陋ニ街荒レ、中ニ二千年前ノ古蹟ヲ処処ニ存シ、或ハ地中ヨリ掘出シタルアリテ、麦秀ノ慨アリ、抑《そもそも》此府ハ「カトレイキ」教宗ノ国タルコト、一千余年ヲ経タレハ、全府寺刹ヲ以テ成ルトモ謂フホドニ寺多シ、日夕ニ、時辰儀《トケイ》ノ針、時ヲ指セハ、八方ノ鐘ハ響ヲ乱シ、鏗鏗《こうこう》ノ声ハ府中ニ満テ、其喧囂《けんごう》謂《いわ》ン方ナシ、○府中ノ民ハ、描画、鐫石《せんせき》、音楽、綜織ノ諸技芸ト、建築ノ巧ニ富メルコト、欧洲第一ニテ、諸方ヨリ其術ヲ学ハンカ為メ、来集スル所ナリ、又丐児《かいじ》多シ、各寺ヲ出入スレハ、尼、或ハ老婦、香燭ヲトリテ行人ニ迫リテ買ハシメ、時ニハ男子モ之ヲナス、或ハ其家未必《いまだかならずし》モ貧ナラサルモ、教戒ヲ守ルヨリ、自ラ丐児トナルモノアリト、諸宗教ノ人民ニ勧メテ、乞丐《きっかい》ノ態ヲナサシメル陋習ハ、特ニ仏教ノミナラス、以太利ニ丐児《かいじ》ノ多キ、一ハ此風ヨリ誘導セラレタル歟、基督教ノ西洋ニ蔓衍《まんえん》セシ原始ハ、後ノ古牢獄ノ条ニ并セ説クヘシ、

（五月十一日）

○此府ノ盛時ニアタリ、猶太国ニテ耶蘇基督《エースキリスト》ヲ磔セシヨリ、羅馬ニモ基督教ノ禁甚タ厳ニ、其高弟ナル彼得《ピートル》ヲ磔シ、其教ヲ待ツコト仇敵ヨリ甚シケレトモ、人民ハ之ニ傾クモノ益《ますます》多カリケレハ、其教徒ハ、強毅ニ先師ノ志ヲ承ケ、教皇ノ祖〈肉身ノ祖ニハ非ス、教皇伝統ノ祖ナリ〉四世ハ、此闇黒ノ隧中ニ隠慝《いんとく》シ、身ヲ終ルマテ天日ヲミス、懇懇ト信徒ニ耶蘇ノ遺教ヲ伝ヘ、竟《つい》ニ再ヒ今日ノ盛ニハ至レリ、此隧内ノ蔭闇《やみ》湫湿《しゅうしつ》ナルコト、一時閲歴スルモ、心神不快ナルヲ覚フニ、此中ニ身ヲ終ヘテ、教ヲ維持シタルハ、其艱苦ヲ想像シテモ、人ヲシテ悚然《しょうぜん》タラシム、嗚呼此教ノ滋蔓《じまん》セル淵源ハ、耶蘇ノ門弟ヨリ以来熱心ニ道ヲ守リ、死ヲ畏レス、剛毅惨毒ニ耐忍シタルコト、如此クニ不撓《ふとう》ナリシ積成ニヨレリ、是ヲ以テ此教ヲ奉スル民ハ、善悪共ニ不撓ノ胆ヲ養ヒ、其希望スル事業ニ、熱心スルノ強キ、是仏教ノ柔惰ナルニ、比較シ論スベカラザル所ナリ、

（五月十五日）

搭乗して間もなく昼食（pranzo《プランツォ》）に機内食（a bordo《アボールド》）が出た。イタリアン・パスタとトマトと生ハムの惣菜で簡単だ。味は悪くない。飲み物はオレンジジュース（succo di arancia《スッコディアランチャ》）。

機内から見下ろすと、地上一帯は焦げ茶のスレート装の屋根が続いていたが、ロワール河(Loire)を越える辺りから赤い石の屋根が連なり、玩具の模型のような建物が続く。東側に白皚《はくがい》皚《がい》のアルプスの山肌が見える。幾つかの湖を過ぎて、山並みが消えだす頃から心なしか機内が冷え込む。続いて緑の平野を横切ると、鉄道の軌条が見えてきた。それに平行して太い幹線も走っている。リリはイタリアの都市の絵地図に見入っている。乗ってから二時間は過ぎた。

「まもなくローマです」とアナウンスが流れた。機内の荷物を運びだすとポーターが手伝って運んでくれる。

前方の窓から建物が見え、屋上に、FIUMICINO（FCO）AEROPORTO」と、フィウミチーノ空港の標識の四角い字体が見える。機から降りて税関へ向う。

「ミケーレが、何か困ったことがあったらここへ連絡してくださいって。いつでも待ってますからだって」

紙切れを見ると、

Via Due Macelli, 87-88. Tel. 7639078

とある。番号を覚えるために、語呂合わせを考えた。

「電話は〈南無三・暮れなば〉って覚えたらいいよ」

それからもう一度、リリがホテルのメモを取り出して眺める。

ローマ＝フィウミチーノ空港着。宿泊ホテル・ロカルノ

（HOTEL LOCARNO. Via della Penna 22, Roma 39-0636-10841）

近くにいた見知らぬ男が、リリを見てにっこり笑い、「Buon《ブゥオン》 viaggio《ヴィアッジョ》!」と肩を叩いて通り過ぎる。気さくなイタリア人。リリと一緒に「Grazie《グラーツィエ》!」と返す。

入国手続きを終えて空港内で必要な金をリラに両替（cambio《カンビオ》）し、表玄関から電車に乗り、テルミニ駅（Stazione Termini）まで三十分。一万三千リラ。タクシーで北西の方向に走ってポーポロ広場（Piazza《ピアッツア》 del《デル》 Popolo《ポーポロ》）に近いホテル・ロカルノ（Hotel Locarno）へ。イタリア語でホテルは「albergo《アルベルゴ》」という。三時ちょうどに到着。瀟洒で気品のあるホテルだ。

道路に面した玄関を三段ほど上ってドアを押し、中に入る。左手のフロントの女性が大きな眼で見つめてくる。予約票を見せてチェック・イン。リリと目を合わせた女性が、「Oh《オウ》, bellissima《ベリッスイマ》 signora《スィニョウーラ》!」（あら、何て美しい奥さんでしょう！）とにこやかに笑う。リリも笑って「Tante《タンテ》 Gurazie《グラーツィエ》!」と返す。向いのエレベーターで三階の南西の部屋に入る。ガラスのない昔ながらの鉄条網のように殺風景なエレベーターだ。

「美しいって誉められたね」というと、「お世辞に決まってるじゃない。奥さんにされちゃった」と満更でもなさそうだが、わざと平静を装う。「だって、外国で初めて誉められたんだよ」と

言っても答えない。屋上へ上りたいので部屋に荷物を投げ込み、再びエレベーターで六階へ。

普通の屋上と違い、大きな植木鉢があちこちに置かれ、幾組かのテーブルと椅子が思い思いの方角に向けて置かれている。リリが地図を取り出して視界を左見右見《とみこうみ》し、西の方を指して、

「あの丸いドームがサン・ピエートロでしょ、そして南のこっちはヴェネツィア広場とコロッセーオがあるのよ、ボルゲーゼ公園は向うの森の中だし……、大体見当がつくわ」

などと地図をみながら確かめている。

「今夜の夕食（cena《チェーナ》）は美味しい料理を食べたいわね。さっきの彼女に訊いてみるわ」

オーバーを取りに部屋に戻りがてら、リリがフロントに寄ってうまい店を訊く。

「美味しいお店は〈La Carbonara《ラ　カルボナーラ》〉だって。地図で教えてくれるって」

「まあ言うこと聞いておこうか」

ホテルを出ようとしてフロントの地図を取ると、例の女性が奥から顔を覗かせて、

「ちょっとこれ見てちょうだい。この絵、誰のか判ります？」と訊いてきた。

「あら、気がつかなかった。誰かしら？」

「クレーよ、パウル・クレー。クレーの〈帆船〉よ。綺麗でしょ！」

「あら、ほんと」

見ると“Segelschiffe《ゼーゲルシッフェ》”と書いてある。クレーはスイス生まれのドイツ人だ。線描ばかり描いてい

たと思ったら違った。自然や人間を記号化して描き始めた頃の作品だ。詩的で幻想的、ちょっとユーモアが混じっている抽象画だ。昔、『クレーの日記』を読んだ。一八九〇年代から一九一八年までの四冊の日記だ。

今でも忘れないのはクレーが三歳のときの話だ。ある日、母親が家に帰ってくると、美しいランプが粉々に壊れているのを見て、母親がヒステリーを起してはげしく泣いたそうだ。その母親を見て、クレーは心がしめつけられるようだった、と書いている。三歳で「心がしめつけられる」とはどういう魂だろう！

その『帆船』の絵は縦23センチ、横30センチで決して大きくない。帆を張った三つの船が、ペルシャン・ブルーの海に浮かび、それぞれピンク、オレンジ、ブルー、グレイ、紫の色合いで心地よく配色されている。

*

クレーは一九〇一年十月から、翌年五月までイタリア各地に滞在した。その印象を日記から拾い読みしてみる。

『日記』一九〇一年（二十一歳）

二七七（日記番号）　十月二十二日、ミラノ到着。プレラ美術館。マンテーニャ（ルイーニ？）。ラファエロの代表的なものはない。思いがけず心を打たれたのは、ティントレット。／葡萄酒を沢山。種痘のかさぶた。イタリア語はずるい使い方ができる。ホテル・チェルヴィォ。上等な食事。リゾット（米料理）を食べる。二十四日午後三時四十分、ジェノヴァに向って出発。

二七八―七九　ジェノヴァ、夜、到着する。（生まれて初めて見た海は月光を浴びて輝いていた。「海」のテーマに生命が吹き込まれた瞬間である。そこでクレーは書く。）海とはどういうものか、私はだいたい想像していた。だが、港がこんなだとは思わなかった。（いかにもクレーらしいアイロニーに満ちた表現で、遠くへ行くことの象徴だった海への感動をさりげなく隠し、港に話題を持っていくことで、その憧憬の強さをいっそう際だたせることになった。）海の旅は、すばらしかった。星の種粒のように煌めく夜のジェノヴァの町が、おもむろに海の彼方に沈み、満月の光に吸い込まれていく。一つの夢が、いま一つの夢に呑み込まれてゆく。（そしてこのときのクレーはきっと、子供のとき読んだフランスの本の『ユリシーズは海を見た』というフレーズを繰り返し思い出していたはずである。）

二八五　一九〇一年十月二十七日の真夜中、ローマ到着。二日目、すぐに下宿がみつかる。町の真中で、アルチェット通り二十番地五階。一カ月の部屋代三十リラ。／ローマは、官能よりも精神を引きつける。ジェノヴァは近代都市であり、ローマは歴史の都。（年内をローマに滞在。）はじめに、ミケランジェロの壁画のあるシスティナ礼拝堂とラファエロの部屋。ミケランジェロを見ると、クニルやシュットゥックの弟子は、鞭打たれる気がする。私は素直に鞭をうけるが、ベルジーノやボッティチェリもミケランジェロを前にしては、大したことがないのがわかる。ラファエロの壁画は及第。しかし、ミケランジェロに圧倒されまいとラファエロが背のびをしているあとがありありと見える。／これにくらべて、サン・ピエトロ寺院のマルクス・アウレリウスの馬上像と聖ピエトロの像は、静かな印象を与える。信者がくちづけする足の親指がみえる。マルクス・アウレリウスは、精神の集中力を感じさせる作品だ。そしてまた聖ピエトロの像は、信心の対象なのだ。……マルクス・アウレリウスに目を向ける者は、だれ一人いない。ピエトロ像の幼稚なぎこちなさ。ただ勝手気儘にねりかためた泥のなかに永遠がひそんでいるとは！。

二九〇　……ラテラノのキリスト教博物館へ行く。崇高な美にあふれた素朴な彫刻。人の心に迫ってやまない力強い表現力にみちている。この完成とはおよそ程遠い未完成になぜまたこれほどの力がひそむのか、私は理路整然と説明することはできない。……ミケランジェロの壁画を見ても、なにか精神的・霊的なものが藝術に優位しているように思う。そこにみられる躍動とか隆起した筋肉などは、純粋な藝術とはいえず、むしろ単なる藝や業を超えるものではなかろうか。このようにフォルムを観察する私の目は、建築物を見て養われたのだ。ジェノヴァのサン・ロレンツォ、ピサの大伽藍、ローマのサン・ピエトロ寺院。私はよくブルクハルトの《チチェローネ》に反撥する思いにかられる。

二九三　……ヴァチカンの美術館《ピナコテーカ》とボルゲーゼ美術館《ガレリーア》。ヴァチカンには、わずかの絵画しかなく簡素であるが、それだけに重々しく人の心をうつ。未完成のレオナルド（ヒエロニムス）、ペルジーノの二三の作品、ティツィアーノの法衣を着た僧侶。ヴァチカンの古代のもの。ベルヴェデーレのアポロに感歎する。私自身成長したことがわかる。ミューズは、私は前から好きだった。ラオコーンはわからない。……クニドスのヴィーナスは、わかりはじめる。これについては、私もブルクハルトに賛成だ。……ヴァチカンの美術館での感銘は、何よりも第一に―色彩的にも―マンテーニアのピエタ、次に、レオナルドの未完成作品とヒエローニムスだった。）

（南原実訳『クレーの日記』。カッコ内は『パウル・クレー展図録・東俊郎編「パウル・クレー年譜」』）

外に出ると、ローマは温かいと聞いていたが思ったより寒い。リリがフロントで訊いたbabuino《バブイーノ》通りとVittoria《ヴィットーリア》 d'Alibert《ダリベルト》通りが交差する角の小ぢんまりした店〈La《ラ》 Carbonara《カルボナーラ》〉に入る。

中は立て込んでいる。ボーイ（camerière《カメリエーレ》）が来たのでリリがすぐ訊き出す。

「こんばんは。二人ですけど、席はありますか？（Buona《ブォナ》 sera.《セーラ》 C'è《チエ》 un《ウン》 tavolo《ターヴォロ》 per《ペル》 due《ドゥエ》 ?)」

「はい、どうぞ.（Sì,《スィ》 per《ペル》 favore《ファヴォーレ》)」

リリは店の中を見回して、「いい雰囲気のお店ね！」と一遍で気に入ってしまった。

「最初の夕食は豪勢にいこうよ」とコースを取ろうとすると、

「だめよ、お仕着せじゃなくて、ちゃんと選ばなくちゃ」

リリがメニュを手にとって眺める。それを横から見ていると、前菜（antipasto《アンティパスト》）はチーズのフォンデュ（Fonduta《フォンデュータ》 al《アル》 Formaggio《フォルマッジョ》）、なすのグラタン（Melanzana《メランツァーナ》 alla《アッラ》 Parmigiana《パルミジャーナ》）、あとはいくつも品書きが続いている。こうなればリリに任せるほかはない。

「やっぱりリリに任せる」

「そう。じゃ、まず前菜ね、生ハムとメロン（prosciutto《プロシュット》 e《エ》 melone《メローネ》）、良いでしょ？ それから一皿目はまずスープね、それは……と、アスパラガスのクリームスープ（crema《クレーマ》 di《ディ》 asparagi《アスパラーギ》）でしょ、それからパスタは、きしめん状でベーコン入りのトマトソースを掛けたパスタ（fettuccine《フェッテュッチーネ》 all'amatrriciana《アッラマトリチアーナ》）ね。これ、ローマ名物ですって。そして、二皿目は魚料理にして、舌びらめのムニエール（sogliora《ソリオーラ》 alla《アッラ》 mugnaia《ムニャイア》）、野菜は生野菜のサラダ（contorni《コントールニ》 insalata《インサラータ》）。それからピッツアはナポリターナ（pizza《ピッツア》 alla《アッラ》 napoletana《ナポレターナ》）でいいわね。あとはトマトのモッツァレッラチーズ

(mozzarella) で塩漬けのアンチョビを乗せたもの。そうしてあとは柔らかいフォンティーナ・チーズ (fontina) にして、お終いは macedonia《マチェドーニア》 di《ディ》 frutta《フルッタ》 ね、フルーツポンチと、creme《クレーム》 caramel《カラメル》 のカスタードプリン。飲み物は何がいい?」

「何でも良いよ」

「自信がないのね。じゃ、Mi《ミ》 dia《ディーア》 il《イル》 menù《メヌ》. Vino《ヴィーノ》.」

リリが〈camerière《カメリエーレ》〉を呼んで何か訊いている。

「vino《ヴィーノ》 rosso《ロッソ》 ね、それにするわ。ジュン、赤ワインよ」

「ああ、いいよ」

「独りで決めちゃったけど、まずくても知らないわよ」

「まずいわけないさ」

運ばれてきた料理は、どれも美味しかった。これならイタリアは大いに楽しめそうだ。気がつくと、曲は判らないが低い音の音楽が流れている。

「あれ、モーツァルトじゃない？　なんていったか忘れたけど……」

「そうらしいけど、音が小さくて判らないよ」

「ね、モーツァルトもやっぱりローマにも来ていたんじゃないの?」

「来てたよ。最初のイタリア旅行は一七七〇年で十四歳のときだ。一月にヴェローナ、二月から三月にミラーノ、四月から五月にかけてローマ、そして十月から翌年一月までミラーノにいたらしい」

「それは何で判るの？　手紙を書いたから？」

「そう、お姉さん宛の手紙だ。一七七一年は二月にヴェネツィアに来て、八月は二回目のイタリア旅行でヴェローナとミラーノに来てる。そして三回目のイタリア旅行では、一七七二年十一月から翌年の一月までミラーノに滞在してる」

「調べてきたの？」

「そうさ」

手紙の内容などは忘れたので、これ以上は話せない。ホテルに帰り、バスを沸かして入る。

「今日は疲れたんじゃない？」

「少しね」

「約束は守れそう？」

「ああ」

「じゃ、静かに休みましょう」

「うん。でも、手を置くくらい、いいよね？」

物足りなさを隠して毛布をかぶり、リリの繁みをそっと手で覆う。リリも私のものに触れてきて、そのまま背中を向ける。私は過ぎた夜々を思い出す——。

いつもなら、倣い覚えた官能の波と黝《くろず》んだ情欲に捕えられて、狂宴の極北に来て貪りあい、深く入ったところで脚を広げ、突起が滑り出ないように押え、リリが身体を反り返らせる。そのたびに深く嵌った密着感のすばらしさ。揉み合う快感、そして絶頂へ来て善がり声を上げながらリリが悶えて果てていく……。それが出来ない初めてのイタリアの夜は長い。

**〔イタリア第2日　ローマ・第2日目〕**

快晴。どうやら眼は大丈夫らしい。朝食（colazione《コラツィオーネ》）はホテル一階の ristorante《リストランテ》。周囲に生垣を巡らした気持のいい庭園風のテラス。隣も食堂だが中にテーブルが五つか六つあるだけで、広いわりには手狭な感じだ。テラスには白く清潔そうなテーブル・クロスと大きな花瓶に花が活けてあり、清々しい。食材は丸いパンの（pagnotta《パアニョッタ》）とミルク（latte《ラッテ》）にプラム（prugna《プルーニャ》）。今日回る予定は七件。ボルゲーゼ美術館はローマ最終日を予約する。枕の下にチップを入れる。

まず、ホテルに近いポーポロ広場（Piazza del Popolo《ピアッツァ　デル　ポーポロ》）へ行く。頭の丸い建物が双子のように並んでいる。これが教皇座だ。〈ホテル・ロカルノ〉はこの南西にあたる。大きなカップにミルクコーヒー（caffellatte《カッフェラッテ》）、クロワッサン（corneto《コルネット》）、茹で卵（uovo《ウオーヴォ》）、蜜柑（mandarino《マンダリーノ》）、プルーン（prugna《プルーニャ》）にハム薄切り三枚、イチゴジャム（confiture de fragole《コンフィテュール　デ　フラゴーレ》）。客は五組。部屋に戻って外出着に着替えてから、リリの立てたスケジュールで回る。リリがタバコ屋（tabaccaio《タバッカイオ》）で地下鉄の切符（biglietto《ビリエット》）を買う。

「ローマはね、教会だけで七十一もあるんですって。街の中心はヴェネチア広場にある白いケーキのようなエマヌエーレ二世記念碑ですってよ。ここから主なところへ東西南北どこへ歩いても三十分で行けるなんて便利ね」

まずポーポロ広場の東側から登り、昨日、屋上から見たピンチョの丘（Pincio）に着く。ローマを一望できる丘だ。遠くヴァチカンの大聖堂が見える。ここからまっすぐスペイン広場（Piazza di Spagna《ピアッツァ　ディ　スパーニャ》）まで歩く。テーヴェレ川（fiume tevere《フューメ　テーヴェレ》）が氾濫したとき、小船が一隻だけ残っていたので、それを記念して作られたという小舟の噴水（barcaccia《バルカッチア》）を見る。前の白い石造りの階段を昇る。年代の黒い汚れがつき、下半分は全面石段だ。上半分は左右二手に分かれ、真ん中の空間に植木鉢が置かれている。今花はないがここから腰を下ろして眺める景色はなかなかいい。上を見ると、赤茶けたトリニタ・デイ・モンティ（三位一体）教会（Trinita dei Monti）が左右に鐘楼を飾っている。その前まで登ると見事な眺望が展《ひら》けた。真っ青な冬空の下の市外を眺める。

「これから見ると東京タワーの平べったい展望台が嘘みたいに平凡ね」

リリが先に階段を降り、西へ向ってフェラガモ（Ferragamo）やエルメス（Hermès）など有名店が並ぶ condotti《コンドッティ》通りに〈ANTICO CAFFÈ GRECO《アンティーコ カフェ グレコ》〉と壁に銘板を貼りつけた店に入ってコーヒーを飲む。この店は、よく知られた画家や作家が憩ったことで有名だ。私はミニ・カップの cappuccino《カップッチーノ》、リリはチョッコラータ（cioccolata）を飲む。美味しい美味しいという。私はエスプレッソ（espresso）のほうがよかった。

「イタリアに来たんだから、カップッチーノを飲むのが当たり前よ」

ちなみに〈caffè Greco《カフェグレコ》〉に来ていた人たちを見ると、店の上階のアパートに住んだ人に、イタリア贔屓のゲーテ、メンデルスゾーン、ロッシーニ、アンデルセン、ゴーゴリたち。常連は、ショウペンハウエル、スタンダール、シャトーブリアン、ボードレール、シェリー、キーツ、バイロン、マーク・トゥエイン、カルーソー、サラ・ベルナール、パデレフスキー、トスカニーニたちだ。

店を出て歩くうち、Gucci《グッチ》やフェラガモなど有名店をショッピングしながら、corso《コルソ》通りに出て左折し、トレーヴィの噴水（Fontana di Trevi《フォンターナ ディ トレヴィ》）まで来る。

ここは宮殿の外壁を飾る大きな噴水で、バロック時代のもの。この彫刻は、巨大な貝殻で出来た馬車に、海神ネプチューン（Nettuno《ネットゥーノ》）が乗り、これを波のなかで胸の上半分を出した二頭の馬車が曳き、海の老人で半魚神のトリトーネ（tritone《トリトーネ》）がその轡を取るという構図。制作に三十年も掛かったという。思い思いに噴水を背にして十リラ硬貨を投げる。投げるとローマに再び来られるという呪《まじな》い。

　リリがはしゃいで何回も投げるので、近くの観光客が制止する。私は離れたところでその様子を見ていた。ようやく気が済んだらしく、

「リリなら将来何度でもここへ来られるわ」と場違いな気炎を上げる。

「噴水といえば、ね、ジュン、リストに〈エステ荘の噴水〉って言うのがあったでしょ。知ってる？」

「ああ知ってるよ。あれは〈巡礼の年〉の第三年で、七曲の中の四曲目だ」

「そう。あれね、〈Les《レ》 jeux《ジュー》 d’eaux《ドー》 à《ア》 la《ラ》 Villa《ヴィラ》 d’Este《デステ》〉と言ってリストが司祭になってから作曲したのよ。リストはその曲の中で、聖書の〈ヨハネの福音書〉から取ったラテン語の聖句を入れたりしてるの。それはね、イエスが井戸から汲んだ水を飲む女に、

《この水を飲む人は皆、再び渇くであろう。だが私が与えることになる水を飲むなら、その人は永遠《えいえん》に渇くことがなく、私が与えることになる水は、彼のうちで、永遠の生命《いのち》にほとばしり出る水の泉《いずみ》となることだろう》

というところよ」

「それを曲想に取り入れたってわけ」

「そうよ。今度聴いてごらんなさい」

「永遠の生命か……」

「そんなに感心してないで、先を急がないと……」

リリに急かされて思わず地図を見る。この先のパンテオン（Pantheon）は意外に近いが車を拾って来る。三角の切妻を六本の円柱が支え、そこを抜けると内部は半球型のドームに覆われて、真ん中の丸窓から光が差し込んでいた。これは単に明り取りではなく日時計にもなっている。紀元前二十五年ごろ、アウグストゥス皇帝の側近アグリッパが建て、後に火事で焼けてハドリアヌス帝が再建して今に残った。

　パンテオンは古代ローマ建築の代表作で、古代ギリシャはアテネのパルテノン神殿、中世のヨーロッパ・ゴシックはパリのノートルダームと、この三つが世界の有名建築らしい。ここの周囲の外壁は円筒形で実に素っ気ない。中の直径は43メートル。ハドリアヌス帝はこの空間を、すべての神々に捧げる神殿として世界を封じ込めたつもりだったのかもしれない。使われたコンクリートはローマン・セメントという材料で、世界最大の鉄骨のない無筋構造だから頂点にもオキュラスという穴が開けられたという。奥にラファエルロの墓があった。彼自身がここに墓を作るように希望したためだ。古代ギリシャやローマに憧れていた彼らしい。墓の上に、ギリシャ風の聖母像が置かれていた。

　ここから地下鉄B線の駅を探し、コロッセーオ駅で地上へ出る。壮大な四層建ての「フラウィウス朝の円形闘技場」(colosseo《コロッセーオ》)が眼の前に聳え建つ。闘技場は紀元前六十九年から九十六年までに整えられ、近くにあったネロの巨像(colossus《コロッスス》)にちなんでcolosseoと呼ばれるようになったという。人間が余りにちっぽけに見える。切符を買って中に入る。ここは皇帝ネロの黄金宮殿にあった池を、彼の死後埋め立ててエルサレムから連れてきた捕虜十万のうちの四万人を使い、八年がかりで紀元八十年に完成、長いほうが188メートル、短いほうが156、高さ48、周囲527メートルの楕円形で五万人を収容する。ここで剣闘士や野獣の闘いが繰り広げられた。二階の歩道を一周すると二十分かかった。

昼時を過ぎていたので地上に降り、前の通りを渡って瀟洒なリストランテ〈Domus Aurea《ドームス アウレーア》〉で昼食。Domusはラテン語で〈黄金の家〉という意味。中に入ると白壁にいろいろな彫刻が施された美しい内装だ。

前菜(antipasto《アンティパースト》)はやめてスパゲッテイはalla bolognese《アッラ ボロニェーゼ》というボローニャ風のミートソース、舌平目のグリル(sogliola ai ferri《ソリオーラ アイ フェッリ》)とミックスサラダ。飲み物は苦くて甘いAmaro《アマーロ》。リリは幅が広いパスタ(lasagna《ラザーニャ》)。

「意外と美味しいわね」

「こういうところで食べるのはみんな美味いね」

リリの顔を見ながらフォークを口に運ぶ私をみて、隣の男がにやっと笑う。フォークを休め、

Amaro《アマーロ》を一口飲む。

「これは食後酒（Digestivo《ディジェスティーヴォ》）よ。美味しくてもあまり飲むものじゃないの。でもローマはやっぱり大きすぎて疲れるわね。そうじゃない？　ジュン」

「二度と来られないから、よく見ておこうと欲張るから疲れるんだ」

「もっと神経をラフにしないとね。この舌平目、美味しいわ！」

「毎日こんなのばっかりじゃ、いまに飽きるね」

そうは言ってもリリには逆らえない。腰を上げてフォーロ・ロマーノ（Foro Romano）へ向う。

一見してすべてが廃墟とは言えないが、紀元前の古代ローマの政治や経済の中心地らしく、その時代が髣髴させられる。地図を見ながら東門から入る。

行く手左にヴェヌスとローマの神殿、一世紀のティトス帝の凱旋門、右手にローマ世界最大で四世紀のコンスタンティヌス帝の凱旋門がどっしり聳え立つ。続いてロムルスの神殿、左に巫女《みこ》六人が守護するヴェスタ神殿とその住居、ローマに勝利を齎したカストルとポルクス神殿の三本の円柱。さらに右手に四囲を六本の列柱で構えた神殿が建つ。アントニウスとファウスティーナ帝のもの。その先にも幾つかのバジリカ（会堂＝basilica《バズィリカ》）が建つ。左手にヴェスタの神殿が五本の列柱を残す。正しく古代の風貌だ。

「こんな建物のなかでどんな生活してたのか、想像できる？　ジュン……」

「映画や何かで見たような情景しか浮んでこないね」

「イタリアはいつもこうして古代と現代が共存してるのね。何千年も前の時代が眼で見られるんだから、東洋の人より歴史の感覚が根づいているんじゃないかしら。ほら、この風、古代のままの風よ、深呼吸してご覧なさい」

やがて右手に黒っぽい煉瓦作りの元老院議場が建つ。中を覗くと薄暗く、往時の議員たちが侃《かん》諤諤《かんがくがく》の論議に花を咲かせた雰囲気が想像される。「ブルータス、お前もか！」という声が聴こえてきそうだ。左手にはユリウスのバジリカが並び、続いてサトゥルヌスの神殿の円柱とヴェスパシアヌス帝の神殿が控え、右手に三世紀のセプティミウス・セウェールス帝の凱旋門を通って、上のヴェネチア広場を通り、リリが言うように二頭立てでヴィットリオ・エマヌエーレ二世の騎馬像を配した記念碑《モヌメント》が眼の前に現れる。白大理石でギリシャ風の列柱を配する堂々とした建物だ。

次に、カンピドリオの丘（piazza《ピアッツア》 del《デル》 Campidoglio《カンピドリオ》）を通って、十五分ほどで「真実の口」（bocca《ボッカ》 della《デッラ》 verità《ヴェリタ》）のあるサンタ・マリーア・イン・コスメディン教会（St.Maria《サンタマリーア》 in《イン》 Cosmedin《コスメディン》）へ。ビザンティン風の建物だ。例の「口」は、何のことはない市内の下水管の蓋を壁に嵌め込み、ライオンの口に見立てた穴だ。その穴に手を入れて、真実を言わないとライオンの口で嚙み切られるという想定。順番を待つ列に加わる。番が来て、リリが先に口の前に立って左の手を差し入れ、

「何か言ってみて」

と声をかけた。並んでいる外国人がリリを見て、何か囁いている。構わずに言ってやった。

「リリは僕と飽きて一緒に居たくない。僕を捨てようと思ってる。ホントかウソか」

「ホント！　ほーらね、噛まれなかったでしょ！」

リリは楽しそうに教会の中に入って行く。神父を見つけて何やら話しだした。神父は日本に赴任したことがあるという。八十歳に近いか。

カペーナ広場を抜けてマッシモ競技場を横切り、地下鉄A線のチルコ・マッシモ駅（Circo Massimo）で乗ってレプッブリカ広場駅（Piazza《ピアッツア》 della《デッラ》 Repubblica《レプッブリカ》）で降り、少し歩いて日本食の店〈支倉《はせくら》〉に入る。ビールと天ぷら定食。咽喉が渇いていたので乾杯した一杯の美味さといったらない。まさに生き返った心地。料理は揚げ物が海老三本、さつま芋一枚、豆野菜一本。それと鮭のバター焼、野菜の煮物、若布の味噌汁など。二人で九四八〇円。

すっかり夜気に包まれた通りでタクシーを拾い、ホテルまで帰る。

バスに湯を張り身体を洗い合う。一日の観光で疲れた身体をベッドに預けて眠りに誘われ、すぐに寝息を立て始めた。

**〔イタリア第3日　ローマ・第3日目〕**

晴。眼は大丈夫。今日の行程はサン・ピエートロ寺院、ヴァチカン絵画館《ピナコテイカ》、それとスィスティーナ礼拝堂《カッペッラ》。リリがミケーレに電話をする。明日、車で迎えに来るという。

朝食（colazione《コラツィオーネ》）は、餃子に似た ravioli《ラヴィオリ》 とクロワッサン（cornetto《コルネット》）に cafelatte《カフェラッテ》 で簡単に済ませ、チップを置いて地下鉄でポーポロ広場駅から乗り、オッタヴィアーノ駅で下車。十数分歩いてサン・ピエートロ寺院（basilica《バズィリカ》 di《ディ》 San《サン》 Pietro《ピエートロ》 in《イン》 Vaticano《ヴァティカーノ》）に着く。まず、仰ぎ見る大伽藍に圧倒される。

試みに、『米欧回覧実記』を見ると、明治六年五月十二日にここを訪れて書いている。

○聖彼得寺《セントピートルチョルチ》ハ、羅馬教皇ノ居城ニ附属セル寺ニテ、即チ羅馬「カトレイキ」教ノ本山ナリ、府ノ西ナル岡麓ニアリ、東ヲ正面トシ、左右ヨリ白石ノ円柱ヲ以テ、高廊ヲ半円規ニマワシテ、前ニ闊大ナル甃庭《しゅうてい》ヲ擁ス、其広庭ノ地形ハ、漸漸《ぜんぜん》ニ隆高シ、左右ニ跳水ノ池アリ、中ニ尖錐《せんすい》ノ高方塔アリ、廊ノ檐上《えんじょう》ニハ、石像ヲ羅立ス、規模甚タ宏美ナリ、

この広場は六十万人が集まれる。左右対称の半円形を作り、回廊が両手を広げるようにそそり立っている。正面ファサードの上にドームが聳え、ミケランジェロが設計した円天井《クーポラ》を含めて地上一八二メートル、大きな楕円形の前面に四列・三七二本のドーリス式の円柱が回廊を作り、上

に一四〇体の聖人彫刻が置かれている。広場は切石で敷き詰められ、人形のように彩色豊かな服を着たスイスの衛兵が立っている。

起源は、キリストの使徒ペテロが紀元六十四年に、暴君ネロによってここで逆さ十字架刑で殉教し、彼の墓の上にこの寺院が建った。一五〇六年の着工、完成まで百二十年かかった。

リリが勉強したところを披露しながら大聖堂の中に入る。右手に人だかりがあり、ミケランジェロの〈悲しみの聖母《ピエタ》〉（Pietà）がガラスケースに収まっている。十字架から下ろされたイエスをマリアが膝の上に抱いて、悲しみの憂い顔を見せている。

この彫刻は、白大理石が艶やかに光り輝き、宝石の固まりのようだ。六年前、聖母の鼻先と左眼が精神異常者によってハンマーで破壊されて修復された。その頭部は月が輝くようなほの白さを保っている。作者二十四歳の作品。大天才の傑作中の傑作だ。よく見ると、聖母の胸の上を斜めに襷のような帯がかかり、フィレンツェ人ミケランジェロ・ブオナローティ作（Michel Angelus Bonarotus Florentinus faciebat）と刻まれている。この刻印は、作者がよほど自信があったからだ。彼は死を迎えるまで聖母像を彫り続けた。最後の作品はミラーノにある〈ロンダーニのピエタ〉だそうだ。

前方から射し込む明るい光が聖堂に柔らかく放散されている。正面の間口一一五、幅一一五、奥行き二一二、直径四五メートル。堂内の装飾は気品があって壮観だ。すべて色大理石で覆われて、装飾好きのバロック趣味で固められる。この中に彫像四五〇体を納め、柱五〇〇本、祭壇五〇カ所、収容人員六万人という。

天井はモザイク装飾。見ていくと聖ペテロの青銅の座像がある。色は漆黒で、頭に円光を載せている。その瞼は長年の信者たちによって手ずれが起り、摩滅して光っている。

中央祭壇の脇に、地下墓所に通ずる入り口があり、小さいので気をつけないと見失う。その階段を降りると歴代の教皇の墓が並んでいる。その先にペテロの墓があるが、それは見られない。六月には、ここで大規模な「ペテロ・パウロ祭」がある。そこに参列するのはなかなか難しいという。

「こういうことなら、鷗外の〈即興詩人〉をもう一度読んでおけば良かったわ」

「ゲーテは『イタリア紀行』でローマは大きな学校だって言ってるよ。一七七八年の三月に、もう一度システィーナ礼拝堂を訪れてる。僕たちは欲張らないで、ただ見るだけにしようよ」

「そうね。ともかくここは主祭壇に使徒のペテロが埋葬されてるのよ。キリストが〈我この磐《ペテロ》の上にわが教会を建てん〉と言ったの。それでここにペテロを納めたわけ」

リリは解説者になった。

ミケランジェロは一五五〇年代に、このように歌っている。

Gl'infiniti pensier mie d'error pieni,
negli ultim'anni della vita mia,
ristringer si dovrien 'n un sol che sia
guida agli etterni suo giorni sereni.
Ma che poss'io, Signor, s'a me non vieni
Coll'usata ineffabil cortesia?

わが生涯の終わりなる歳月に
抱ける数多のわが思いはあやまちだらけ、
そは永遠の静けき日々へといざなえる
ひとつの思いとならねばならぬ。
けれども、主よ、私にどうできましょう
つきせぬ恩寵もて、おん身の参らせあらねば。

（『ミケランジェロ　ピエタ』岩波書店刊・森雅彦訳）

その先に二つの墓を越して立派な秘蹟の礼拝堂があり、また二つの墓の先に聖ペテロの像がある。右足を少し前に出し、左手を胸に当てて右手を肘から上げ、指を立てる。みながそれを撫でて通る。

歩を移すと、右手奥の小さな祭壇のある祈禱室から何かを朗誦する声が流れている。リリが近寄る。跪座して祈る人々の列が並ぶ。ミサの最中だ。

間もなく「主の祈り」が聞え始め、早速リリが冊子を取り出して文字を追っている。

「主の祈り」
天におられるわたしたちの父よ、
み名が聖とされますように。
み国が来ますように。
みこころが天に行われるとおり
地にも行われますように。
わたしたちの日ごとの糧を
今日もお与えください。
わたしたちの罪をおゆるしてください。
わたしたちも人をゆるします。

わたしたちを誘惑におちいらせず、
悪からお救いください。
アーメン

〈主の祈り　ギリシア原語〉

Πάτερ《パーテル》 ἡμῶν《ヘモーン》 ὁ《ホ》 ἐν《エン》 τοῖς《トイス》 οὐρανοῖς《ウラノイス》·
Father of us the one in the heavens,
ἁγιασθήτω《ハギアステトー》 τὸ《ト》 ὄνομά《オノマ》 σου《スー》·
Let be revered the name of you,
ἐλθέτω《エルサトー》 ἡ《ヘ》 βασιλεία《バスィレイア》 σου《スウ》·
Let come the kingdom of you,
γενηθήτω《ゲネセトー》 τὸ《ト》 θέλημά《セレーマ》 σου《スウ》,

Let be done the will of you,

ὡς《ホス》 ἐν《エン》 οὐρανῷ《ウラノー》 καὶ《カイ》 ἐπὶ《エピ》 γῆς《ゲース》·

As in heaven also on earth.

τὸν《トン》 ἄρτον《アルトン》 ἡμῶν《ヘモーン》 τὸν《トン》 ἐπιούσιον《エピウスイオン》 δὸς《ドス》 ἡμῖν《ヘミイン》 σήμερον《セーメロン》.

The bread of us daily give to us today.

καὶ《カイ》 ἄφες《アフェス》 ἡμῖν《ヘミイン》 τὰ《タ》 ὀφειλήματα《オフェイレーマタ》 ἡμῶν《ヘモーン》,

And forgive us the debts of us,

ὡς《ホース》 καὶ《カイ》 ἡμεῖς《ヘーメイス》 ἀφήκαμεν《アフェーカメン》 τοῖς《トイス》

As also we have forgiven the

ὀφειλέταις《オフェイレタイス》 ἡμῶν《ヘモーン》·

debtors of us.

καὶ μὴ《カイ メー》 εἰσενέγκῃς《エイセネゲケース》 ἡμᾶς《ヘマース》 εἰς《エイス》 πειρασμόν,《ペイラスモン》
And do not bring us into temptation,
ἀλλὰ《アッラ》 ῥῦσαι《リューサイ》 ἡμᾶς《ヘマース》 ἀπὸ《アポ》 τοῦ《トウー》 πονηροῦ.《ポネルウ》
But rescue us from the evil one.

（*The New GREEK ENGLISH Interlinear New Testament.* Tyndale House Publishers, Inc.）

ヴァチカン市国の中ではラテン語しか使われないと聞いたが、ギリシャ語も使っていた。

明日の水曜日十一時から教皇の謁見があるという。聖堂を出て左手へ歩き、ヴァチカン絵画館（pinacoteca di vaticano《ピナコテーカ ディ ヴァティカーノ》）に回る。

先に昼食にしようと絵画館の地下に降り、リストランテでセルフサービスのテーブルに着き、硝子ケースの中のメニューからトマトのクリームスープと、野菜を加えたピーマンの細切り（peperonata《ペペロナータ》）、カリフラワーと生野菜のサラダを摂る。飲み物は口をさっぱりさせる苦味のAmaro《アマーロ》。この前のよりいい味。コーヒーは無料。これは儲けものでリリが喜ぶ。

リストランテを出て螺旋階段を伝い、色分けされた進行コースを選ぶ。黄赤青緑の四ルート。

どのルートも逆戻りできない。そのため随所に出口を示す「USCITA《ウッシータ》」の標識がある。それさえ見失わなければ安心だ。赤いコースを取って幾つもの部屋を通過する。

眺めながら通るのだが、それでも大分疲れる。

まず古代ギリシャ・ローマの彫刻群を素通りし、階を上りラファエルロ（Raffaello Sanzio）の〈署名の間〉（Stanza《スタンツア》）に来る。まず八面の側壁のうち、「真善美」の「真」は神学（聖体の論議）と哲学（アテネの学堂）の場面で表わし、「善」は教会法の公布の場面、「美」は詩（パルナッソス）によって表される。この三室のうち、〈アテネの学堂〉（Scuola di Atene《スクオーラ ディ アテーネ》）は雄大な結構で、智慧と哲学と神による智＝真理を表現する絵で、それらを代表する人物プラトン、アリストテレス、ソクラテスなど、ギリシャ時代の学者が勢ぞろいして描かれ、全体の構図ががっちりとして現実感に溢れている。

一階に降りて、リリが紙切れを見ながら探している。イタリア絵画の大傑作という紹介記事の抜書きだ。最初に見たのはジオット（Giotto di Bondone）の〈ステファネスキ祭壇画〉、次にフラ・アンジェリコ（Fra Angelico）の〈バーリの聖ニコラウス伝〉だ。ラファエルロの油絵〈フォリーニョの聖母〉は、前景の天使を挟んで左にヨハネと聖フランチェスコ、右に聖ヒエロニムスとこの絵の寄進者が描かれている。上のほうには、雲に乗って日輪を光背にした美しい聖母マリアとその膝に乗る幼児イエス、そして子供の顔をした天使の顔が混じり、全体が雲に取り囲まれて描かれる。もう一つの〈キリストの変容〉は、ラファエルロの絶筆だ。赤や青の色合いで、上半分は昇天するイエスを描き、三人の弟子が地面にひれ伏し、山麓に群集を描く。全体は明暗の強いコントラストを見せる。レオナルド（Leonardo da Vinci）の〈聖ヒエロニムス〉、カラヴァッジオ（Caravaggio）の〈キリストの埋葬〉もある。これらを記憶に焼きつけようとしても覚えられるものではない。この場で鑑賞するのが精一杯だ。

続いてシスティーナ礼拝堂（Cappella《カッペッラ》 Sistina《システィーナ》）に入る。まずミケランジェロ（Michelangelo Buonarroti）の巨大なフレスコ画が目に入る。天井画は天地創造と人間の歴史を描く〈天地創造〉、奥の中央正面の壁には裸体が氾濫する〈最後の審判〉、これを批評家は「ヘラクレス的裸体」というらしい。左の壁面に〈モーゼの生涯〉、右の壁面に〈キリストの一生〉のフレスコ画がある。一五四一年、作者六十二歳の作。この礼拝堂は教皇が選ばれるときにも使われるという。

天井画の〈天地創造〉は、『旧約聖書』の挿絵物語で、壁画〈最後の審判〉は鷗外に倣って読みながら眺める。用意した次の文章がその箇所だ。

*

『イタリア紀行』（ゲーテ『イタリア紀行』相良守峯訳。岩波文庫〈上〉）

ここに数行の文字を連ねて、この幸福な日の記念を生き生きと保存し、今日味わったもののをば少くとも事実のままお知らせしよう。きわめて静穏な好天気で、空は晴れわたり、日が暖かに照っていた。私はティッシュバインと一緒に聖ピエトロ寺院の広場へ出かけ、まずそこをあちこちと歩いた。（中略）

それから私たちはシックストス礼拝堂へはいって見たが、そこは明るく朗かで、絵も十分に光線をうけていた。ミケランジェロの「最後の審判」やその他の天井画を見て、私たちは一ように感歎した。私は眺め入ってはただ驚くのみであった。巨匠の内面的な確実さと男性的な力、偉大さはとうてい筆舌の尽すところではない。繰り返し繰り返し眺めたあとで私たちはこの聖堂を辞し、大空からうららかな光を受けて、どこもかしこも鮮明な聖ピエトロ寺院へ足を運んだ。私たちは鑑賞する者として、あまりに厭わしくあまりに分別くさい趣味によって混迷させられることもなしに、その偉大さと華麗さとを楽しみ、批評がましいことは一切避けた。われわれはただ喜ぶべきものを喜んだのである。（一七八六年十一月二十二日）

私がここにいるのはわずか数週間に過ぎないのであるが、私はそのあいだに多くの外国人の去来を見た。そして、多数の人々がこの尊重すべきものをいかにも軽々しく取り扱っているのには、ただ呆れるほかはない。こうした通り一遍の旅客がドイツへ帰ってローマについて語ったところで、お蔭と私はもう驚かされはしないし、何ら動揺を覚えることもあるまい。私は自らローマを見たのであり、また現在の自分の仕事というものもいくぶんか解ってきたのだから。

（一七八六年十二月五日）

この地で私はだんだん自分の綱渡り（salto mortale）から恢復して、享楽するよりはむしろ大いに学んでいる。ローマは一個の世界であって、それに通暁するのには、まず数年を必要とする。だから、通り一遍の見物をして立ち去ってゆく旅行者を見ると、かえって羨しいくらいだ。

（一七八六年十二月十三日）

クリスマスの第一日には、私はピエトロ寺院で法王と全部の僧侶たちを見た。法王は半ば玉座の前で、半ば玉座の上から大法会を行った。それはまことに華麗にして荘厳な眺めであり、この種のものとしては実に類のないものである。しかし、私の性情はすっかり新教徒的なディオゲネス主義に慣れていて、こうした荘厳な儀式も私に何物かを与えるというよりはかえって奪うところが多かった。敬虔なわが先輩ディオゲネスに倣って、私もこの宗教的な世界征服者たちに向ってこう言いたい、「どうか高遠な藝術と純潔な人間性との太陽を遮らないで下さい。」

（一七八七年一月六日）

＊

資料『即興詩人』

A＝森鷗外訳『即興詩人』(*Improvisatoren.* アンデルセン作)

B＝大畑末吉訳『即興詩人』(同右)

A　われは心を死せる文字の間に潜むること能はず、魂を彼のミケランジエロが世に罕《まれ》なる丹青の力もて此堂の天井と四壁とに現ぜしめたる幻界に馳せたり。その活けるが如き預言者等の形は一個々皆大冊の藝術論の資をなすに餘あるべし。その力量ある容貌風采とこれを圍める美しき羽ある兒《ちご》の群とは、我眼を引くこと磁石の鐵を引く如くなりき。こは畫にあらず。活ける神人なり。……／險しきを行くこと夷《たひらか》なる如き筆力、望み瞻《み》る方嚮《はうかう》に從ひて無遠慮なるまで肢體の尺を縮めたる遠近法は、個々の人物をして躍りて壁面を出でしめんとす。昔基督の山上に在りて言語もて説き給ひし法（馬太五至七）は、今此大匠によりて色彩と形象ともて現されたるなり。吾人はラフアエロと共に膝を此大匠の技倆の前に屈せんとす。此數多き預言者は一つとして同じ人の石もて刻《きざ》める摩西《モセス》（モーゼ）に劣ることなし。

（『鷗外全集』第二巻「即興詩人」p.349～351）

B　わたくしはそのような死んだ文字に目をさらしている気にはなれませんでした。私の目はいつしか、ミケランジェロが天井と壁に創造した色彩の大宇宙をあおいでいました。その堂々とした体格の女予言者や偉大な予言者たちは、そのどれ一つでも藝術論の主題となりえないものはありませんでした。わたくしの目は天使たちの壮麗な行列や、美しい群れをむさぼりながめました。いずれもわたくしにとっては、絵にかかれたものではなく、生きいきとした生命に生きているのでした。……／大胆な遠近法の使い方、それに人物のひとりひとりが画面からとび出してきそうな力強い筆づかいは、ほんとうに圧倒されるようです。見ているものの心はぐいぐいと引きつけられます。これこそ、色と形であらわした魂の世界の山上の垂訓です。わたくしたちはラファエロのように、ミケランジェロの力の前に驚異の目をみはるばかりです。画面にえがかれている予言者はいずれも、かれ自身が大理石にきざんだモーゼにおとりません。

（岩波文庫『即興詩人』上 p.204～206）

次に正面の壁画を飾る大作〈最後の審判〉に目を向ける。ここも鷗外の視線を追ってみる。

A　下は大床より上は天井に至るまで、立錐《りっすい》の地を剰《あま》さゞるこの大密畫は、即ち是れ一顆《いっくわ》の寶玉にして、堂内の諸畫は悉くこれを塡《うづ》めんがために設けし文飾ある枠《わく》たるに過ぎず。これを世の季《すゑ》の審判の圖となす。／判官たる基督は雲中に立てり。使徒と聖母とは不便《ふびん》なる人類のために憐を乞はんとて手をさし伸べたり。死人は墓碣《ぼけつ》を搖り上げて起《た》たんとす。恵に逢へる精靈は拜みつゝ高く翔《かけ》り、地獄はその腭《あぎと》を開いて犧牲を呑めり。宣告を受けたる同胞の早く毒蛇に卷かれたるを、雲に駕せる靈の援《たす》け出さんとするあり。悔い恨める罪人の拳もて我額を撃ちつゝ、地獄の底深く沈み行くあり。天堂と地獄との間には、或は登り或は降る神將力士あまたありて、例の大膽なる遠近法もて寫し出されたり。優しく人を恤《めぐ》みがほなる天使、再會して相悦べる靈ども、金笛《きんてき》の響に母の懷に俯したる穉子《をさなご》など、いづれ自然ならざるなく、看るものは覺えず身を圖中に寘《お》きて、審判のことばに耳を傾く。ミケランジエロは蓋し能くダンテの歌ひしところを畫けるなり。

B　床から天井まで混沌として展開する巨大な壁画は、まさしく一大寶石で、他のすべてはその寶石をかこむわくでしかありません。わたくしたちはそこに「最後の審判」を見るのです。／キリストは雲の上に立って審判をくだし、聖母をはじめ使徒たちは手をさしのべて、あわれな人類のために、あわれみをこうています。死者は墓石をゆすりあげ、祝福された霊たちは神をあがめつつ上へ上へとのぼっていく一方、地獄の深淵は犧牲を飲みこんでいます。

地獄の悪龍にまかれているのろわれた兄弟たち。それを助けようとしている昇天の霊たち。絶望の子らは、こぶしでわれとわがひたいを打ちながら地獄の底深く沈んでいきます。大胆な遠近法によって、天国と地獄とのあいだを無数のものが浮き沈みしています。天使たちの思いやり、愛する者たちの再会のよろこび、審判のラッパのひびきに母親の胸にしがみつく子など、すべてが自然で美しく、見る者に自分も審判をまつ群れのひとりかと思わせます。ダンテが目に見て地上のひとびとに歌って聞かせたことを、ミケランジェロは色彩で表現したのです。

いずれにしても、この比類ない天才、信仰の謙虚さには頭が下がる。この全体的な偉容を、とくに畏敬の念をもって眺めるよりほかはない。続いて右手に回る。

プルーストが「スワンの恋」の中で、オデットを、〈壁面にあるエテロの娘チッポラの顔に似ている〉と書いた、その画を探しながら来る。それは、祭壇を背に右から二番目のボッティチェルリ（Sandro Botticelli）作〈モーセの青年時代〉の下に来て見つけた。彼女は、作家が二度目に彼女を訪問したとき、「疲れを帯びて沈んだ大きな眼で、頭を傾けて版画に見入っていた」と書いていた。確かに憂いに沈みがちの眼だ。これがあの気ままな娘オデットの真顔だったか。

礼拝堂を出て、車でホテルに戻って着替えてから、一階のリストランテで夜食（Cena《チェーナ》）を摂る。

「疲れたんだから、野菜をたくさん取った方がいいのよ」

それならと、メニュ（menu《メヌ》）から生野菜のサラダとさやいんげんのバター炒め（fagiolini《ファジョリーニ》 al《アル》 burro《ブッロ》）、きのこ入りのリゾット（risotto《リゾット》 con《コン》 funghi《フンギ》）と仔牛肉と生ハムのソテー、それに鱸《すずき》のグリルでスープは半煮え卵の浮いたスープ（zuppa《ズッパ》 alla《アッラ》 pavese《パヴェーゼ》）。あとは赤ワインで乾杯。するといっぺんに疲れが出た。料理はこってりでしつこい味。口直しにprugna《プルーニャ》 cotta《コッタ》というプラムを取る。口に入れると酸味が強く、さっぱりする。

部屋に戻り、リリとバスに浸かる。洗いながら、

「今夜は疲れちゃったから身体を揉んでね」

ベッドに横たわらせて背中や腰を摩り、揉み、敲いて身体を解《ほぐ》す。

「遊ぼうと思えば遊べるけど」

「約束は破らないこと……」

リリが叱るように言う。時刻は十時を回る。

「ゆっくりじゃなく、もっとしっかり揉むの！」

ヒステリックに言う。「はい、はい」と応じる。夜は更けて、一日の疲れが次第に鎮まり、静かに寝入る。

〔イタリア第4日　ローマ・第4日目〕

晴。早めに起きて朝食（colazione《コラツィオーネ》）はリストランテで簡単に済ます。チップを置くとすぐ、ミケーレが車でホテルへ来てくれる。〈地獄で仏〉でもないが、大いに助かる。ホテルの玄関前に〈フェラーリ〉の赤いオープンカーが停まった。玄関に出迎えたリリが、「すごーい！　この車！」と驚く。今日のミケーレは髪を後ろに束ねてゴムで縛り、頭に鍔のある帽子を無造作に乗っけている。例の黄色い皮ジャンパー姿がなかなか良い。男らしい風貌がさらに引き立つ。彼は今でも自分が独身に向いていると思っているらしい。

「今日は仕事を休んでいいの？」とリリが訊く。

「一日だけ休みを取ったからね。何しろ美人を乗せてローマを走れるなんて光栄だよ」

という。リリがぴくっと驚いた様子を見せ、申し訳ないというと、

「Dunque《ドゥンケ》（ところで）、イタリアハ、タノシイデスカ？」

日本語で訊いてきた。どこで覚えたのだろう。リリが応じた。

「どこもかしこもスケールが大きいので目が廻るわ」

「ソウデスヨ。ダカラ、ゼンブデナクテ、スコーシ、un po'《ウンポ》デ、イイデス」

リリがその通りと相槌を打つ。

「昨日はさすがに疲れたから、今日は車で回っていただけるので大助かりよ」

「ソウ。ヨイデス。ソノタメニ、キマシタ」

話は一決した。のどが渇くのでミネラルウォーター（acqua《アックワ》 minerale《ミネラーレ》）をポットに入れて持っていく。助手席にリリ、私が後部座席。いちいち乗り降りが面倒だ。今日は車で回った順を箇条書きする。

車は観光名所から外れてローマの南へ向う。

サン・パオロ・アッレ・トレ・フォンターネ教会（Basilica di San Paolo alleTres Fontane）パウロの殉教の跡がある。ネロによって斬首されたパウロの首が、三度跳ねて、その跡に三つの泉が湧いたのだそうだ。その実、泉とは崖の割れ目から迸り落ちる清水だ。そのとおりに三つの礼拝堂を囲むように教会が建っている。

サン・パウロ・フォーリ・レ・ムーラ教会（Basilica di San Paolo fuori le mura）ローマの城壁の外側にある。パウロの遺体が安置された壮大な聖堂。三二四年の献堂。ファサードの列柱が綺麗だ。その前にパウロの立像がある。長いロープを着て剣を持つ。

ドミネ・クオ・ヴァディス教会（Chiesa del Domine Quo Vadis）ネロ帝の迫害を避けて都落ちするペテロが、途中アッピア街道でイエスと逢い、「Quo《クオ》 Vadis《ヴァディス》 Domine《ドミネ》?」（主よ、どこへ行かれるのですか）と訊ねると、キリストは、「私はローマへ行って再び十字架につくのだ」と言われたので、ペテロもローマへ引き返して殉教を遂げたという。ヨハネ福音書13章36節の伝説で十六世紀に再建された教会。ここには〈キリストの足跡〉が石版で保存されていた。

サン・ジョヴァンニ・イン・ラテラーノ教会（San Giovanni in Laterano）テルミネ駅から南に一キロちょっと。コロッセーオの東側から車で七分。十四世紀まで法王庁があったところで重要な教会。建物の正面に、聖フランチェスコと弟子たちの記念像が向き合うように建っていた。

いくつも教会を見て回ると、印象が薄れてくる。ミケーレがそろそろ昼食（pranzo《プランゾ》）にしようかと訊く。リリが賛成し、ミケーレは車を迂回させてナヴォーナ広場（Piazza Navona）からルーパ通り（Via《ヴィア》 della《デッラ》 Lupa《ルーパ》）に来る。通りに面した駐車場に車を置き、ミケーレが奨めるローマで最高の料理を出すリストランテ〈El《エル》 Toula《トゥーラ》〉に入る。日本にも支店があるらしい。あさり入りのスパゲッティ（spaghetti《スパゲッティ》 alle《アッレ》 vongole《ヴォンゴーレ》）と、イカ墨のリゾット（rizoto《リゾット》 di《ディ》 seppia《セッピア》 spessa《スペッサ》）とあって、どちらも店の自慢料理。私はリゾット、リリとミケーレはあさりのスパゲッティ。あとは海老の炭火焼とトマトサラダ。飲み物はレモネード（limonata《リモナータ》）。リリが、ミケーレと一緒に「美味しかった！」を連発し、私の口の周りに墨がついているのを面白がりながら車に戻る。

「Appia《アッピア》街道をもう少し南へ行くと、Chiesa《キエーザ》 di《ディ》 Santa《サンタ》 Maria《マリーア》 in《イン》 Palmisu《パルミーズ》教会があるんだけど、ちょっと遠いんだ。なかなかいい教会なんだけどね」

「遠いんなら残念だけど止めておいたら……」

「やっぱりそうするか」

そこで舵を切りなおしてテルミニ駅の方向を目指す。

サンタ・マリーア・マッジョーレ教会（Santa Maria Maggiore）聖母マリアに捧げられた史上初の教会。中はモザイクの壁画が飾られ、堂内は古さと穏やかな雰囲気に満ちている。どこからか歌声が聞こえてきた。ミケーレも立ち止まって声のするほうを見つめている。聞こえてきたのはモーツァルトの、「アヴェ・ヴェルム・コルプス」だ。ほんの短い時間だった。

*AVE VERUM CORPUS*（KV618.1791）

Ave《アヴェ》, ave《アヴェ》 verum《ヴェルム》 Corpus《コルプス》, natum《ナトゥム》
　de《ドゥ》 Maria《マリーア》 Virgine《ヴィールジネー》 :
Vere《ヴェーレ》 passum《パースム》, immolatum《インモラートゥム》
　in《イン》 cruce《クルーチェ》 pro《プロ》 homine《オーミネ》 :
Cujus《クーユス》 latus《ラートゥス》 perforatum《ペールフォラートゥム》
　unda《ウーンダ》　fluxit《フルースイット》　et《エ》 sanguine《サーングイネ》 :
Esto《エースト》 nobis《ノービス》 praegustatum《プレーグスタートゥム》
　in《イン》 mortis《モールティス》 examine《エグザミネ》, in《イン》 mortis《モールティス》 examine《エグザミネ》.

いい気分になったところでコロッセーオ近くの駐車場に車を置いて歩きだす。

サン・ピエートロ・ヴィンコリ教会（S. Pietro in Vincoli）　ミケランジェロの〈モーセの像〉がある。〈ダヴィデ像〉と並んでミケランジェロはこのモーセに二本の角をつけたという。再び車でヴェネツィア宮殿に向い、その西隣りの駐車場で車を停める。

イエズス会教会（Gesù）　ここはイエズス会本部のある教会。中のザヴィエル礼拝堂にフランシスコ・ザヴィエルの右手とイグナティウス・デ・ロヨラ（Ignatius de Loyola）の遺体が安置されている。それに一六二二年の日本の〈二十六聖人殉教図〉がある。長崎で処刑された二十六人の宣教師と信者の殉教が、油彩で克明に描かれ、うち三人の子供は地上で斬首された。

ミケーレがもう一つ見ようというのをリリが断り、夕食にする。ミケーレが、ローマの最後の夜だから僕が奢ると言って聞かないので、仕方なく承知して言われるままテーヴェレ川を渡り、狭い通りの石畳みを走って、道の奥の小ぢんまりした店に入る。ここはサンタンジェロ城の北側だ。まだ五時を過ぎたばかりで外は暗くなりかけている。

「ちょっと夜には早いけどね」

ミケーレが車を停めた先にリストランテが見えた。茶色の石の壁に、彩り豊かな色硝子が象嵌され、その下に、〈Grotte Azzurra《グロッテ アズッラ》〉と金文字が嵌めこまれている。店に入ると、小太りのマスターがこちらに会釈し、ミケーレを見ると、厨房から出てきて握手を求めてきた。高校の同級生なので二人は見るからに親しそうだ。

リゾットが自慢の店だというが、残念ながらメニュが判らず、私は二人の選択に任せる。決めた料理は、盛り合わせの前菜（antipasti《アンティパスティ》）、コンソメスープ（consommé《コンソムメ》）、グリンピース入りパスタ（Fettuccine con piselli《フェットゥッチーネ　コン　ピゼッリ》）、鱸《すずき》のフライ（spigola fritto《スピゴーラ　フリット》）、トマトサラダ、チーズと生ハムのパイ（calzone《カルツォーネ》）。デザートはフルーツポンチとラム酒で浸したスポンジケーキをクリームで挟んだもの（zuppa inglese《ズッパ　イングレーゼ》）。飲み物は自家醸造の赤ワイン。ミケーレは英語でリリと話しながら、しきりにタバコの〈Mercedes《メルチェデス》〉を吸う。煙が天井に流れ出すたび店員が排煙孔を全開する。

「これでローマとお別れだね。あとは行く先々のホテルから連絡してくれればいつでも電話に出られるから安心してよ」

そう言ってミケーレは優しく笑顔で私を見詰めた。最後に勘定は私が払うといって聞かず、「ジャン＝クロードにも世話になったので、そのお返しだ」という。

「こんど彼と会うとき、君たちに喜んでもらったことを話さなければならない」

そういうものか。彼は飲まなかったので、車でホテルまで送ってもらう。玄関で別れるとき、リリが、「こんどは着いた先から電話するわ」と気楽に英語で話している。それでも別れるときは「Ciao《チャーオ》 !」と言い合って別れた。これっきりもう逢えないかと思うとやはり寂しい。

「あんなに親切にされたのに、何のお礼もできなくて、悪かったわね」

「そうなんだけど、仕方がないよ、旅行先だもの」

「旅行先で親切にされたからこそ、何かしたいじゃない？」

「あとで、何か考えてみよう」

「それ、きっとよ。それから教会ばかり見るんじゃなくて、お芝居でも見たくない？」

「でも最初からそのつもりはなかったよ。パリで懲りたから」

「ローマの劇場って、どこにあるの？」

「テルミニ駅の近くに〈オペラ座〉があるってさ」

「どんなのを演《や》ってるのかしら？」

「広告で見たけど、暮にピツエッティの〈大聖堂の殺人〉を演ったんだって。それと、ベルリーニの〈カプレティとモンテッキ〉。これはシェークスピアとは違ったロメオとジュリエットの物語だそうだ」

「それ、どっちも知らないわ」

今夜もリリの身体を揉みながら静かに寝る。思い出の一日となる。

## 中世の坂道・アッシージ

〔イタリア第5日　アッシージ・第1日目〕

小雨。リリの眼はもう大丈夫だ。ローマ最後の朝。リストランテで朝食（colazione《コラツィオーネ》）の後、チップを置き、リリが電話でミケーレに挨拶してからアッシージへ向う。フロントの女性が、「Allora《アローラ》, bon《ボン》 viaggio《ヴィアッジョ》 !」（それではいいご旅行を！）

と手を握る。リリも、

「Grazie《グラーツィエ》, molto《モルト》 gentile《ジェンティーレ》 !」（ご親切に有難う！）

と返してホテルを出る。彼女は玄関まで出て手を振っている。

ローマ最後の見学は、予約したボルゲーゼ美術館（Galleria《ガッレリーア》 Borghese《ボルゲーゼ》）だ。五万平方メートルもある緑豊かな公園を横切り、素晴らしい並木道を行く。白大理石の殿堂。十六世紀後半に生きたシピオーネ・ボルゲーゼ枢機卿の居館だ。ここで一六一三年、慶長遣欧使節として渡欧した仙台藩主支倉常長と使者四人が、「ローマ市民」の名誉称号を受けてパウルス五世と謁見している。このとき支倉は、すでにマドリードで洗礼を受けていた。

展観はイタリア・ルネサンスと超一級のバロック藝術の粋。まず、玄関大広間は広々として、右脇の第一室に入ると、真ん中にあるアントーニオ・カノーヴァの〈勝利のヴィーナスに扮したパオリーナ・ボナパルト・ボルゲーゼ〉の彫刻があった。この女性は初代ボルゲーゼ家の夫人でナポレオンの妹だ。彼女の横座りの堂々とした存在感は、どことなくかぐわしく軟らかい色気が醸され、今にも身体を起こしそうな気配だ。

次の第二室は「太陽の間」、第三室はジャン・ロレンツォ・ベルニーニの〈アポロとダフネ〉の裸身像。ギリシャ神話にある美男子アポロンが、水の精ダフネを愛して追いかけ、ダフネを抱いた途端、ダフネの父・河神のアルカディアが娘を助けた。その瞬間、娘は月桂樹となったという伝説の彫刻。その瞬間を捉えた美々しさ溢れる作品。

「なあーに、これ凄いじゃない！」

「なんて素晴らしい彫刻なんだ！　よく彫れたものだね！　これが代表作らしいよ」

「そうでしょうね！」

二人とも感嘆するばかり。

さらに、ラファエルロ・サンツィオの〈一角獣を抱く貴婦人〉は気品溢れる女性を描く。彼女は円柱の傍らにいて、そこから遠景に山並みが見える。彼女は肩と胸の上を開けた衣装、首紐から垂らしたペンダントが胸元で収まり、それが彼女の強固な意志を表している。組み手の上に仔馬のような動物を抱き、きりっと左前方を見詰めている。これはダ・ヴィンチの〈モナ・リザ〉

を真似た構図だ。

この美術館は、カラヴァッジオ（Caravaggio）がボルゲーゼ枢機卿に庇護されていたので、作品も他館より多い。最晩年作の〈洗礼者ヨハネ〉、自画像に近い〈病めるバッカス〉、〈果物籠を持つ少年〉など。一六〇六年、カラヴァッジオは知人を殺害してローマを追われ、ナーポリ、マルタ島、シチリアと転々とし、最後に宗教画を描いた。いわば数奇な運命の持ち主だ。

リリが〈洗礼者ヨハネ〉を見て、

「悲しそうな眼してるわ、このヨハネ。何となくエロティックでもあるし……」

リリは敏感にそれを認めた。

続いてサンドロ・ボッティチェルリの〈聖母子、洗礼者ヨハネと天使〉は直径1・7メートルの円形に七人の天使たちがいる。これと〈マドンナ・デイ・パラフレニエリ〉、そしてティツィアーノ（Tiziano Vecellio）の〈聖愛と俗愛〉はジョルジョーネ（Giorgione）の影響を受けたらしく、着衣の女性はキリスト教的な愛を、裸の女性は異教的な愛を表すという。さらに〈プロセルピナの略奪〉も目を瞠らされる石の奇跡だ。

あとはコレッジオ（Correggio）の〈ダナエ〉、カルパッチオ（Vittore Carpaccio）の〈ある娼婦〉、イル・ソドマ〈レダ〉、ジョルジョーネ（Giorgione）の〈赤い帽子の唄う男〉、ブロンズィーノ（il Bronzino）の〈サン・ジョヴァンニ・バッティスタ〉、作者不詳〈我に触れるな〉

(noli me tangere《ノリ メ タンゲレ》)は、マグダラのマリアがイエスに近づこうとして咎められるヨハネ福音書20章17節の話。そしてジョヴァンニ・バリオーネの〈この人を見よ〉(Ecce Homo《エッケ ホモ》)もヨハネ19・5からの取材。キリストは座ったまま頭に荊の冠、結んだ手に葦の棒を持ち、ゴルゴタの丘に登る前の嘲弄されている絵。あとは、ルカ福音書の15・21によるグエルチーノ(Guercino)とアントニオ・パルマの〈放蕩息子〉があった。これでほぼ一巡した。

「気が済んだわ。どうしてもボルゲーゼを見たかったんですもの。着いてすぐ見ておけばもっと時間が取れたわね」

リリは後悔しながらも満足している。

昼が近い。大画面を見続けて重たくなった頭を冷やそうと外に出る。すがすがしいほど清冽な公園の空気を吸い、車でテルミニ駅(Stazione Centrale Roma-Termini)に近いレプップブリカ広場(Piazza della Repubblica《ピアッツア デッラ レプッブリカ》)に来て降りる。近くのVia Nazionale《ヴィア ナツィオナーレ》通りを左に入ったFirenze《フィレンツェ》街を行くと、リストランテ〈Al Grisso《アル グリッソ》〉があったので入る。客は少ない。リリが、この店の自慢料理というイチゴのリゾット(risotti di fragole《リゾッティ ディ フラゴーレ》)を注文する。私はほうれん草のタリアテッレ(tagliatelle《タリアテッレ》 di spinaci《ディ スピナーチ》)。カップッチーノを飲んで一服し、一時四十分発ミラーノ行きでアッシージへ向かう。直線距離で一三〇キロ。車中リリが雀斑《そばかす》の娘さんと話す。彼女は日本の〈シンカンセン〉に乗りたいと言う。フォリーニョ駅(Foligno)で乗換え。

列車の中で、下調べした四冊のメモを読む。四冊とも評伝。リリは眠そうに戸外を見る。時々農家の赤い屋根や村の教会の風見鶏をみて、「おもちゃの積み木みたい」と面白がる。

①イエンス・ヨハンネス・ヨルゲンセン著『アシジの聖フランシスコ』（1907刊。永野藤夫訳）。著者はデンマークの詩人（一八六六―一九五六）。

②アベル・ボナール『聖性の詩人フランチェスコ』（1929刊。大塚幸男訳）。現代フランスのエッセイスト、『友情論』で知られる（一八八七―一九六八）。

③ニコス・カザンツァキ（カザンサキス）『アシジの貧者』（1957刊。清水茂訳）。ギリシア生れの作家（一八八三―一九五七）。

④ジュリアン・グリーン『アシジの聖フランチェスコ』（1983刊。原田武訳）。フランス生まれ、アメリカ国籍を持つカトリック作家（一九〇〇―一九九八）。

〈聖フランチェスコの略年譜〉

一八八一―八二年生れ。フランス好きの父が「ジョヴァンニ・フランチェスコ」と命名。

一二〇六年、父親と争い、父子の縁を絶つ。ローマ巡礼。サン・ダミアーノ教会の十字架前で「神の家を修復すべし」の声を聞き、修復する。

一二一九年、エジプト上陸。十字軍の攻撃を目撃。

一二二二年、ボローニャの広場で説教。

一二二四年、アルヴェルナ山に籠もり、手足わき腹に聖痕を受ける。

一二二五年、サン・ダミアーノのクララを訪問。アッシージに戻り、創作詩《太陽讃歌》を作詞。眼病悪化する。

一二二六年十月三日、詩篇一四二を唱えて死去。

一二二八年、聖人に列せられる。生前、聖人が唱えた祈りの言葉が今も伝わる。

〔平和を願う祈り＝アシジの聖フランシスコ〕
神よ、わたしをあなたの
平和の道具にしてください。
憎しみのあるところに、愛を
いさかいのあるところに、ゆるしを
分裂のあるところに、一致を
迷いのあるところに、信仰を
誤りのあるところに、真理を

絶望のあるところに、希望を
悲しみのあるところに、喜びを
闇のあるところに、光を
もたらすことができますように。

神よ、わたしに、
慰められるよりも、慰めることを
理解されるよりも、理解することを
愛されるよりも、愛することを
望ませてください。
自分を捨てて初めて自分を見いだし、
ゆるしてこそゆるされ、
死ぬことによってのみ、
永遠のいのちによみがえることを
深く悟らせてください。

ローマを出て二時間、円形に茂った松、ブドウ畑、オリーヴの常緑樹を車窓から眺めながらウンブリア（Umbria）の平原をひた走る。やがて右手に、ひときわ大きな山が見え出した。山腹の階段状の台地に石の家が並び、その奥に城壁が巡らされている。よく見ると、スバジオ山（Monte Subasio）の尾根からなだらかな勾配が平地に続いている。そのさまは、昔から自然が用意した静寂と孤独の表情を覗かせて、どこか神秘的な魅力を湛えている。列車は夕景を濃くしはじめた麓のアッシージ駅（Stazione《スタツィオーネ》 Assisi《アッシージ》）に着く。街に入ると曇った空の下で街は静けさに包まれ、静謐で素朴な佇まいだ。メモを見る。

アッシージ＝宿泊先　ホテル・フォンテベッラ

（HOTEL FONTEBELLA. Via Fontebella,25, Assisi 075-812883-812941）

タクシーを拾う。細い石畳の小径を走り、ゆるい傾斜のある fontebella《フォンテベッラ》 通りに入る。道幅はさらに狭くなり、坂道となる。右側に黄土色の石造りの三階建てが見えた。瀟洒な「ホテル・フォンテベッラ」(Hotel Fontebella) だ。

車を降りてフロントの男に荷物を預けて散歩に出る。リリは寒いのでホテルに戻って赤いファーランドのオーバーを羽織って出直してくる。

細い石畳が続く。坂が多い。ざらざらした石、すべすべの石、つるつるの石や荒削りの石、人の手が加えられていない石、文字が刻まれた装飾的な石、これらのどれ一つなくてもこの町は成り立たない。坂道も家々も、すべてこの石が形作って現在がある。

サン・フランチェスコ門（Porta S. francesco）を通り、上の広場に出る。白い大理石の大聖堂が空を円く区切って聳える。一二二八年に着工とある。素晴らしい夕景なのだが寒さも寒しで、来た道を戻りホテルから眺める。

三階の部屋は壁や天井に染みが残って古色がにじむ。でも暖房が利いて温かい。西側の丸く刳《く》りぬかれた窓から、正面はるかの丘陵を見渡すと、ウンブリアの大平原がと広がり、陽が落ちたばかりなので空は残んの明るさを保っている。それも次第に茜に染め出されてきた。眺めていると、見る見る紅を溶かしたように広がって空を覆ってしまった。なんと美しい夕映え！

「あーあ、神さまがお創りになったのよ、この丘と、この夕日！」

リリが感嘆の声を上げる。

「思い出したわ。ヴィヴァルディの《調和の霊感》（Concerti《コンチェルティ》 Lestro《レストロ》 armonico《アルモーニコ》’）……」

「それ、〈合奏協奏曲〉だったたっけ。全部で12曲の?」

「そう。その10番だったかしら。バッハがあとで編曲してるの」

「《調和の霊感》って、トスカーナ大公に献呈してるんだよね」

「ちょっと黙ってて。あの旋律が聞えてきそう……」

眺めながら頬にbaiser。どこからともなく澄明で寂びた鐘の音が流れてきた。鐘はだんだん憂愁の響きを増してくる。

「なんていい気持なの！」

リリは涙ぐんでいた。わけは問うまい。赤々と西空に沈む冬の陽が、夕闇の平原を煌々と燃え立たせている。この大自然を見はるかすと、人間はなんとちっぽけな存在だろう。

五時半、カーテンを閉め、リリとバスに入る。浴槽は二人がやっとだ。いつものようにリリを洗って先に上がらせる。食事は地下一階のリストランテ。華美な装飾は一切なく、落ち着いた上品な雰囲気。タバコの自動販売機がある。ケースを見ると、それぞれ独特のデザインを見せて〈Gala《ガーラ》, ‘MS’《エム・エス》, Zenit《ゼニッテュ》, Marboro《マルボロ》, Mercedes《メルチェデス》, Muratti《ムラッティ》, Diana《ディアーナ》〉と並んでいる。食事を始めたとき、私がフォークを落として部屋中に反響し、ドキッとする。

メニューは三つのコースの一つ。挽肉を挟んだ四角いパスタ（Ravioli《ラヴィオリ》）をトマト・ソースで食べ、飲み物はmontepulciano《モンテプルチアーノ》産の赤ワイン。前菜に生ハムとメロン、ムール貝のスープ、豚肉のロースをトマトと和えて蒸したもの。ほかに、いかと小魚のミックスフライ、塩漬けいわしのアンチョビソース和え（in salsa d'alici《イン サルサ ダリーチ》）、羊乳のチーズなど、いろいろある。仕上げはカップッチーノ。

「アッシージに和食はないかね」

「そうよね。食べたいけど、なさそうじゃない？」

客はわずか三組。皆静かに食事している。その一組の女性がリリを見て話している。

「よしなさいよ、向うを見るの」

「彼女たち、美人のリリを鑑賞してるんだ」

少しは気を発散させたいところだが、彼らを含めて周りが静かなのでその気も起きない。嘗てない淑やかな食事風景だ。夜のベッドもその延長。約束どおりカトレアもなく、繁みに手を置いて眠る。

**〔イタリア第6日　アッシージ・第2日目〕**

晴。眼は大丈夫。早く起きて地下の食堂へ。昨夜のテーブルの男が、タバコを吸いながらこちらを見ている。タバコは白抜き文字の〈Muratti〉。食べ放題の朝食（colazione《コラツィオーネ》）。クロワッサン（cornetto《コルネット》）とミルクコーヒー（caffellatte《カッフェラッテ》）とプラム（prugna《プルーニャ》）で食事を済ませ、チップを置いて、リリの編んだスケジュールで街を回る。巡回したまま順に書く。

サン・フランチェスコ門（Porta S.Francesco. 市内に入る西側の入口）

インフェリオーレ・ディ・サン・フランチェスコ広場（Piazza Inferiore di San .Francesco. 鐘楼。礼拝堂正面に下堂の入口扉がある）
サン・フランチェスコ聖堂（Basilica di S.Francesco）
（下堂 Chiesa Inferiore＝チマブーエ〈聖母子と天使と聖フランチェスコ〉。画面右に聖痕をつけて立つ聖フランチェスコ像は実に生々しく今にも近寄ってきそうだ。シモーネ・マルティーニ〈サンタ・キアラ〉画像。ジオットは13点）
（上堂 chiesa Suoeriore＝〈聖フランチェスコの生涯の連作フレスコ画・ステンドグラスのコレクション〉。ジオットは57点）
宝物館（Museo del Tesoro.〈聖母子像・十字架上のキリスト・陶器コレクション〉）
スーペリオーレ・ディ・サン・フランチェスコ広場（Piazza Superiore di S.Francesco. 数々の小さい薔薇窓）
サクロ修道院（Sacro convento.〈フレスコ画・キリストの磔刑と諸聖人〉大食堂に〈最後の晩餐〉
サン・フランチェスコ通り（Via S.Francesco. 中世の館と貴族の館が並ぶ）
ここから arco dei Priori《アルコ デイ プリオーリ》通りに入り、その先のリストランテ〈Il medio evo《イル メーディオ エーヴォ》〉で昼食。オードブルはキャビアのカナッペ、酢漬けのきゅうり。一皿目はいんげん豆のスープ、トマトソースのスパゲッティ。二皿目はカツレツ。そこまで食べてリリが気持が悪くなり、食事をやめて店のテラスでしばらく休む。オーナーが心配して毛布を持って来たので膝にかけて横になる。

小半時して起き上がり、もう大丈夫というので店主に礼を言い、歩き出そうとするとウェートレス（cameriera《カメリエーラ》）が、

「assaggiare《アッサッジャーレ》 un《ウン》 chinotto《キノット》 un《ウン》 po'《ポ》?」（キノットを少し試してみませんか）

とグラス半分の果実酒を持って来た。リリが一口飲んで、「ああ、おいしい！　口の中がさっぱりするわ」と喜んでゆっくり飲む。カメリエーラが、

「prego《プレーゴ》! buon《ブゥオナ》 appetito《ッペッティート》!」（どうぞ、召し上がって！）

と勧める。すっかり飲み干し、また礼を言って店を出る。リリの不調は脱水状態だったからだ。通りの店でガス抜きのミネラルウォーター（Acqua《アックワ》 minerare《ミネラーレ》 sentua《センツァ》 gas《ガス》）を買う。リリは元気を取り戻して歩き始める。

市立博物館（Museo civico. ローマ時代の彫像・墓碑・碑板、ローマ時代の石畳み）
コムーネ広場（Piazza del Commune. ライオン像と噴水・市庁舎プリオリ館）
ミネルヴァ神殿（Tempio di Minerva. 紀元前一世紀の建立。今はサンタ・マーリア・ソプラ・

ミネルヴァ教会）
市立絵画館（Pinacoteca Comunale.〈十字架像・聖母子と聖フランチェスコ・マエスタ・玉座の聖母〉）
ヌオーヴァ教会（Chiesa Nuova. 中世の遺構・ピッコリーノ祈禱堂・フレスコ画）

段差のある土地から平らな広場に出る。その広場を網の眼のように結んでいる急勾配の坂道や階段が続く。足もとに気をつける。どの都市も独特の顔があるとわかる。

列車から眺めたアッシージは、人が言うように、町全体が赤みを帯びた白馬の寝そべった姿のように見えた。西側に大きな修道院が建ち、周囲はがっしりした砦のようだ。それ自体、東洋人の眼には聖域と映る。秋深いころ、朝霧がウンブリア一帯に立ち込めるという。だが、この土地は地震でも有名だ。

東側は、大聖堂を中にして聖職者の町並みが開かれ、その上に二つの要塞が聳えている。それらの印象は、解説にある第二のキリストでもある〈フランチェスコのエルサレム〉というところか。

町は、一歩入ると壮大なミネルヴァ神殿を中心に広がり、その神殿はコムーネ広場（Piazza del Commune）に保存されている。神殿の列柱は豪壮で見ごたえがある。ジオットもこの神殿を

〈フランチェスコ伝〉のフレスコ壁画の連作で描いている。ゲーテがアッシージを訪れたのもこの神殿を見るためだった。

リリの体調を考えて、夕食はホテルのリストランテで、オーブンで焼いた〈timballo《ティンバッロ》〉のリゾット、後は〈cotte di stagione《コッテディスタジオーネ》〉でゆでた野菜だけでワインは飲まない。物足りないが偶にはいい。

それでも疲れた疲れたと言いながら、リリはよく歩いた。

「今日はどこが良かった？」

「そうね、上の会堂のフレスコ画かしら。あの日本の観光団体に、日本人の司祭さんが説明していたでしょ、コーラスの席を取り巻いてるピエロ・デルラ・フランチェスカ（Piero della Francesca）の十一面の〈聖十字架の伝説〉っていうの。あの絵よかったわね」

「僕はね、下の会堂で、暗い中にひっそり架かっていたチマブーエ（Cimabue）の〈聖母子と天使たちと聖フランチェスコ〉。その横の聖フランチェスコの像に聖痕があったね、あれ見たとき、リストの〈小鳥に説教する聖フランシスコ〉の曲を思い出した。ほら、『スワンの恋』で、スワンがうんざりして聞いたっていう曲。あと、フレスコ画を嵌めこんだアーチ型の礼拝室も良かったな」

絵の印象が薄れないうちに感想を書きつけようとしたができない。今夜も手を握って休む。リリの体に異変が来ないよう祈りながら。

〔**イタリア第7日　アッシージ・第3日目**〕

曇。リリの眼は大丈夫。今日もよく歩いた。健脚だ。同じように地階でcolazione《コラツィオーネ》。青かびのgorgonzola《ゴルゴンゾーラ》チーズと巡回した順に書く。

ドゥオーモ（Duomo.〈聖フランチェスコ像・聖キアラ像・キリストの磔刑・十字架降下〉）

サンタ・マリーア・デッレ・ローゼ通り（Via S.Maria delle Rose. 同名の教会〈ex chiesa di S.Maria delle Rose〉がある）

ペルリーチ門（Porta Perlici. 円形闘技場・古代ローマ劇場）

ロッカ・マッジョーレ要塞（Rocca Maggiore. ウンブリア平原を見渡せる景観地）

サンタ・キアーラ聖堂（Basilica di S.Chiara. 白とバラ色の大理石の建物。〈聖クララとその生涯〉）

サンタ・マリーア・マッジョーレ教会（S.Maria Maggiore. 初期大聖堂。14・15世紀フレスコ画）

サン・ピエートロ教会（S.Pietro. 礼拝堂に13・14世紀フレスコ画。前の広場からアッシージ一望）
サン・ダミアーノ修道院（S.Damiano. サン・ジロラモ礼拝堂の木製〈十字架上のキリスト像〉）
サンタ・マリーア・デッリ・アンジェリ聖堂（Basilica di S.Maria degli Angeli. ランプで煤けたポルツィウンコラ礼拝堂）

聖堂、彫刻、薔薇窓、柱頭、円柱、穹窿、回廊、フレスコ画、祭壇画など、大勢の聖者たちが随所に顔を覗かせて会堂を構成するアッシージの町は、文字通り聖堂と聖像、そして静まり返った坂道の町だ。

一つの聖堂から出てきてスバジオ山の麓に来ると、町全体が鳥瞰できる。ウンブリアらしい街並み。町を取り巻く城壁は、紀元前二世紀から前一世紀にかけてのものらしく、初め二キロほどのものが今は四キロと倍になっている。城壁は幾たびか同盟都市の戦争で威力を発揮したらしい。

誰が言ったか〈アッシージの平原から立ち昇る秋の朝霧とオリーヴの木を音楽にして祈れば、神も快く耳を傾けてくれるだろう〉というのは、ここの雰囲気をよく伝えている。

ホテルに戻ると丁度夕食の時間だ。今朝、チップを置くのを忘れていた。身体が冷えたのでバスに飛び込む。狭い浴槽に二人とも肩まで浸かる。食事に間に合うよう温まるだけにする。一階のリストランテへ行く。コースものは取らず、四角い ravioli《ラヴィオリ》 に仔牛肉のオーブン焼き (scaloppine al forno)《スカロッピーネ アル フォルノ》、グリーンピースのスープ煮にパルメザンチーズとパン。特製の白ワイン。あとはエスプレッソ。

食事を終え、フィレンツェを歩く予定を立てる。あれこれ方々を見ないで主なところだけにする。部屋に戻ってパジャマに着替え、ベッドに潜って地図を見ながら今日の行程を話した。

「今日は車で行ったサン・ダミアーノ修道院の磔刑図がよかったね。礼拝用の小さい部屋があって、十字架上のキリスト像とか、サンタ・キアーラ祈禱堂とか、聖クララの庭とかね」

「そう？　案外平凡ね」

「まあね。神殿の列柱っていうのは歴史の痕があって見るからに重厚だね。あと、サン・タンドレーア (Sant'Andrea)《サンタンドレーア》 やサン・ダミアーノ (Via San Damiano) 修道院の坂道だ。あの石畳み、あそこは何百年も人が往き来した足跡が残ってた……」

リリが急に向き直って言った。

「あたし、修道院に入ろうかしら？」

「え？　修道院？　あの San Damiano《サンダミアーノ》 みたいな別世界に？」

「そうよ、さっき歩いていたとき、こんな修道院に入ろうかって思ったの……」

「じゃ、そうしたら」

「止めないの？」

「止めたって、言うこと聞かないだろう？」

「そう決めつけないでよ。半分は本気なんだから」

「半分じゃ、だめだ」

「80パーセントは本気よ。歩いていて、修道院ってあたしに合ってるなって思ったわ」

「どこが？」

「自分自身と向かい合う時間があって、誰にも邪魔されないし、考えたり書いたり出来るじゃない？」

「そんな生易しいところじゃないよ。外から見るから判らないけど、中では社会事業をしてるんだよ、チーズを作ったりクッキーを作ったり、慈善事業をしているんだ」

「それは判ってる……」

　これ以上言うと危険だ。

「あ、今思い出した、こういう箴言知ってる？

If men knew how women pass the time when they are alone, theyd never marry.」

「知らないね」

「〈女が一人でいる時に、どう過ごしているかを知れば、男は決して結婚しないだろう〉っていう、オー・ヘンリーの言葉よ」

「修道女とは関係なさそうだね。むしろ、〈小人閑居して不善をなす〉っていうのに近いんじゃないのかい」

「リリは寂しがり屋じゃないから不善なんかしないわ」

「そいつはどうだか」

「今夜はフランシスコとキアラの清貧に与るのよ。そういう気持ちで静かに寝るの」

「殊勝なことを言って。この町はいろいろ考えさせてくれるね」

これは正直な感想。

「存在と時間の問題よ。ハイデガーの言う……」

「なんで今頃そんな難しいこと言うの？　冷えてきたからバスに入るよ」

リリと交代でバスに浸かる。

夜、夢を見た。私はウンブリアの平原を憑かれたように歩き回っている。抜け出す出口がどこにもない。いつまでも広い野原を彷徨い続ける。こんな私とも知らず、リリは隣りで軟らかい鼾をたてている。このリリを悲しませてはいけない。

夢から覚めて、リリの顔をつくづく見入る。つんと小高い鼻を見ているうち、何で私がこの女性と縁を結んだのかと思う。静かな夜半だ。

## 中世の甃《いし》・フィレンツェ

**〔イタリア第8日　フィレンツェ・第1日目〕**

曇。眼は大丈夫。目覚めは爽やか。リリが電話でミケーレに出発を伝え、リストランテへ降りてミルクとオレンジとクロワッサンで朝食。エスプレッソが美味い。フロントで昼食用にパンとミルクとオレンジとプルーンを二食分頼む。だが一食分しかない。注文を聞き違えたらしい。いつもよりチップを弾み、ともかく急いで駅へ。アッシージ駅前のBar《バール》（スナック）でサンドイッチとコカコーラを買い込み、十時発のミラーノ行きに乗り、ペルージア、アレッツォを通り、フィレンツェに向かう。直線距離で六〇キロ。

車窓からアペニン山脈の山並みが見える。起伏に富んだ緑の平原を眼で追ううち、この土地の平和な感じが気に入った。うねうねと続く糸杉の木立の列。アカシア、オリーヴ、ポプラなど並木を縫って走る。リリは車窓の景色を見たり、手もとの資料を覗いている。

「ほらね、フィレンツェは昔、ラテン語で〈フローレンティウス〉って言ったんですって。古いイタリア語は花を〈フィオレンツィア〉と言って、そのもともとは〈Fiore《フィオーレ》〉よ。ラテン語は〈flore《フローレ》〉ね。〈サンタ・マリーア・デル・フィオーレ〉というのも、〈花《フィオーレ》の聖母マリア〉という意味で、花はフィレンツェ自身のことよ。だから、花の咲いた好い香りが漂うフィレンツェが、聖母マリアに捧げた大聖堂という意味で、大聖堂の名前がついたんだって。プルーストも『スワン家の方へ』で書いてるわ」

私がフィレンツェを思うときは、ふしぎな芳香がただよう町、花冠に似た町を思うことになるのであった。なぜならフィレンツェはゆりの花の都と呼ばれていたし、その大聖堂は「花の聖母マリア《サンタ・マリア・デル・フィオーレ》」と呼ばれていたからであった。（井上究一郎訳）

「それからフィレンツェに来た藝術家って多いのね。数えただけでも十人以上いるわよ。ダンテでしょ、ボッカッチョでしょ、それからミュッセ、モンテーニュ、スタンダール、そしてジッド、ヴァレリー・ラルボー、アナトール・フランス、そしてヘッセ、カロッサ、ジュリアン・グリーン、ヘンリー・ジェームズ、みんな来てるわ」

「プルーストは来てないんだ」

「そうなの。でもイタリアの美術はちゃんと調べてどこに何があるか知ってるのよ。憧れていたらしいけど来られなかったのね。ヴェネツィアには来ているけど。それ、さっきの記事の前にあるのよ」

　私が大西洋の夢やイタリアの夢を生みだすときも、季節や天候の変化だけに左右される必要がなくなった。それらの夢を再生させるには、私はただその地名を発音するだけでよかった、バルベック、ヴェネチア、フィレンツェ、と。その名で示された土地が私に吹き込んだ欲望は、遂にその名の内部にはいって、そこに蓄積されてしまったからであった。……フィレンツェまたはヴェネチアの名は、私に太陽やゆりの花やパラッツォ・ドゥカーレや、サンタ＝マリア＝デル＝フィオレ大聖堂への欲望を抱かせるに十分なのであった。（井上究一郎訳）

「あのハンス・カロッサも、一九二五年と三七年にイタリアに来て、『イタリア紀行』に〈フィレンツェからの手紙〉を書いてるし、ヴァレリー・ラルボーも『バルナブースの日記』にフィレンツェの印象を書いてるわ」

　リリは資料をめくってヴァレリー・ラルボーの記事を読んだ。

Et au retour, au débouché de la via Maggio, le fleuve et ses quais me sont apparus comme une grande pièce d'orfèvrerie : un Arno d'émeraude fo ncée limité par des quais et des palais d'ambre clair, et traversé de ponts en vieil ivoire incrusté d'argent, d'aigues-marines et d'or.

〈そして、帰り道で、マッジョ通りが終るところで川とその両岸は大きな金細工のように見えた。さらに、濃いエメラルドの色をしたアルノ川が、両岸に見える明るい琥珀色の宮殿と河岸に囲まれて、そこに、銀や藍色の緑玉や金をちりばめたように古い象牙細工の橋が架かっていた〉

スタンダールの『イタリア紀行』によると、彼はイタリアの領事としてフィレンツェに数回滞在している。一八一六年十一月、ドイツからミラーノに入り、パルマ、ボローニャを通って十二月五日にフィレンツェに着いた。前年ローマで観た『セビーリアの理髪師』に感嘆し、フィレンツェとローマの劇場を比べて、フィレンツェを貧弱だと貶《けな》している。四日間滞在してローマへ向い、一八一七年一月にはナーポリとローマの間を何度も往復し三月末にフィレンツェに戻っている。

スタンダールは毎日曜日、ウッフィーツィ美術館を訪れていた。それからピッティ宮殿で彫刻を見たり、ベルヴェデーレ要塞に登ったりして、「トスカーナを構成する小さな丘が、いかに無数にあるかが判る」と書いている。

イタリア語で早く話すことはできない。とりかえしのつかない欠点だ。第二にこの言葉は本質的に不明瞭である。その理由はまず、三世紀前から誰もむずかしい問題について明瞭に書くことを肝要だと思わないことと、次に、敗北した言葉のそれぞれが勝利した言葉に類語を加えたことによっている。しかもどんな類語かは神のみぞ知るだ。それらはしばしば反対の意味をもっている。イタリア語を話していると信じながら、地方の人はまだ彼らの地方語を話している。もっとも簡単な事柄でも異なった名詞をもっている。通りは、ローマでは via と呼ばれ、フィレンツェでは strada ミラノでは contrada である。ローマの villa は別荘を意味する。ナポリでは町だ。それどころか感情のニュアンスを表現する言いまわしが反対である。ある友人がミラノでわたしに *ti* と言った。ローマでは voi と言い、フィレンツェでは lei と言う。もしミラノの友人がわたしに *voi* と言ったとすれば、それでわたしは、彼がわたしと齟齬《そご》を生じたと結論したことであろう。

（スタンダール『イタリア紀行』臼田紘訳。フィレンツェ・一八一七年四月十日）

ところで久米邦武の『米欧回覧実記』の明治六年（一八七三）五月九日に、フィレンツェを「仏羅稜府《プロランセ》」と書いて次のように描写している。

其繁華ハ、以太利国第六ニオレトモ、都府ノ美麗ニシテ、風景ニ富メルコトハ、米蘭《ミロナ》府ニモ超越スルヘシ、「アルノ」河ノ清流アリテ転回シ、府ノ中腹ヲ流レ、連甍ハ岡陵ニ上リ、谿谷ハ塡メテ、烟火ヲ攢《あつ》メ、峰巒《ほうらん》四ニ環リ、谷中広ク、水清ク流疾シ、時ニ斜湍《しゃたん》ヲ作リテ水勢ヲトヽム、瀉瀉淙淙《しゃしゃそうそう》トシテ声アリ、我行ノ宿セル「ホテル」ハ、正ニ其斜湍ノ側ニアリ、終夜ニ松籟《しょうらい》ノ音ヲ聞キ、日夕耳ニ清シ、河上ニハ五橋ヲ架シ、飛閣傑楼、処々ニ起リ、山上ニハ古城古砦アリ、雲甍《うんぼう》ノ間ヨリハ、大寺ノ兀然《ごつぜん》トシテ抽《ぬきん》ツルアリ、小寺ノ矗《ちく》トシテ堂尖ヲ出スアリ、府中ニスヘテ二百五十ケ寺アリト云、羅馬「カドレイキ」教会ハ、多ク寺刹ヲ建テ、荘厳ヲ極ム、其淫工ハ驚詫《きょうた》スルニモ余リアリ、府ノ周囲ニハ、塁壁ヲ匝《めぐ》ラシ、八門ヲ開キテ防衛ヲナセリ、（五月九日）

車内で昼食をしたため、正午過ぎ、サンタ・ノヴェルラ駅に着く。泊る「ホテル・ゴルドーニ」をメモで調べる。

フィレンツェ＝宿泊先　ホテル・ゴルドーニ
（HOTEL GOLDONI. Via Borgo Ognissanti8, Firenze 055- 284080）

駅前からfossi《フォッスィ》通りに入り、南に十分ほど歩くと、アルノ川に面した広場の左手にホテルはあった。川に沿った通りに建つ薄茶の四階建てだ。フロントでは、大柄な女が退屈そうに椅子に掛けてタバコを吸っている。濃い青のアイ・シャドウを塗り、おかっぱ頭だ。例のメモを見る。

リリがミケーレの名前を言って予約（prenotazione《プレノタツィオーネ》）を確かめると、にっこり笑って右の親指を立てた。人が良いのか尋ねもしないのに大声で話してくる。

「街の中ではぐれても、ここなら判りやすいから眼を瞑っても帰ってこられますよ。電話は055-284080だからね。旧市内を四区に分けて見て歩けばいいのよ。あとで、モーツァルトが泊まった部屋をご案内するわ。それからね、柔らかい靴を履いていきなさい」

エレヴェーターで二一三号室へ。鍵を受取ると、にこにこして降りていきながら、

「お食事は町の中心（cèntro《チェントロ》）の〈ciburéo《チブレオ》〉へいくと、日替わりで安い料理が食べられるわ。それからトスカーナのワインを召し上がれ」

と愛想を言う。

〈モーツァルトが泊った〉と聞いた時はリリと顔を見合わせてしまう。こんな偶然もあるのか。こういうのは宣伝の材料として付加価値があるのだろう。

部屋は少し狭いが小綺麗だ。金縁で純白の広い化粧台があった。それにやや広い浴槽が別室に

ある。夜食まで間があり、荷物を仕分けしてから一階のリストランテに降りる。

「プルーストはね、フィレンツェで絵を見たいけど、その欲望を起こさせるのは美学の本よりガイドブックのほうで、そのガイドブックよりも汽車の時刻表が面白いんですって。フィレンツェに来られなかったので時刻表を眺めて想像してたのよ、きっと。この町を四つの区域で歩けなんて、とても無理よ。主なものだけ見ればいいわ。なにしろ美男美女を見ないでは帰れないからね、そうでしょ？」

地図を広げて首っ引きで調べ、回るところを決める。

「ここから近いのはサンタ・マリーア・ノヴェルラよ。歩いていけるから」

**〔フィレンツェ・第1日目午後〕**

**1　サンタ・マリーア・ノヴェルラ、サント・スピリト地区**

Fossi《フォッスィ》通りを戻り、駅に近いサンタ・マリーア・ノヴェルラ教会美術館（Museo《ムゼーオ》 di《ディ》 Santa《サンタ》. Maria《マリーア》 Novella《ノヴェッラ》）に来る。建物正面のファサードは、白と緑の大理石。繊細で簡潔な装飾線が走る、美しい絵画的な建物だ。ファサードの裏側に、立体像に見えるフレスコ画の〈キリストの誕生〉、堂内の左側廊のアーチの奥の壁にマザッチオの〈三位一体〉があり、十字架のキリストを支える神と、聖母と聖ヨハネが立つ。続いてヴァザーリ（Giorgio Vasari）の〈キリストの復活〉、その先の聖器室にジオットの〈十字架像〉、主祭壇の後ろの「トルナブオーニ家礼拝堂」に、ギルランダーイオ（Domenico Ghirlandaio）の連作壁画〈マリアの生涯・戴冠・洗礼者ヨハネの生涯〉は圧巻だ。その左側の「ゴンディ家礼拝堂」にはブルネルレスキ（Filippo Brunelleschi）の崇高な〈キリストの十字架像〉、右側は「ストロッティ家礼拝堂」のフィリッピーノ・リッピ（Fillippino Lippi）のフレスコ画で、〈聖ヨハネと聖フィリッポの物語〉など聖書の名場面を見る。これらは十五世紀のフィレンツェ絵画の白眉という。

「ここはモンテーニュも来てるのね、二つの礼拝堂に、まだ一族が住んでいて、見られなかったって書いていたわ」

「それ、いつごろ？」

「一五八〇年ごろ」

絵の前で足を止めたリリが、ため息混じりに言う。

「すごいものねぇ、宗教の力って。こんなに信仰が篤い時代だったのかしら？」

「信仰ばかりじゃないだろう。当時はこの町全体がヴァティカンのローマ教皇の金庫番だったらしいからね」

咽が渇き、仕方なくトイレへ行って蛇口から水を呑む。いったん入口へ戻り、隣の建物へ行く。ここは修道院だが博物館として公開されていた。入ると回廊をめぐらした四角い中庭があり、その壁面に、『創世記』から題材をとったフレスコ画があった。そのすべてが緑の絵具を主体に描かれているので、ここを「緑の回廊」(Chiostro Verde《キオストロ ヴェルデ》)と呼ばれている。右手にウッチェルロ(Paolo Uccello)の〈ノアの洪水〉を見ながら中庭を突っ切った先に、天井が穹窿《きゅうりゅう》〈volta《ヴォルタ》〉になった「スペイン人の礼拝堂」(Cappellone degli Spagnoli《カッペッローネ デッリ スパニョーリ》)がある。壁面を覆うフレスコ画は、〈キリストと殉教者ペテロの生涯〉、〈聖トマスの勝利〉、〈ドメニコ会派修道士の勝利〉、〈教会の寓意《アッレゴリア》〉など。〈教会の寓意〉とは聖トマス・アクィナスを讃えて科学・藝術など学藝の勝利を顕すという寓意だ。ともかくこの礼拝堂のフレスコ画は一大スペクタクルだ。

「宗教画はやっぱり判らないわ。どうして目に見える形を作り出さなければならなかったのかしら」

不審そうに言う。それに違いない。時代の宗教的な要請とか、政治上の意図から創られたものもあるだろう。それは別問題だ。

「ねえ、フィレンツェって、ピアノが生まれた町なんだって?」

リリが何を考えたのか訊いてくる。誰でも知ってることだ。

「リリも知ってるだろうけど、ピアノは最初 fortepiano《フォルテ ピアノ》 って言ったらしいね。今は逆に pianoforte って言ってる。もとはチェンバロから生まれたんだよ。音色をたくさん出すために。フィレンツェ生まれのクリストーフォリが一六九八年に作ったって誰かから聞いたけど」

「ジュンはピアノのこと詳しいの？」

「詳しくはないさ。ついでに言うと、ドニゼッティに、ヴィクトル・ユゴーの詩から取った〈たそがれ〉（Le《ル》 crépu《クレプ》 scule《スクーレ》）という良い歌曲があるよ。とても綺麗なんだ」

「ドニゼッティなら〈愛の妙薬〉（L'elisir《リズィール》 d'amore《ダモーレ》）の《人知れぬ涙》は好きよ。〈Una《ウーナ》 furtiva《フルティーヴァ》 lagrima《ラーグリマ》〉っていうの。ほかは知らないけど、〈ピアーノ〉っていうイタリア語は意味がたくさんあるのよ。シンプルとか、平坦とか、ゆっくりとか、静かにとか、一般的とかね。あの建物の何階の〈階〉もピアーノって言うのよ。知ってた？」

「ばかだから知らない」

冗談を言いながら教会を出て、フロントのおばさんに教えられたとおり、駅前のイタリアーナ広場（Piazza《ピアッツァ》 della《デッラ》 Unita《ウニタ》 Italiana《イタリアーナ》）から十三番のバスでミケランジェロ広場（Piazzale Michelangiolo）へ行く。バスは坂道を回りながら登り詰め、全市が見渡せる広場で降りる。ここから見る遥かな丘陵や赤茶色の屋根が連なる景色は中世そのままだ。これがフィオレンツィアと呼ばれた花の都かと感慨を催す。市内も周辺も、すべて端正で美しい。

「ズックに穿き替えてきてよかったわ」とリリがホテルのおばさんに感謝する。元気を出して背後に迫る石段を登り、サン・ミニアート・アル・モンテ教会（Chiesa di San Miniato al Monte）に入る。白と緑で構成されたロマネスク調の綺麗なファサードだ。中には、ガラス・モザイク画の装飾や、「ポルトガル枢機卿の廟墓」があり、祭壇画も美しく、天井装飾も見事だ。こうして見ていると、つくづく歴史の時間を感じさせられてくる。

夕暮れが近い。広場に止まったタクシーでピッティ宮殿（Palazzo Pitti）に廻る。五時半で締め切りなので急ぐ。途端にリリが「あんまり早く歩かないで。お腹が痛くなるから」と声を荒らげる。それでも構わず急ぐ。パラティーナ美術館（Galleria《ガッレリーア》 Palatina《パラティーナ》）に来て、「ヴィーナスの間」のティツィアーノ（Tiziano Vecellio）の〈貴婦人の肖像〉、「アポロの間」では〈マグダラのマリア〉が、恍惚とした眼を天に向け、ふくよかな肉体を粗末な衣服に包んで、柔らかそうな金髪を肩まで覆い、官能的な美を醸している。「ゼウスの間」では敬虔な修道女のような〈ヴェールの女〉があった。館を出て中庭を見る。古色を帯びた建物と人工的に作られた庭が広がる。背後はボーボリ庭園（Giardino di Boboli）。

入口に立って眺める。フィレンツェの町の十分の一を占めるという宏大な庭園。ここでは幾つかの絵や彫刻を飾った「Buontalenti《ブオンタレンティ》の洞窟」（グロッタ）、ネプチューンの像のある大きな池を眺め、糸杉の並ぶ散歩道「ヴィオットローネ」を下って、「isolotto《イゾロット》（小島）の広場」の噴水を見ながらローマ門に出る。

かなり歩いてきたので、リリに「ホテルに帰る？」と訊くと、

「ベルヴェデーレの要塞行きは止めて、あと二つだけ見て帰るわ」

と好奇心旺盛だ。急ぐ気持ちが先行して、タクシーを拾い、velluti《ヴェッルーティ》通りを抜け、骨董街のmaggio《マッジォ》通りを進んで左折し、サント・スピリート教会（Santo Spirito《サント スピリート》）に来て降りる。正面ファサードの丸窓に早くも夕陽が照り映え、ステンドグラスを黄金色に彩っている。

「一つだけにしましょう」

というのでフィリッピーノ・リッピの〈聖母子と諸聖人〉だけを見る。これでは何の感慨も湧かない。出てから二百メートルほど、Mazzetta《マッツェッタ》通りとS.monaka《サンモナカ》通りを縫ってサンタ・マリーア・デル・カルミーネ教会（S.Maria del Carmine《サンタマリーア デル カルミーネ》）へ来る。ここでは「ブランカッチ礼拝堂」のフレスコ画、マザッチオ（Masaccio）の〈司教座で祈る聖ペテロ〉を見る。もう日は暮れかかっている。

帰り道はアルノ川のcarraia《カッライア》橋を渡り、六時過ぎホテルに戻ってリリだけ着替えて近くのリストランテ〈bocca màrio《ブッカ マーリオ》〉で夜食にする。一階は満員で地下に案内される。メニュはいかすみ（nero di seppia《ネーロ ディ セッピア》）のリゾット、牛肉のミルク煮と野菜サラダ、パン、赤ワインのchianti classico《キアンティ クラッシコ》。左のテーブルからオーストラリア人、右からイタリア人の二組の夫婦が、リリを見て「bella《ベッラ》！bella《ベッラ》！」と皺だらけの顔で笑っている。

「シャンデリアのせいよ、ここ、ちょうどいい具合に光線が流れて来るのよ」

リリは別に嬉しくもなさそうだ。彼らからいろいろ訊かれて、人当りよく応対している。フィレンツェの夜は石畳は冷えているが、商店街から洩れる光が歩道に流れて夜を美しく彩る。ワインの酔いもいつしか消え、ホテルに帰ってバスに浸かり、ベッドで静かに休む。

《この地区で割愛したところ》

ルチェルライ宮殿、ストロッツィ宮殿、サンタ・トリニタ宮殿、ダヴァンツァーティ宮殿、オンニッサンティ教会（ボッティチェルリ〈書斎の聖アウグスティヌス〉、ギルランダーイオ〈最後の晩餐〉〈書斎の聖ヒエロニムス〉など見られず）。

〔イタリア第9日フィレンツェ・第2日目〕

## 2　ウッフィーツィ美術館（Galleria《ガッレリーア》 degli《デッリ》 Uffizi《ウッフィーツィ》）

晴。

リリの眼は大丈夫。一階のリストランテで colazione《コラツィオーネ》。チップを置いて九時、アルノ川に沿って lungarno《ルンガルノ》大通りを進み、ponte《ポンテ》 vecchio《ヴェッキオ》を右に見て左折し、美術館の中庭広場（piazzale《ピアッツァーレ》）に入る。右奥の入口からもう人の列が出来ている。四層の建物は十六世紀半ば、ジョルジョ・ヴァザーリがメディチ政府の行政官庁として設計し建築した。庁舎は、都市の機能が考えられた最初の建築例という。戦時中はドイツ軍によって美術品の数十点が国外に運び出されようとした。それを、フィレンツェのパルチザン部隊が阻止したというが、若干は国外に流れたらしい。

絵画コレクションの三階（イタリア式では二階）に上がる。観た順に書く。

〈第一回廊〉
第1室　ローマ時代の彫刻。
第2室　ジオット〈天使と聖人に囲まれる玉座の聖母〉、ドゥッチオ〈玉座の聖母子と六天使〉、チマブーエ〈八天使に囲まれる玉座の聖母子と四預言者〉。

「ね、このジオットって、とっても現実的に描いてると思わない？　あの顔や胸のあたりの浮き彫りを見ると……」
「どっちかって言えば三次元的だね、立体的だし、天上の世界でなくて現世的だよ」
周りに聞えないように小声で話す。間違っているかもしれない。

第3室　シモーネ・マルティーニ〈受胎告知〉＝名高い祭壇画。繊細で優美で美しい。
第6室　ロレンツォ・モナコの明るい祭壇画〈聖母の戴冠〉、ジェンティーレ・ダ・ファッブリアーノ〈東方三博士の礼拝〉。
第7室　マザッチオ〈聖アンナと聖母子〉、ウッチェルロ〈サン・ロマーノの戦い〉、ピエロ・デルラ・フランチェスカ〈ウルビーノ公夫妻と栄光の寓意〉＝夫婦が向き合うように描かれる。ドメーニコ・ヴェネツィアーノ〈聖母子と四聖人〉。

第8室　フィリッポ・リッピ〈聖母子と二天使〉〈幼児キリストを礼拝する聖母と天使たち〉＝新しいマリアの美。

第9室　アントーニオ・ポルライオーロ〈ヘラクレスとヒュドラ〉。

第10〜14室（ボッティチェルリの部屋）

〈春〉(Primavera)＝花園に登場する美しい衣装をつけた九人の女。中央に地上のヴィーナス。

〈ヴィーナスの誕生〉(Nascita di Venere)＝裸身の女神。天上のヴィーナス。

この二つはこの美術館の圧巻。〈パラスとケンタウロス〉＝ヒューゴ・ヴァン・デル・グース〈ポルティナーリの祭壇画〉＝大きな三翼の祭壇画。


ここまで見てきてリリが足を止めた。紙切れを取り出し、何やら頸を傾げて〈ヴィーナスの誕生〉を何度も眺めなおす。

「ねえ、ヴィーナスの黄金比って知ってる？　golden section《ゴールデン　セクション》のこと。古代ギリシャからの美の基準で、一つの線を二分したとき、短いほうと長いほうの比が、長いほうと線全体との比に等しくなる割合。〈黄金分割〉って習ったじゃない。一対一・六一八って」

「そうだっけ……」

「だから、これ、見てご覧なさい。ほんとに綺麗な線と比率で描かれているから」

「そう思ってみるから、そう見えるんじゃないのか」

リリが持っているヴィーナスの絵を覗くと、黄金比を示す線分が書かれて説明がある。

「ジュンは天邪鬼《あまのじゃく》なんだから！　少しは人の言うことを信用しないと、世の中から置いてきぼりにされるわよ」

そんなことは大したことではない、と言いそうになって止める。絵や彫刻で、動的な感じを見るものに伝えてくる絶妙の割合が〈黄金比〉だと聞いたことがある。

第15室（レオナルド・ダ・ヴィンチの部屋）
〈受胎告知〉＝マリアと天使の向かい合う前景、糸杉の中景、神秘的な奥行きを示す遠景。マリアの前に、膝の高さで白大理石の華麗な書見台がある。〈三王礼拝〉＝マリアの頭上の棕櫚《しゅろ》の木は勝利の象徴という。レオナルドの師匠ヴェロッキオ〈キリストの洗礼〉、ピエロ・ディ・コージモ〈無原罪懐胎〉。

第18室（トリブーナの部屋）
美術館学にのっとって作られた部屋。円形の天井クーポラから八角形の部屋に光線が第20室　注がれる。紀元前四世紀の〈メディチのヴィーナス〉＝大理石の彫刻像。ヘレニズム彫刻の代表作で「メディチ家のアフロディーテー」と呼ばれた。ヴィーナスは他人の視線に驚いたように、咄嗟に胸と陰部を手で覆う仕種をしている。ポントルモ〈祖国の父コジモ〉、ヴァザーリ〈ロレンツォ豪華王〉などメディチ家の人々の肖像画。アルブレヒト・デューラー〈父の肖像〉〈三王礼拝〉、ルーカス・クラーナハ〈『アダム』と『イヴ』〉は板画で、優美な曲線と官能美が露わだ。

つづいて〈第二回廊〉を素通りし、第三回廊の入口の部屋に来る。

第25室　ミケランジェロ〈聖家族〉＝丸く太い額縁に入ったタブロー形式のモダンな宗教画。絵の右後ろに洗礼者ヨハネ少年がいる。ロッソ・フィオレンティーノ〈エテロの娘たちを守るモーゼ〉＝平面的な人物画。

もう昼を過ぎていた。〈第三回廊〉をまっすぐ突き当りまで行き、涼み廊下（loggia《ロッジア》）のテラス前のbar《バール》で軽食を摂る。明るい部屋。セルフサービス。四つの丸テーブルが満員。昼時だからだ。signoria《スィニョリーア》広場に面していて眺めがいい。ようやく席を取り、リリが上着を脱いでホッとし、崩れるように椅子に掛ける。
「ああ疲れた。こんなに時間がかかるとは思わなかった」
二人とも額の汗を拭き、運ばれてきたガス抜きのミネラルウォーター（Acqua《アックワ》 minerare《ミネラーレ》 sentua《センツァ》 gas《ガス》）を一気に飲み、簡単なサンドイッチとミルクコーヒー（caffellatte《カッフェラッテ》）を飲む。昨日買った〈Diana《ディアーナ》〉を吸う。香りはいいが口に苦い。暫く休み、〈第三回廊〉に出て次の部屋へ行く。

第26室　ラファエルロ〈自画像〉。〈ひわの聖母〉＝十字架を負うキリストの、茨の冠の棘を抜こうとして血を浴びた鶸《ひわ》という俗説がある。〈ローマ法王レオ十世〉＝法王の後ろに二人の枢機卿の姿。何れもメディチ家出身。

第27室　ポントルモ〈エマオの晩餐〉とロッソ・フィオレンティーノ〈エテロの娘たちを守るモーゼ〉。

第28室（ティツィアーノの部屋）
〈フローラ〉は古代イタリアの女神で、甘美な肌と、光が浸透した肌着が白い。モデルはティツィアーノの娘。
〈ウルビーノのヴィーナス〉は、貴族の館で豊かな金髪を波打たせる見事な裸体の女性。説明書には、「官能的な物憂い気だるさを漂わせる見事な女性裸体像で、柔らかな肌の金色の波に包まれ、寝台の赤いビロードと対照をなす白いシーツの襞のあいだに横たわっている」とある。足元に小狗が蹲る。窓際に二人の侍女が夜会服を用意している。この画はゴヤの〈裸のマハ〉や〈着衣のマハ〉、そしてマネの絵などに影響を与えたという。

「この絵、どう思う？」

「これ、ベッドのリリみたいだ。ほら、眠ってるリリだと思ってみると、この膨らんだお乳と大きな腰と、くびれたお臍の周り、黒々した毛……は無いけど」

「そんなところばかり見てる！」

絵は、私の腿に絡むリリの脚そっくりだ。それにしても、この絵から何か崇高な思想なり愛なりが見えてくるだろうか。そうとは思えない。もしかすると、いわゆる高級娼婦《コルティジャーネ》（corrigiane）かもしれない。そんなことを考えていたとき、

「ジュンは、リリを女のオブジェとしてしか見てないのよ、ね、そうでしょ？」

「声が大きいよ」

確かにこの絵は、人生の理想のかけら一つも味わわせない。この時、右手を伸ばしてリリの胸をそっと押さえてやる。

第29室　パルミジャニーノ〈首の長い聖母〉＝人物が長く引きのばされ、肢体がしなやかで繊細。首も右手の指も極端に長く細い。衣服の襞の下に裸体が透けて見える。
第31室　ドッソ・ドッシ〈魔術〉＝宮廷で享楽に身を任せる貴顕紳士と女官との魔術遊びの情景。
第34室　ヴェロネーゼ〈聖家族〉ほか。
第35室　ティントレット〈レダと白鳥〉。ギリシャ神話でスパルタ王の妻レダに恋したゼウスが、白鳥に姿を変え、川辺にいた彼女を訪ねて一夜をともにし、レダが卵を産む物語。
第41室　ルーベンス〈イヴリーの戦い〉ほか。
第42室　「ニオベの間」＝ヘレニズム期の彫刻作品（ローマ時代のコピー）。
第43室　カラヴァッジオ〈バッカス〉〈メドゥーサ〉〈イサクの犠牲〉。
第44室　レンブラント〈老人の肖像〉〈自画像〉、ブリューゲル〈浅瀬の風景〉。
第45室　十八世紀絵画室＝ブーシェ、シャルダン、ゴヤ。

美術館を出るとすっかり暗くなっていた。アルノ川に沿った道を通ってponte vecchio《ポンテ ヴェッキオ》に行く。橋とはいえ立派な商店街。通りに面して骨董店や工藝品を売る店が軒を連ねている。それらを覗

き見ながら、リリが、

「ジュン、リリに記念のプレゼントしたくない？」と迫ってきた。

「何が欲しい？」

「何でもいいの。高くないもので」

それならと、狭苦しい店構えの中に入って掌に載る小さなペンダントを買う。白い楕円形の陶器は、S.Trinita《サンタ トリーニタ》橋の袂でダンテとベアトリーチェが寄り添って立つ姿が彫り上げてある。その背景にヴェッキオ橋が見える。八千リラ。

「ああ嬉しい！　どうもありがと！　これでお土産出来たわ」と歓んでいる。

川沿いのlungarno corsini《ルンガールノ コルシーニ》大通りを歩いていったんホテルに戻る。着替えてフロントの女性にトスカーナ料理の美味い店を訊く。美術館の近くのlambertesca《ランベルテースカ》通りにある古いリストランテ〈antico fattore《アンティーコ ファットーレ》〉がそれだという。店まで歩き、定番のトスカーナ料理を取る。ボリュームのある豪勢なステーキ。ほかに緑黄野菜の入った幅広のパスタ（tagliatelle《タリアテッレ》）で、これはいつか食べた。食べきれず残す。ワインは「キリストの涙」（lacrima criste《ラクリマ クリステ》）の赤。渋い味だが美味い。今夜も静かに寝る。


**〔イタリア第10日フィレンツェ・第3日目〕**

曇。

## 3　サン・ジョヴァンニ地区

リリの眼は大丈夫。八時に朝食。八時半、チップを置き、フロントの小母さんに挨拶してホテルを出る。Vigna nuova《ヴィーニャ ヌオーヴァ》通り、strozzi《ストロッツィ》通りと歩いてlepubblica《レプッブリカ》広場に来る。角のバール〈GILLI《ジッリ》〉でチョコレートの小箱を買う。そこからまっすぐ北へ歩く。見た順に書く。

八角形のサン・ジョヴァンニ洗礼堂（Battistero di S.Giovanni《バッティステーロ ディ サンジョヴァンニ》）の守護聖人はヨハネ。三方に門が開き、扉は青銅製で東と南北向きに配され、それぞれに聖書の物語が刻まれ、東側の扉は十枚の型枠に「旧約聖書」の題材が彫刻されている。ミケランジェロはこれを「天国の門」と呼んだ。堂内は、天井が金色の鮮やかなモザイク画だ。見とれて暫く眺める。

前の広場へ出て、ジオットの鐘楼（Campanile di Giotto《カンパニーレ ディ ジオット》）に来る。高さ八二メートルで五層。三色の大理石で作られ、装飾が優雅で繊細を極める。

つづいて南側の入口から〈duomo《ドゥオーモ》〉と呼ばれるサンタ・マリーア・デル・フィオーレ大聖堂（Basilica di S.Maria del Fiore《バズィリカ ディ サンタマリーア デル フィオーレ》）に入る。

大円蓋の上まで一一二メートル、内径四二メートルという大建築。建物は白大理石に緑とピンクの流麗な装飾線が走り、リリに言わせると、まるで貴婦人が勢ぞろいしたように華麗な品格を備えている。

堂内に入ると一転して暗く殺風景だが、入口裏側の三面にステンドグラスが嵌る。百リラ紙幣を投じて蠟燭を買い、献花台にたてる。三万人を収容できるという空間は、柱がないので主祭壇が見通せる。左の壁に大きな二つの騎馬像。先へ進むと、円蓋の下の新聖器室の入口に、彩色された半月型の陶板が静かな耀きを放っている。リリが円蓋に登りたいというので、私は下の入口で待つ。大分経ってから降りてきたリリが、興奮気味に、

「凄いのよ、ジュンも昇ったらよかったのに。町中が眺められる大パノラマなんだから」と展望が素晴らしかったのを感嘆している。私に昇るエネルギーはない。

Duomo《ドゥオーモ》の隣の大聖堂付属美術館（Museo dell'Opera del Duomo《ムゼーオ デッローペラ デル ドゥオーモ》）は、ミケランジェロのピエタ像の彫刻とドナテルロ（Dnatello）の〈合唱隊の席とマグダラのマリア〉、ブルネルレスキ作で木製の模型〈大聖堂円蓋〉を見る。マグダラのマリアは、「悔悛のマッダレーナ」というネームがあり、着衣がボロボロに綻んで身体と共にみすぼらしく、見る影もない。こんなマグダラのマリアは世界にここ一つしかないという。そこを出て、lorenzo《ロレンツォ》通りに入る。ドゥオーモからサン・ロレンツォ教会まで歩く。

お腹が空いたリリの言うことを聞き、見学を打ち切って昼食。目の前の nelli《ネッリ》通りで建物の一角にある trattoria《トラットリーア》〈mescita《メッシータ》〉で味付けパン（panzanella《パンツァネッラ》）の郷土料理を摂り、トスカーナ産の白ワインを飲む。すっぱい味が喉もとに残る。昼のワインは身体に効く。いい気分になり、店を後に

して坂道を少し下ったtorta《トルタ》通りに来て〈ヴィヴォリ〉のアイスクリームを食べる。美味い。再び元気を取り戻し、つぎの見学に足を運ぶ。

来た道を戻ってサン・ロレンツォ教会（S.Lorenzo《サンロレンツォ》）に入る。水平の格天井《ごうてんじょう》が主祭壇まで伸びる。祭壇に昇る手前の床にコジモ・メディチの墓碑銘。左に折れてフィリッポ・リッピの祭壇画〈受胎告知〉、その奥に聖器室。右手の礼拝堂の祭壇画はロッソ・フィオレンティーノ（Rosso Fiorentino）の〈マリアの結婚〉、祭壇に昇る手前の床の四隅に、色大理石のメディチ家の紋章がある。

Canto de nelli《カント デ ネッリ》通りに出て博物館になっているメーディチ家礼拝堂（Cappelle Medici《カッペッレ メーディチ》）に来る。礼拝堂の床に色大理石のメーディチ家の紋章を見てからそこを出て右へ曲がり、商店の屋台の続く道を戻ると教会の正面左に入口があった。入ると回廊に囲まれた中庭に出る。

そこの階段を登ってラウレンツィアーナ図書館（Biblioteca Medicea Laurenziana《ビブリオテーカ メディーチェア ラウレンツィアーナ》）に入る。ここの玄関間と閲覧室はマニエリズモ建築とバロック建築の出発点となったという。玄関間の階段の装飾もだが、古い写本が並んだ閲覧室があって、そこの書見台に刻まれた装飾は見事だった。

さらにmartelli《マルテッリ》通りへ戻ってサン・ロレンツォ教会近くのメーディチ・リッカルディ館（Palazzo Medici-Riccardi《パラッツォ メーディチ リッカルディ》）に来る。メーディチ家が住んでいた豪奢な家。二階の礼拝堂は三つの壁いっぱいに衝立式三枚絵《レターブル》のように折れ曲がった三幅対（trittico《トリッティーコ》）で、絢爛豪華なゴッツォーリ

(Benozzo Gozzoli) のフレスコ壁画〈東方三博士の旅〉がある。その絵にはメディチ家の人物が描かれていた。

martelli《マルテッリ》通りをまっすぐ進んで、cavour《カヴール》通りに入り、間もなくサン・マルコ美術館（Museo di《ムゼーオ ディ》 S.Marco《サンマルコ》）へ。入口が狭い。入ると中庭に回廊が巡らされ、いくつかの壁画に混じって、フラ・アンジェリコ（Fra Angelico）の〈磔刑図〉がある。二階に通ずる階段の脇の食堂で、壁一杯にギルランダーイオ（Domenico Ghirlandaio《ドメーニコ ギルランダイオ》）のフレスコ画〈最後の晩餐〉（L'ultima cena《ルティマ チェーナ》）が架かっていた。明るい背景の前で、糸杉と黄色く熟した果樹と、無心に飛び交う小鳥、窓に止まる孔雀、食卓の真ん中でキリストに寄り添って泣く青年、その人の影などが背後に黒く揺れて、食卓の手前に横向きに座るユダ、その足元でこちらを見ている小犬の姿が哀愁をそそる。

「あら、あの使徒の足許に可愛い犬がいるわ」

リリのちょっとした歓声でも室内に響く。「あら、いけない」とペロリと舌を出す。

狭い階段を登る途中、フラ・アンジェリコの〈受胎告知〉（Annunciazione《アヌンチアツィオーネ》）が現れる。清楚で敬虔な画風があたりを静謐そのものに保っている。カメラを向ける見学者に、向うの部屋のほうから、「non foto《ノン フォート》!」と声がかかる。二階は小さな僧房が続き、いくつもの〈キリスト伝〉の場面が、それぞれ部屋に描かれている。

美術館を出て二百メートルほど裏道に来るとサン・ティッシマ・アヌンツィアータ教会（Basilica《バズィーリカ》

della《デッラ》 SS. Annunziata《サンティッシマアヌンツィアータ》）がある。入ると回廊付きの中庭があり、その回廊を「願掛けの回廊」（chiostrino《キオストリーノ》 dei《デイ》 Voti《ヴォーティ》）と呼んで、周囲の壁面に十二枚のフレスコ画が架かっている。手前からロッソ・フィオレンティーノ〈マリアの被昇天〉（Assunzione《アッスンツィオーネ》）、ヤコポ・ポントルモ（Jacopo Pontormo）の〈マリアのエリザベツ訪問〉、アンドレーア・デル・サルト（Andrea Del Sarto）の〈マリアの誕生〉（Natività《ナティヴィータ》 di《ディ》 Maria《マリーア》）などが続く。みんなキリスト生誕にまつわる絵だ。そこから左に回ると、主祭壇の左の翼廊近くの〈死者の回廊〉（chiostro《キオストロ》 dei《デイ》 Morti《モルティ》）に、聖書に取材した絵、エジプトに逃れる聖ヨゼフが干し草に寄りかかるデル・サルトの〈袋に座す聖母〉（Madonna《マドンナ》 del《デル》 Sacco《サッコ》）と題するフレスコ画があった。

最後に、「受胎告知の聖母の礼拝堂」で十四世紀の聖母像が信仰を集めているというのに出会った。この画像は、画家が、頭の下まで描き終えて眠ってしまった間に、天使がその頭部を描いて完成させたという伝説がある。

教会を出て、サン・マルコ広場から大聖堂へ向う ricasoli《リカゾーリ》 通りの角の、アッカデミーア美術館（Galleria《ガッレリーア》 dell'Accademia《デラッカデミーア》）に来る。入ってすぐ細長いサロンにミケランジェロの彫刻〈福音記者聖マタイ〉が未完成のまま置かれ、続いて〈パレストリーナのピエタ〉と四体の〈奴隷像〉も未完成品のまま並んでいる。そして、サロンの奥のガラス張りのドームの下に、ミケランジェロの〈ダヴィデ像〉（Davide《ダヴィデ》）の原作が堂々と建つ。五メートルはある若々しい青年像だ。リリがその周りを往ったり来たりして眺める。

「綺麗な身体ね！　生きてるみたい！」

「ほんとにこんな青年も、今もどこかにいるんだ」

「いるかしら？　いそうもないわ」

ほかに絵画が少々あったが割愛。リリは離れがたくなったか、〈ダヴィデ像〉を振り返りながら美術館を後にする。

外に出てから右手に「捨て子養育院」があるが割愛。Colonna《コロンナ》通りへ行って左手に庭園があり、その先に考古学博物館（Museo Archeologico《ムゼーオアルケオロギーコ》）がある。説明書に、「ここにあるのは古代エトルリア美術の傑作」とある。紀元前五七〇年ごろのアッティカ陶器〈フランソワの壺〉が大きなガラスケースの中に収まる。高さ七〇センチ、口径六〇センチの大壺。表面に、なんと何百人もの人間が描かれている。ブロンズ彫刻では、「ギリシャ神話」にある「chimaira《キマイラ》」という四足の動物があった。蛇の尾と背から山羊の頭が生える獅子の姿をして、口から火を吐く怪物という。

今日はこれで十分だ。明日はサンタ・クローチェ教会へ行って、リリさえよければフィレンツェ巡りを終わりにする。昨夜は店の雰囲気がよかったので、今夜も同じ〈antico fattore《アンティーコファットーレ》〉でトスカーナ料理を堪能する。

まず前菜はカナッペ（canapè）で、鳥のパテにほうれん草を裏ごししたのをパンに塗ってある。スープはリリがいんげん豆の入ったスープ（zuppa di fagioli《ズッパ ディ ファジョーリ》）、私はパンを浸したスープ（zuppa del pane《ズッパ デル パーネ》）、そして骨付き仔牛肉の炭火焼でフィレンツェ風テーボーン・ステーキ（bistecca alla fiorentina piatto《ビステッカ アッラ フィオレンティーナ ピアット》）。これはうまい。キノコ（porcini《ポルチーニ》）の衣揚げ。チーズは羊のミルクから作ったpecorino《ペコリーノ》。飲み物はキャンティ・クラッスィコ（Chianti classico）のガルネロ（gallnero）。

今夜はトスカーナの本格的な料理を食べた。これで気が済む。しかし贅沢なことだ。横浜だったらこの半分の料金で食べられただろう。これはリリに言わない。言っても馬鹿にされるだけ。それはそうと、そろそろリリが欲しいのだが、まだ解禁されない。

《この地区で割愛したところ》

捨て子養育院、歴史博物館、ダンテの家。

**〔イタリア第11日　フィレンツェ・第4日目〕**

**4　サンタ・クローチェ地区**

曇。

見た順に。眼は大丈夫。フィレンツェ最後の日だ。だからチップを弾む。

まずはシニョリーア広場（Piazza della Signoria《ピアッツァ デッラ スィニョリーア》）に来る。途中フィレンツェ有数の老舗をウインドショッピングして行く。どの店も鞄や靴や婦人服を取り揃えているが高級品ばかりだ。

「こんなに高いの、いったい誰が買うんだ？」

「いい物好きが買うに決まってるじゃないの」

リリは澄まして答える。政庁舎のヴェッキオ宮殿の正面入口近くに例の「ダヴィデ像」の模刻が建ち、右にバンディネルリ（Baccio Bandinelli）の「ヘラクレストカクス」の像がある。どちらも門衛のような形で宮殿を守る風情だ。次にサヴォナローラ（Girolamo Savonarola）の火刑跡を見る。四角の敷石の中に、そこだけ直径二㍍くらいの円い石が刻まれている。

「ね、ここに劇場があるでしょ、何を演《や》ってるか調べてみた？」

「案内に〈コムナーレ歌劇場〉っていうのが載っていたよ」

「どこにあるんだって？」

「ほら、ここだよ、〈COMUNALE《コムナーレ》 Corso《コールソ》 Italia《イターリア》 12〉」

「じゃ、この近くじゃない、きっと」

「今月はね、〈リゴレット〉と〈夢遊病の女〉だってさ」

「夢遊病の女が好きなのかしら、フィレンツェの人って」

劇場を見ても仕方がない。ともかく近くのオルサンミケーレ教会（Orsanmichele《オルサンミケーレ》）へ向かう。

六百年を経過した建物は、古く錆びついたように黒茶色の壁で、その周囲は壁龕《へきがん》が作られ、中にブロンズや大理石で造った守護聖人像を安置する。堂内に礼拝堂があって祭壇画が納まっている。

そこから広場を通ってヴェッキオ宮殿（Palazzo《パラッツォ》 Vecchio《ヴェッキオ》）に来る。前世紀までは国会議事堂、いまは市庁舎だ。入ると庭があって列柱の立つ回廊が巡っている。階段を探して二階に来る。そこは大広間で名前も「五百人広間」という。天井と周りの壁画は戦闘の図柄だ。ミケランジェロの彫刻〈勝利の像〉がいくつも置かれている。

宮殿を出て再び広場を横切り、バディア・フィオレンティーナ大修道院（Badia《バディア》 Fiorentina《フィオレンティーナ》）へ来ると、美しい尖塔をる六角形の鐘楼が眼に入る。ここではフィリッピーノ・リッピ（Filippino Lippi）の板画〈聖ベルナルドに現れた聖母マリア〉と、ミーノ・ダ・フィエーゾレの〈ウーゴ伯爵の廟墓〉を見る。内陣の右の扉から入って「オレンジの回廊」（chiostro degli Aranci）に出る。そこにはヴェッキオ宮殿のような中庭があり、周囲を列柱回廊が巡っている。
院を出て通りを隔てて見える〈caffé《カフェ》 rivoire《リヴォワール》〉に入ってアペリティフを飲む。リリはホット・ココア。店からヴェッキオ宮殿を眺めていると、しみじみ外国へ来たという感じがした。

店を出て、Proconsolo《プロコンソーロ》通りを挟んだ正面の国立バルジェッロ美術館（Museo《ムゼーオ》 Nazionale《ナツィオナーレ》 del《デル》 Bargello《バルジェッロ》）に入る。フィレンツェに着いて直ぐ、リリが、「すぐ見に行けるのはバルジェッロ美術館よ」といったところだ。

高い塔のある建物だが、ここも同じように中庭と回廊がある。そこに幾つかの大理石の彫刻がある。一階はミケランジェロの部屋。ブルータスの胸像、聖母子像、酒神バッカスなど。二階は各種のコレクション。コイン、織物、刺繍、象牙細工、陶器や金銀細工。バルコニーがあり、メディチ家が飾っていたブロンズの彫刻が並ぶ。三階に来ると、ドナテルロの活躍した十五世紀の彫刻群があって、〈聖ジョルジョ像〉と〈イサクの犠牲〉の二点、ヴェロッキオの部屋へ来て、〈ダヴィデ像〉と〈貴婦人の肖像〉など。

美術館を出て greci《グレーチ》 通りに入ると、リリが、

「今日はもうくたびれたから帰るわ」

と言い出した。それをあと一つだけと言って押し止める。

「だって、靴の底から石だたみの冷たいのが伝わってくるんだもの……」

「石の町だから当然だよ。これから靴下をもう一枚はいてくるんだね」

オルサンミケーレ教会に近い Tavolini《タヴォリーニ》 通りにあるリストランテ〈paoli《パオーリ》〉に入る。空席を見つけてその椅子に掛け、リリがメニュからピーマン入りスパゲッティと玉蜀黍《とうもろこし》の粥（polenta《ポレンタ》）、それに牛の胃の煮込み（trippa alla fiorentina《トリッパ アッラ フィオレンティーナ》）を注文する。運ばれてきた料理はなかなかいい味だ。

それとエスプレッソ。

「お店によってトスカーナの味は違うのね。昨夜の方がおいしかったと思わない？」

「そうかもしれない……」

「そうかもじゃなくて、そうじゃないの」

「もう食べたんだから、文句は言わないこと」

「そうやってジュンは妥協の産物でできてるんだから」

これ以上続けるとどうなることか、およそ見える。黙って過ぎるしかない。

店を出ると、外はすでに薄暗い闇の中に染まっていた。通りに来て手をつないで細い道から広場に出る。向こう正面に白と緑の大理石で装飾されたサンタ・クローチェ教会（Santa《サンタ》 Croce《クローチェ》）が見えてきた。

「まあ綺麗！」とリリがまず感嘆する。

近づくと、建物の左角に、二頭の獅子に傅《かしず》かれた大きな大理石のダンテ像があった。目を挙げて見ると、像はギリシャ風の白衣を纏っている。フィレンツェはダンテの街だったのを思い出す。

内陣に信者席はなく、左右の側廊に廟墓が並び、左側に豪奢堅牢なガリレオ・ガリレイの墓碑、右の側廊はミケランジェロ、ダンテ、マキアヴェルリ、ロッシーニなど知名人の墓碑が並び、ミケランジェロとダンテも仲良く並ぶ。白大理石で囲まれたミケランジェロの墓は、その上にピエタの絵があり、最上部を真っ赤な布で覆って天使像がそれを囲んでいる。この複雑なデザインと豊富な色彩は、美術史家ヴァザーリが設計したと書いてある。近くに金箔で装飾されたドナテルロ（Donatello）のレリーフ〈受胎告知〉と、作曲家ロッシーニの記念碑がある。

この祭壇の脇に宗教画が飾られている。右側の「バルディ礼拝堂」には、ダンテの親友ジオットの大作〈聖フランシスコの死〉が、釈迦の涅槃図によく似て死者の臨終の場面を克明に描き出している。臨死の床を取り囲むのは弟子たちか。みな質素な装いで丸坊主だ。

このほかフレスコ画に〈聖十字架物語〉があって教会の名前「聖十字架《サンタ・クローチェ》」に捧げられている。また、「バルディ礼拝堂」の聖フランチェスコ伝のほかに聖女キアラの聖人像のフレスコ画もある。また「ペルッツィ礼拝堂」では「洗礼者ヨハネ伝」から取った幾つかの場面が描かれているがすでに損傷も露わで痛々しい。

外に出ようとしたとき、奥の方から歌声が聞えてきた。近づくと、黒の制服を着た男女の聖歌隊員が二列に並び、指揮者を囲んで歌っている。バッハのミサ曲の演奏らしい。柱に貼られた印刷をみると、ラテン語の歌詞が添えてある。カトリックの祈りの言葉をバッハが作曲したものだ。

＊

| | |
|---|---|
| *Missa in F-dur.* BWV233 (J. S. Bach 1730) | 『ミサ曲ヘ長調』バッハ作曲（一七三〇年代） |
| *Symbolum Apostolorum* | 「使徒信条」 |
| (Coro) | （合唱） |
| Kyrie, eleison. | 主よ、あわれみたまえ。 |
| Christe, eleison. | キリスト、あわれみたまえ。 |

Kyrie, eleison.
(Coro)
Gloria in excelsis Deo,
et in terra pax hominibus bonae voluntatis.
Laudamus te, benedicimus te,
adoramus te, glorificamus te,
gratias agimus tibi propter magnam gloriam tuam..
(Basso)
Domine Deus, Rex caelestis,
Deus Pater omnipotens.
Domine Fili unigenite, Jesu Christe.
Domine Deus, Agnus Dei, Filius Patris.
(Sopurano)
Qui tollis peccata mundi,
miserere nobis :
Qui tollis peccata mundi,

主よ、あわれみたまえ。
（合唱）
天のいと高きところには、神に栄光、
地には、善意の人に平和あれ。
われら主をほめ、主をたたえ、
主をおがみ、主をあがめ、
主の大いなる栄光のゆえに感謝し奉る。
（バス）
神なる主、天の王、
全能の父なる神よ。
主なる御一人子、イエズス・キリストよ、
神なる主、神の子羊、父のみ子よ。
（ソプラノ）
世の罪を除きたもう主よ、
われらをあわれみたまえ。
世の罪を除きたもう主よ、

suscipe deprecationem nostram..　われらの願いを聞きいれたまえ。
Qui sedes ad dexteram Patris,　父の右に座したもう主よ、
miserere nobis.　われらをあわれみたまえ。
(Contralto)　(アルト)
Quoniam tu solus Sanctus, tu solus Dominus,　主のみ聖なり、主のみ王なり、
tu solus Altissimus, Jesu Christe.　主のみいと高し、イエズス・キリストよ。
(Coro)　(合唱)
Cum Sancto Spiritu,　聖霊とともに、
in gloria Dei Patris.　父なる神の栄光のうちに、
Amen.　アーメン。

荘厳な音色と緊密な和声が会堂に響きわたっている。

「やっぱり本場の歌は違うわ。俗世の垢が洗われるようよ」

「そんな雰囲気だね」

事実、キリスト教徒でなくても、大いなるもの、Something grait に祈りたい気持ちだ。

教会を出ると、外は真っ暗だ。右側中庭奥の付属美術館（Museo《ムゼーオ》 dell'Opera di《デッローペラディ》 S.Croce《サンタクローチェ》）に入

る。その中の広々とした敷地にパッツィ家礼拝堂（Cappella《カッペッラ》 Pazzi《パッツィ》）があり、ブルネルレスキの回廊から入る。チマブーエ（Cimabue）の〈キリストの十字架像〉、ドナテルロの青銅金箔の彫像〈聖ルドヴィコ〉、タッデオ・ガッディ（Taddeo Gaddi）の〈十字架の木、四つの物語と最後の審判〉、アンドレーア・オルカーニャ（Andrea Orcagna）の〈最後の審判〉などがある。

　ここからサンタ・クローチェ教会付属の工房学校（Scuola《スクオーラ》 del《デル》 Cuoio《クオイオ》）に入る。鞄、財布、ベルトなどを作る職人が仕事台でミシンかけや縫製をしている。売店コーナーもあって市価より安い。

「ここはいいから、もう帰りましょうよ、リリ、疲れちゃった！」

「わかったよ」

　私は素直に従う。

　ホテルに帰ると、フロントの愛嬌小母さんが、待ってましたとばかり二階へ案内した。部屋の中央のマントルピースに、額に入ったモーツァルトの写真が飾られ、大きな花瓶にサルビアのような紅い花が活けてある。回りに伝統家具が置かれ、小ざっぱりした瀟洒な部屋だ。置物の棚に、ボッティチェルリ（Sandro Botticelli）が描いた金髪を棚引かせる裸の〈ヴィーナス〉や、ティツィアーノ（Tiziano Vecellio）の豊満な〈ダナエ〉の写真もある。

　モーツァルト父子は、最初のイタリア旅行で一七七〇年三月三十日の夜、このホテルに着いた。滞在は一週間。四月三日に父がザルツブルクの妻宛に手紙を書いている。着いてすぐモーツァルトは風邪でベッドに潜るしかなかった。その後四月六日か七日にはローマへ向けて旅立っている。

リリは目が痛い、脚が重たいと泣き言をこぼしたが、宥《なだ》め賺《すか》して無事に見学できた。甘やかすのもいけないが、押さえ込むのもいけない。難しい舵取りだ。

夕食は、フロントで聞いたTavolini《タヴォリーニ》通りの〈cantinetta《カンティネッタ》 dei《デイ》 verrazzano《ヴェッラッツァーノ》〉と長ったらしい名前の店を探して入る。古色を止める室内でかなり込んでいる。高い天井。

メニュの「ミネーストレ」(Minestre)は、スープやパスタやコメ料理の総称。

まず前菜(Antipasto《アンティパースト》)は海の幸のサラダ(Cappon《カッポーン》 Magro《マーグロ》)が私、海老とアーティチョークのサラダ(Gamberi《ガンベーリ》 e《エ》 Carciofi《カルチョーフィ》)はリリ。一皿め(Primo《プリモ》 piatto《ピアット》)は松露を薄切りにして挟んだサンドイッチ(panini《パニーニ》 tartufati《タルトゥファーティ》)。二皿め(Secondo《セコンド》)は、甘口ぶどう酒で仕上げた牛肉の薄切り(scaloppine《スカロッピーネ》 al《アル》 marsara《マルサーラ》)。そして野菜の付け合せ(contorni《コントールニ》)は、プロヴォローネチーズとトマトのサラダ(insalata《インサラータ》 alle《アッレ》 provolone《プロヴォローネ》)。デザートはみかん(mandarini《マンダリーニ》)。飲み物はchianti《キアンティ》の白ワイン。よく食べよく飲んでほぼ満腹に近い。

「やっとトスカーナのお料理にありついたわね、美味しかった!」

「満足した?」

「Buono《ブオーノ》! Buono《ブオーノ》!」

ようやくリリの機嫌が直る。ホテルに帰って今夜あたりはもう解禁かと思ったが、バスでは洗い合うだけで何事も起らず。静かな夜が続く。

《この地区で割愛したところ》

ホーン博物館、科学史博物館、バルディーニ博物館、国立中央図書館、ミケランジェロの家、ユダヤ教会シナゴーガ。

## ラピス＝ラズリの光・ラヴェンナ

**〔イタリア第12日　ラヴェンナ・通過地〕**

曇。軽い朝食のあと、チップを置いてからリリがフロントで二万七千リラを払い、小母さんに挨拶してサンタ・ノヴェッラ（S.Novella《サンタノヴェッラ》）駅前に来る。待っていた八時半発のヴェネツィア行き高速道路（autostrada《アウトストラダ》）の長距離観光バス（pullman《プッルマン》）に乗る。イタリア市内を走るオレンジ色のバスと違って、紺碧色をした綺麗な車体だ。北へ一時間ほど走ってボローニャの近郊を東へ進み、そこから南下して二差路に出ると、さらに左折してラヴェンナ（Ravenna）に向う。そのとき女車掌（Bigliettaia《ビリエッタイア》）がマイクで「このバスは二時間ほど市内を回ります」と案内した。

「リリはここで待っていようかしら？」

「疲れてないんなら歩こうよ。その方が身体にいい」

「今度の町がどんなところか、それ次第よ……」

バスは一時間ほど走ってようやく市内に入った。maggiore《マッジオーレ》通りのadriana《アドリアーナ》門を潜って左折し、サン・ヴィターレ教会の駐車場に着く。太った大男のコンダクターが、「夕方にはヴェネツィアに着きたいので、ここは少し見るだけにしてください」と声を張り上げている。

リリは不承不承バスを降りて歩き出した。サン・ヴィターレ教会（S.Vitale）に入る。六世紀前半の創建。ビザンティン美術の最高傑作という大円蓋の八角形をした聖堂。外観は質素な煉瓦作りだが、中は天井、壁、床、すべてが縞模様の大理石とラピス・ラズリの全面モザイク装飾に覆われて目も綾な絢爛たるもの。ダンテはこれを『神曲』の中で、〈モザイクの交響曲〉と書いたという。

「ジュン、ラピスってどういうこと？」

リリが知らないわけはないが、かまわず教えてやる。

「ラピスはラテン語の〈Lapis〉で石のこと。ラズリは〈Lazuli〉、天とか空の青を指すらしいよ。もとは〈lazward〉と言って瑠璃色のことだけど、それを取って〈瑠璃色の石〉っていうんだ」

「そうだったの」

「ヨーロッパの絵や何かで出ていたじゃないか」

「調べたことなんかないもの」と口を尖らす。

主祭壇左手上の壁に、東ローマ皇帝ユスティニアヌスとその廷臣が、光輪を背景にして小鉢を抱え、何ものかに惹きつけられたように正面を見つめる。向かいにテオドーラ妃と随臣の絵が並び、「旧約聖書」の題材の獅子像やキリスト像などが描かれ、ラピス＝ラズリの美しい紫の輝きが、ひときわ眼を射てくる。

そこを出て、コンダクター氏の引率で北側にあるガッラ・プラチーディア廟（Mausoleo《マウゾレーオ》 di《ディ》 Galla《ガッラ》 Placidia《プラチーディア》）に回る。簡素な外側の建築に比べて、中は眼を瞠らされる深い青のモザイクの装飾。これは五世紀前半の創建当時のものだ。

再びバスに戻ってポーポロ広場に来て、ネオニアーノ洗礼堂（Battistero《バッティステーロ》 Neoniano《ネオニアーノ》 presso《プレッソ》 il《イル》 Duomo《ドゥオーモ》）に入る。ここは「オルトドッシ洗礼堂」ともいう。八角形をした五世紀の建築。中は円天井で壁面の大理石と象嵌細工に、またしても眼を奪われる。キリストの洗礼と十二使徒などの絢爛たるモザイク装飾画。往時、キリスト教信仰がいかに浸透していたか想像される。つづいて、歩いてダンテの墓（Tomba《トンバ》 di《ディ》 Dante《ダンテ》）を見る。細い道の突き当たりの正面に、洞窟の入口のようなひっそりした石の門が見える。中は何も見えない。銘板があるだけだ。ダンテはこの地で

『神曲』を書き、四年後の一三二一年に五十六歳で死んだ。

再びポーポロ広場へ向い、バスに乗ってfarini《ファリーニ》通りに入り、サン・ジョヴァンニ・エヴァンジェリスタ聖堂（S.Giovanni Evangelista《サンジョヴァンニ エヴァンジェリスタ》）に来る。女車掌の説明では、四百三十年ごろに建てたバジリカ形式、中は三廊式の建物で、ラヴェンナ建築の原型という。一回りして近くのサンタポッリナーレ・ヌオーヴォ聖堂（S.Apollinare Nuovo《サンタポッリナーレ ヌオーヴォ》）に来る。五世紀の建立で、中の身廊は三層のモザイクだ。上の層はキリストの生涯、中層は預言者や使徒、下層の左右に聖母とキリストを飾る。聖堂を出て、再びfarini通りの近くのmameli《マメーリ》広場で待っていた高速バスに乗り、ヴェネツィアに向う。

「バスで待ってなくてよかったわ。あんな綺麗なモザイクなんて初めてよ」

「そうさ。具合が悪ければ仕方ないけど、二度三度見に来られるわけじゃないんだからね、これからもだよ」

「眼は大分いいみたい。だからもう安心かもね」

「油断は禁物だよ」

一日一日、腫れ物に触るような注意が要る。口に出せないことが溜まっていたら、その爆発が思いやられる。

ガイドの案内で、町で一番美味しいRosponi《ロスポーニ》通りのリストランテ〈Tre Spada《トレ スパーダ》〉で昼食。時間がないので、早く食べられるものを注文する。今度もリリに任せる。

白いんげん豆の煮込み（Fagioli《ファジョーリ》 All'《アッ》Uccelletto《ルッチェッレット》）と、ポルチーニ茸と玉葱のブカティーニ（Bucatini《ブカティーニ》 alla《アッラ》 Cipolla《チポッラ》 e《エ》 Funghi《フンギ》 porcini《ポルチーニ》）。Bucatini はマカロニより細い穴あきパスタのこと。あとはズッパ・イングレーゼ（Zuppa《ズッパ》 Inglese《イングレーゼ》）。これはカスタード・クリームとチョコレート・クリームを挟んでリキュールを振りかけたスポンジケーキだ。一人四万リラ。エスプレッソを飲んでバスへ急ぐ。バスは autostrada《アウトストラダ》 を真西に向かって一路ヴェネツィアへ向かう。

## 運河と橋・ヴェネツィア

**〔イタリア第12日午後　ヴェネツィア・第1日目〕**

雨。リリの眼は大丈夫。夕暮近く、バスに揺られて長いリベルタ橋（Ponte《ポンテ》 della《デッラ》 Libertà《リベルタ》）を渡り、ローマ広場（Piazzale《ピアッツァーレ》 Roma《ローマ》）に着く。すぐ乗合船の水上バス（vapoletto《ヴァポレット》）に乗り、大運河（canal《カナル》 grande《グランデ》）という逆S字型の運河を二十分ほど揺られてサン・マルコ広場（Piazza《ピアッツァ》 S.Marco《サンマルコ》）に近い船着場で降りる。この辺が町の中心らしい。

雨に煙る建物の屋根は、赤、黄、褐色もとりどりに代赭色で連なる。船着場近くに幾艘ものゴンドラ（gondola《ゴンドーラ》＝平底船）が舫《もや》っている。平底で、全長は十メートルはある。幅は狭く一メートル半くらい。街の交通用のゴンドラは数百隻もあるらしい。

明日から町を歩くが、どんな雰囲気が感じられるか。乗合船から立ち上がり、両岸に見えてきた水に浮ぶ建物が灯りを付け出し、光が鈴なりとなる。美しい光景。リリが嬉しそうに声を上げた。

「ほんとにヴェネツィアに来たんだわ！」

「この雨、明日あがるといいね」

「きっと晴れるわよ、リリが来たんだもの！　ホテルに連絡しなきゃ、早く」

私は急いでメモを見た。

ヴェネツィア＝宿泊先　ホテル・ロンドラ・パラース
(HOTEL LONDORA PALACE. Riva degli Schiavoni, 4171. Venezia, 041-5200533)

遂にヴェネツィアに来た。ヴェネツィアはジョルジョーネを育て、ティツィアーノが住んだ町だ。

ラスキンが、『胡麻と百合』で書いていたように、「エリシオンの野」の桃源郷に匹敵する街ヴェネツィアだ。〈名前も、発音も、風景、色彩、光と風、匂い、賑わい、朝と夜の佇まい……〉。これが、プルーストがラスキンに求め、憧憬した貴顕の街なのだ。そして、プルーストの友人で音楽家のレーナルド・アーンは、一九〇一年に作曲した歌曲〈方言による六つの歌「ヴェネツィア」〉を書いて三つの主題をソプラノで歌わせている。中でも〈小舟〉(La barcheta) はいい。

船着場の前は、ドゥカーレ宮殿（palazzo《パラッツォ》 ducale《ドゥカーレ》）と呼ぶ小広場（piazetta《ピアツエッタ》）だ。そこを右折し、スキアヴォーニ（Schiavoni《スキアヴォーニ》）河岸を五、六分歩く。途中、一九〇〇年五月にプルーストが泊ったホテル〈Danieli《ダニエーリ》〉があった。その先が「ホテル・ロンドラ・パラース」だ。大運河に面して四階建ての整然と落ち着いた建物。玄関入口の表示に〈四つ星で六十八室、テラス・レストラン〉とある。イタリアで、ホテルを「albergo《アルベルゴ》」といわず「hotel」というのはこれが世界共通語だからだろう。フロントは黒制服の男性が、にこりともせず事務的に応対する。人嫌いではなさそうだが愛想が悪い。リリはフロントの電話でミケーレを呼び出し、ヴェネツィアに着いたことを知らせる。

フロントの壁に、「このホテルは一八七八年、前年結婚した三十八歳のチャイコフスキーが一人で四階の部屋に泊まり、シンフォニー第四番を書いた」という額がある。四階の部屋を覗くと、説明のとおり、正面斜めの壁際にチャイコフスキーの写真が架かり、その下に第四番を書いたロシア語のサイン（СмФония No.4）とある。この時彼は、パトローネのメック夫人に「わが親愛なる友に」という献辞を捧げている。

私たちは三階の運河に面した小綺麗な部屋に入った。ツインベッド（letti《レッティ》）が並び、天井に仕切られた格子の中に、ピンクや赤や紫の花柄が描かれている。リリが窓にってサン・マルコ運河を眺める。

「ほら、ここからの眺めって素敵よ！」

東側を見れば、大運河を挟んでサンタ・マリーア・デッラ・サルーテ教会（Maria della Salute《マリーア デッラ サルーテ》）の大きな円塔が目路に入る。南は一キロもない先にサン・ジョールジョ・マッジョーレ（.Giorgio《ジョールジョ》 Maggiore《マッジョーレ》）の尖塔も見える。

今、大運河に沿って連なる建物すべてが、光を放つ玩具のように暗い冬の夜空に煌《きら》めいている。外出は無理だ。バスに湯を張り、珍しく交代で入る。今夜もカトレアなし。もう十日も禁欲が続く。日本で調べてきた資料に眼を通す。

*

記録1　ゲーテ『イタリア紀行』（ゲーテ『イタリア紀行』相良守峯訳。岩波文庫〈上〉）
「彼らにとっては水が街路、広場、散歩道の代りとなっているヴェネツィア人は、ちょうどこの町が他と比較し得ない独特のものであるように、一種の新奇な人間とならざるを得なかった。さながら蛇のようにうねっている大きな運河は、世界におけるいかなる街路にも劣ることはなく、また何物も聖マルコの広場の前の水面のかなたには左手にセイジョルジョ・マジョーレ島が浮んでおり、その少し向うの右手にジュデッカ島とその運河が見える。

　大運河とそれに懸っているリアルトー橋は容易にそれとわかった。この橋は白い大理石でできている一個の弓形のものである。橋の上から眺めおろした光景はすばらしい。運河は、各種の必需品を大陸から運んできて、大抵はここに碇泊して積荷をおろしてしまう船舶で一杯である。そしてその間をゴンドラが蠢動している。

　私は狭い小路を捨てて、ゴンドラに乗った。こんどは今までとは反対に水上からの景色を眺めようと思って、大運河の北の部分を通り抜け、聖クララ島をめぐって、潟の中に船をのり入れ、ジュデッカの運河にはいりこんで、聖マルコの広場の方まで漕ぎまわした。すると私にはたちまち、すべてのヴェネツィア人がゴンドラに乗るとき感ずるように、アドリア海の支配者の一人であるかのように思えてきた。

　私は地図を少し調べてみたのち、マルコの塔に昇ったが、そこからは眼前に類いない眺望が展開していた。ちょうど真昼時とて明るい日光に照らされて、望遠鏡を用いずとも遠近の様子をくまなく認めることができた。上げ潮が潟を蔽っていて、眼をリドーの方へ向けると、初めて海とその上に浮んでいる数隻の帆影を見ることができた。」

（ヴェネツィア・一七八六年九月二十八日。ホテル・ヴィクトリア）

「当地滞在の最後の瞬間である。これからただちに急行船に乗ってフェララにむかう。私はヴェネチアを喜んで去ることができる。なぜならば、なおこのうえ悦楽と利益とをもってこの地に留まるためには、計画以外の別の行動を取らなければならないからである。今や誰も彼もがこの地を捨てて、大陸の方にその庭園と所有地を求めてゆく。しかし私は土産をたくさん背負いこんで、豊かで奇妙な類ない画像を心にとめてこの地を去ってゆく。」

（ヴェネツィア・一七八六年十月十四日・夜二時）

記録2　スタンダール『イタリア紀行』（スタンダール『イタリア紀行』臼田紘訳）

『イタリア紀行』は今ではフィクションの性格が濃厚なことは良く知られている。だが、スタンダールは一八一六年十月四日にベルリンを出発し、ミラーノ、フィレンツェ、ローマ、ナーポリ、ボローニャ、フェラーラ、アンコーナ、ヴェネツィア（初めて訪れたのは一八一三年）、ミラーノをめぐり、一八一七年八月二十七日フランクフルトに帰着している。

ヴェネツィアに滞在したのは一八一七年六月二十一日から二十七日まで。私たちより長い。スタンダールの関心は町や風景にはなく、もっぱらヴェネツィアの人間に関心があったという。一週間の滞在で、音楽界や観劇や特定のサロンに出入りした様子も伺える。フェニーチェ劇場に入ったかどうか判らない。

＊

わたしはものを書くような気分ではない。わたしはこの静かな海と、遠くに見えるあの細長い半島を眺めている。半島はリドと呼ばれ、大海と潟とを分けているが、海がこれにぶつかって耳を聾するばかりの轟とともに砕ける。きらめく線が波がしらの一つ一つを描き出す。美しい月がこの静かな光景のうえに穏やかな光を投げかけている。空気はたいそう澄んでいるので、わたしは大海の中、マラモッコにある船の帆柱を認める。このたいそうロマンチックな眺めは、もっとも文明の進んだ都会にある。わたしはこの町をオーストリアにいけにえとして差し出したことで、どんなにブォナパルテを憎むことか。――二分間で、わたしのゴンドラはリーヴァ・デリ・スキャヴォーニに沿って行き、サン・マルコのライオンの下のピアツェッタにわたしを降ろした。――ヴェネツィアはロンドンやパリよりも文明への道を進んでいた。今日では、五万人の貧乏人がいる。千ルイで大運河に面したヴェンドラミン宮が提供された。それを建てるのに二万五千かかったし、一七九四年にはまだ一万に相当していた。

（ヴェネツィア・一八一七年六月二十六日午前一時・副王によってつくられた公園の亭にて）

目にはそれなりの習慣があって、その習慣は目が頻繁に眺めるものの性質をおびる。ここでは、目はいつも海の波から五ピエ（約一メートル半）のところにあり、たえずこれを見ている。色彩については、パリではすべてが貧弱で、ヴェネツィアではすべてが輝いている。ゴンドラ漕ぎの衣裳、海の色、水の輝きのなかで絶え間なく反射するのが見られる澄んだ空、逸楽を助長し学問を疎じている政府、美しい肖像画を持とうとする貴族の趣味、これらがヴェネツィア派の性格の別な原因である。『アンリ四世の入市』の空と、パオロ・ヴェロネーゼの『カナの婚礼』の空を比較されたい。

（「ヴェネツィア断想」ミラノ・一八一七年七月十日）

記録3　久米邦武編『米欧回覧実記』

明治六年（一八七三）五月二十七日、岩倉使節団は威尼斯府《ヴェニエシャ》（ヴェネツィア）に入る。

「ヴェニェシヤ」府ハ我日本ニテ「ベネチヤ」トイヒシハ、即チ此府ノコトニテ、英ニテハ「ヴェニシ」ト云、以太利東北ノ海ロナル都会ニテ、「アトリャチック」海ニ浜セル、斗出《としゅつ》ノ島ヲ聚《あつ》メテナル、島中ニ大運河ヲ回《めぐら》ス、巴字ノ如シ、是ヨリ大小ノ運河ヲ引キ、縦横ニ交錯シ、附近ノ小島ニ連綴《れんてい》シ一府トナス、雄楼傑閣、島ヲ塡メテ建ツ、河ヲ以テ路ニカエ、艇ヲ以テ車馬ニカユ、欧洲ノ諸都府中ニ於テ、別機軸ノ景象ヲナセル、一奇郷ナリ、名ツケテ衆島府トイフ、此都府ハ、欧洲ニテ古キ貿易場ニテ、紀元三百年ノ頃ヨリ繁盛ヲナシ、附近ノ土地ヲ占マタ、合衆政治ヲナシ、独立ノ一国タリ、欧洲東方ヨリ、小亜細亜《エジヤマイナ》、阿剌伯《アラビヤ》、及ヒ印度トノ交易ハ、地中海ヲ運シ、此ニ聚《あつ》メテ欧地ニ散ス、貿易ノ権ヲ総《す》ヘ、繁盛ヲキワムルコト、一千年ナリシニ、葡萄牙人始メテ阿弗利加ノ航路ヲ開キ、喜望峰ヲ回リ、印度、阿剌伯ヘノ交易ヲセシヨリ、此府ノ生理頓《とみ》ニ衰ヘタリ、然レトモ、猶地中海の枢ヲ占メテ、利ヲ東方ニ擅《ほしいまま》ニセリ、是我邦ニ早ク「ベネチヤ」国ヲ知リシ所以《ゆえん》ナリ、〇此日ハ駅舎ヨリ直ニ艇ニ上ル、艇ノ製作奇異ナリ、舳首騫起《じくしゅけんき》シ、艇底円転トシテ、舳ニ屋根アリ、中ニ茵席《いんせき》ヲ安ンス、棹《さお》ヲ打テ泛泛《はんはん》トシテ往返ス、身ヲ清明上河ノ図中ニオクカ如シ、市廛《してん》鱗鱗トシテ水ニ鑑ミ、空気清ク、日光爽カニ、嵐翠水ヲ籠メテ、晴波淪紋ヲ皺《しわ》ム、艇ハ雲靄杳緲《ようびょう》ノ中ヲユク、飄飄《ひょうひょう》乎トシテ登仙スルカ如シ、府中ノ人、音楽ヲ好ミ、唱歌ヲ喜ヒ、伴ヲ結ヒ舟ヲ蕩《うごか》シテ、中流ニ游フ、水調一声、響キ海雲ヲ遏《とど》メテ瀏喨《りゅうりょう》タリ、旅客ノ来ルモノ、相楽ミテ帰ルヲ忘ル、トナン、此日旅館ニ至レハ、楽伴館下ノ水上ニテ楽ヲ奏シテ、著府ヲ祝セリ、

（五月二十七日）

記録4　チェーホフ　『手帖』（アレクセイ・セルゲーヴィチ・スヴォーリン＝文士で劇作家。新聞　「新時代」　発行者＝と同行）

　手帖　Ⅰ（一八九一―一九〇四）

「一八九一年（三十一歳）三月二十二日夜、ヴェニス着。Hôtel Bauer.（宿泊）。

二十三日。聖マルク大寺院。総督館。デズデモーナの屋敷。ギド街。カノヴァとチチアンの墓地。

二十四日。楽師たち。晩にメレジコーフスキイと死について対話。

二十六日。雨。酸乳をかけたキノコを試食。

二十七日。ボローニヤへ出発。

O・Iが眠っている時、彼女の顔には世にも幸福そうな表情がうかぶ。

二十八日。ボローニヤからフロレンスまでにトンネル四十八。午前中ボローニヤ。――斜塔、アーケード、ラファエルのセシリア。

三十日。ローマ着。（スヴォーリン、機嫌が悪い。）

四月三日。ローマを発つ。

四日。ナポリ。

四月十一日。ローマ。ピーター寺院、長さ二百五十歩。

十三日。（ローマ発）。モンテ＝カルロ。

（チェーホフ全集・第14巻「手帖」p.336）

記録5　森鷗外『即興詩人』（原題＝Der Improvisator. アンデルセン作）。

「我は身を彼水上の柩に托して、水の衢《ちまた》に入りぬ。楼屋軒をならべて石階の裾《すそ》は直ちに水面に達し、復た犬ばしり程の土をだに著けず。家々の穹窿門《きうりうもん》は水に架して橋梁の如く、中庭は大なる井の如し。この中庭には舟に帆掛けて入るべけれど、舳艫《ぢくろ》を旋さんことは我は身を彼水上の柩に托して、水の衢に入りぬ。楼屋軒をならべて石階の裾は直ちに水面に達し、復た犬ばしり程の土をだに著けず。家々の穹窿門は水に架して橋梁の如く、中庭は大なる井の如し。この中庭には舟に帆掛けて入るべけれど、舳艫を旋さんことは難かるべし。海水はその緑なる苔皮をして、高く石壁に攀ぢ登らしめ、巍々たる大理石の宮殿も、これが為めに水中に沈まんと欲する状をなし、人をして危殆《きたい》の念を生ぜしむ。況や金薄《きんぱく》半ば剝げたる大窓の削らざる板もて囲まれたるありて、大廈の一部まことに朽敗になんなんとしたるをや。既にして梵鐘は声を斂めて、檝《かぢ》の水を撃つ音より外、何の響をも聞かずなりぬ。われは猶未だ人影を見ずして、只ゞ美しきヱネチアの鵠《はくてう》の尸《かばね》の如く波の上に浮べるを見るのみ。」

（「水の都」の章〈ヴェネーツィアの風景。一九〇〇年、鷗外四十歳〉）

右と同じ段落の「岩波文庫」大畑末吉訳
「わたくしは黒いゴンドラにのって、死んだような町すじへ、こがせてはいっていきました。町すじといっても、いちめんの水で、足をおろす一メートルの土地もありません。大きな建物は入口はあけはなしで、そこから石の階段が水のなかにおりていました。大きな門を水が運河のように流れて、中庭までが四角い井戸のようでした。そこへは、ゴンドラをこぎ入れることはできても、まわすことはまずむずかしいでしょう。水のため壁の上のほうまで、緑いろのねばねばした水ごけがついていて、大きな大理石の宮殿が、どれもくずれかかっているように見えました。大きな窓の、半ば朽ちかけた金いろのわくには、かんなもかけない板が打ちつけてありました。誇り高い巨人のからだが、ばらばらくずれ落ちてゆくようで、全体に何となく不安の気がみなぎっていました。鐘の音が鳴りやむと、水をうつかいの音のほかには、なにひとつ、もの音がしませんでした。人影もまだ見えません。壮麗なヴェネツィアは、死んだ白鳥のように波の上に横たわっていました。」
（Hans Christian Andersen *Improvisatoren* : Gyldendal版『H・C・アンデルセン　小説・紀行文集第一巻』より）

記録6　リルケ『マルテの手記』
ライナー・マリア・リルケは、愛人マグダ・フォン・ハッティングベルクとヴェネツィアで甘美な日々を過した。

「海底にしづんだ森のうへに建設したといふ、『無』から生まれたヴェニス、意志によつて建てられ、強制によつて築かれたヴェニス。あくまで実在にかたくしばりつけられたヴェニス。きびしく鍛へられ、不要なものを一切きりすてられたヴェニスの肉体には、夜ふけの眠らぬ兵器廠が潑剌と血液をかよはせるのだ。そのやうな肉体が持つ、精悍な、突進しか知らぬ精神には、地中海沿岸の馥郁たる空気のにほひなどから空想されるものはおよそ比較を絶した凛冽さがあつた。資源のまづしさにもかかはらず、塩やガラスとの交換で、あらゆる国々の財宝を掻きよせた不逞な都市ヴェニスだ。ただ表面のうつくしい装飾としかみえぬもののなかにさへ、それがかぼそく美しくあればあるほど、つよい隠れたちからを忍ばせてゐるヴェニス。ヴェニスは全世界の重石《おもし》、しかも静かなうつくしい重石だつた。」

（「幻想の都市」饗庭孝男著）

記録7　トーマス・マン『ヴェニスに死す』

「初めて、あるいは永らく乗らなかったあとで、ヴェニスのゴンドラに乗り込もうとするとき、ある軽い戦慄、密かな尻込みの気持、困惑を覚えて、これと戦わざるをえない者がないであろうか。古い物語的な時代から引続きそのままの形で伝わっていて、この世の中にあるものの中では棺だけがそれに似ている、この異様に黒い不可思議な乗物――ゴンドラは小波の音しか聞えぬ夜の、静けさの中に行われた犯罪的な冒険を想い起させる。いや、それよりもなお死そのものを思わせる。棺台と陰惨な埋葬式と、最後の、声なき野辺の送りを。そして、ゴンドラの座席、棺のように黒くニスを塗った、鈍い黒布を張った肱掛椅子が、この世の最も柔らかな、最も豪奢な、最も人をだらけさせる座席であることを人は知っているだろうか。」

「こうして彼はふたたびあの最も驚嘆すべき船着場を眺めることとなった。近寄る航海者の敬虔な視線に共和国が示しうる、あの幻想的建築物の華麗な構図を眺めることとなった。宮殿の軽快な美観、溜息橋、岸辺に沿った獅子と聖者との円柱、童話風の殿堂のはなやかに突き出ている側面、門道と大時計とを見通す景観、そういうものを眼に入れながら、陸路を経てヴェニス停車場に到着したのでは宮殿に入るのにわざわざ裏口を選ぶも同然であって、この世にも奇蹟的な都を訪れる者は現在の自分のごとく船で、大海を越えてやって来なければならぬのだと悟った。」

（高橋義孝訳）

記録8　プルースト『失われた時を求めて』「聖女ウルスラ物語」

①プルースト『花咲く乙女たちのかげに　第二部』から。

「海の祭りはたいてい、カルパッチョが『聖女ウルスラ物語』で描いたように、どこかの使節を歓迎するために催されたものでした。」

〔訳注〕ウルスラは、中世の『黄金伝説』にも記されている三世紀ごろの殉教物語の人物。ブルターニュの王女で、当時絶大な権力を誇ったイングランド王から、息子の嫁にと求められた。ウルスラは、この申し出を受けることを父王にすすめ、ただし三年間の猶予と、そのあいだに自分はローマに巡礼に行くので、十人の乙女を選んで道連れにつけること、自分とその乙女たちにそれぞれ千人の侍女をつけること、またその三年間に、相手の異教徒の王子がキリスト教に改宗すること、を条件とした。イングランド王がこれを承諾したので、ウルスラは一万一千人の処女とともに巡礼に出かけたが、その帰途、ケルンでフン族に襲われて殺害されたという。ヴィットーレ・カルパッチョの『聖女ウルスラ物語』は、この話を描いた九枚の連作で、ヴェネツィアの、アカデミア美術館にある。ブルターニュにイングランド王の使節がやってくる場面から始まり、ウルスラの死と昇天で終わるが、その背景には至るところにヴェネツィアの町並みや風物が描かれており、一種の風俗画になっている。

（鈴木道彦訳）

②プルースト『ゲルマントの方ⅡⅡ』から。

「カルパッチョかメムリンクが連作を描いた聖遺物箱」

〔訳注〕ヴィットーレ・カルパッチョの『聖女ウルスラ物語』と、フランドルの画家ハンス・メムリンクの『聖女ウルスラの聖遺物箱』を考えているのであろう。（鈴木道彦訳）

③プルースト『逃げ去る女』から。
「ゴンドラを小広場《ピアツェッタ》の前で待たせた私たちは、聖ヨハネがキリストに洗礼をほどこしているヨルダン川の水を眺めていたが、その洗礼堂とモザイクを思い浮かべると、ひんやりとした薄明かりに包まれて私のかたわらにひとりの婦人がいたことを無視するわけにゆかず、それを大切に思う時が今や私にやって来たのだ。ヴェネツィアにあるカルパッチョの描いた『聖女ウルスラ物語』のなかの年とった婦人のように、うやうやしくも熱狂的な心をこめて喪服に身をくるんだ彼女は、頬を赤くし、悲しげな目つきで、黒いヴェールを垂らしている。何物も彼女をやわらかな光に照らされたサン＝マルコ寺院から外へ連れだすことはできそうにないし、まるでモザイクと化したように、そこに彼女用の不動の席が確保されているのだから、今でもサン＝マルコ寺院に行きさえすればかならず彼女に再開できるだろう。この婦人こそ私の母である。」

（鈴木道彦訳）

記録9　私のプルースト関係の記録

①　プルーストは一八九九年にラスキンの研究を始めている。その年はドレフュス事件の最中だったが、ラスキンの「アミアンの聖書」と「胡麻と百合」を翻訳しようとした。ラスキンは、アミアンの町を〈フランスのヴェネツィア〉と言った。後にプルーストはアミアンを訪ねた。また母親宛の手紙で、イタリアでもローマとヴェネツィアへ行きたいと書いている。

②　プルーストが実際ヴェネツィアに来たのは一九〇〇年の五月と九月で、彼が二十九歳のときだ。九月のときは帰ったのは十月末だ。このことは「消え去ったアルベルチーヌ」の第三章に書いている。

その年一月にラスキンは亡くなった。「スワンの恋」にも、そのことを書いている。たとえば、「碧玉の壁をめぐらせ、エメラルドを敷き詰めてある大理石と黄金の都」とか、「インド洋の珊瑚礁に似た紫水晶の岩から出来ている」とかだ。これらはラスキンからの引用らしい。プルーストと母親が泊ったホテル・ダニエーリは、ラスキンやミュッセも泊っている。プルーストは後でゲルマント公爵夫人のモデルのストロース夫人に、「かの地へ行って、私は自分の夢が自分の棲家になったことに気付きました」と手紙に書いている。

また、ヴェネツィア行きの前に、当時ローマにいた友人の音楽家レイナルド・アーンに、ぜひヴェネツィアに来てくれと手紙を出し、それが実現した。レイナルドの従妹がフィレンツェにいたので、従妹もヴェネツィアで合流している。

③ プルーストはゴンドラに乗って、一つ一つ寺院を訪ねている。そして、サン・マルコ広場の「カフェ・フロリアン」で休んで、アイスクリームを食べながら鳩を眺めていた。サン＝マルコ寺院を訪れたプルーストは、神秘的なサン＝マルコの彫刻を見て、「それ自体が神秘的で、数多くのイマージュや美、そして宗教的なものに満ち満ちており、周囲の暗がりの中で光り輝く天使たちに包まれていた」と感想を残している。

④ プルーストのヴェネツィア訪問で得たイメージは、藝術的な偉大さと、人間的な卑小さとの間で揺れ動く振幅の大きなものだった。そのヴェネツィアの風景は、トーマス・マンの「ヴェニスに死す」とは全然異なったものだ。マンは、ヴェネツィアを、精神的で温かでその上孤独の漲る風景と見ていた。プルーストは、「ヴェネツィアの街路はサファイア色の水の上にあった。微風で爽やかになった水面は、落ち着いた色を湛え、疲れた目も、強い反射を恐れずに視線を休めることも出来た」と書く。「水の都の静けさが彼らの声を優しく受け取って、解きほぐし、水の上に撒き散らすようだった。ここの港の中は暖かだった」と。

⑤　これ以後、プルーストは執筆で部屋に閉じこもったとき、憂鬱に堪えかねて苦悩に打ちひしがれたときなど、行きたい土地はいつもヴェネツィアだった。「あの無意識的記憶の中の太陽は、冷たい光を帯びて事物にヴェールを掛け、夾雑物の姿を排除している」と。彼は、パードヴァにも行き、ジョットの絵を見た。また、ラスキンの『ヴェネツィアの石』を読んでカルパッチョの絵を知り、この書物をヴェネツィア案内のように楽しんだ。

（白崎容子訳）

記録10　カルロ・デッラ・コルテ「水から空へ：ふたつのヴェネツィア」（イタリアの写真家）
「そして、いくつもの島や洲、これらを土台にして町は造られた。石を敷きつめ、橋をかけ、家屋、宮殿、教会、その他もろもろの建造物を生みだしてきた。これらもまた、この町の基調をなす水と空のあいだに、持ちつ持たれつの関係をつねに保ってきたのである。そして、水と空もまた、相互に影響を与えあう。空は湿り気と熱気をふくんだ風とともにしばしば水の気配、水の香りを運んでくる。水は、家や雲や樹木をさかさに映しだす。」

記録11　須賀敦子「ヴェネツィアの悲しみ」。
「島に棲んでいることのたよりなさを忘れるために、もとは小さなふたつの島であったのを、彼らは、まず木の骨組みを海に埋め、そのうえに泥を置き、石材を積みかさねることでひとつの都市の形態に島を作り変えた。島ができると、まず教会を建て、広場をつくり、島と島のあいだの、なんの変哲もない海だった場所は、掘り下げてこれを『運河』と呼んだ。歩行者のためには石畳の道路をつくり、にぎにぎしい商館や貴族たちの館で都市をかざる。もとは小枝で屋根を葺いた水上住居群でしかなかったものを、ロマネスクからゴシックへ、ゴシックからルネッサンスへと、彼らは様式を発展させることも忘れなかった。だが、飾りたてても、足のずっと下のほうが水であることが、彼らの意識から消え去ることはけっしてない。」

記録12　矢島翠『ヴェネツィア暮し』

「四百年前に、九州からローマに使いし、イタリアのまちからまちへと旅して好奇心と好意の渦を巻き起した四人の少年たち――〈天正少年使節〉の名前が刻まれた記念碑が、サルーテ寺院と並んだ総主教神学校《セミナリオ・パトリアルカーレ》にあったのである。……目的の石碑は、回廊の赤煉瓦の壁の奥のはしに近く、仰向いて見る高さに位置していた。この回廊には、ほかにも聖職者などの碑がいくつもはめ込まれているので、案内してくれた神父にそれと教えられなければ、捜し出すのに苦労しただろう。頭上高く掲げられたラテン語の古い碑銘からは、ITO MANTIO

やMARTINO JARAなど、姓名の順さえ不統一な表記で書かれた四使節の名前を拾い出すのが、私には精いっぱいだった。(中略)

そして一五八五年六月二十六日から十日間のヴェネツィア滞在中、少年使節たちが泊っていたのも、この一画だったのである。一行の宿舎となったイエズス会修道院は、現在のセミナリオの裏手にある、ジュデッカ運河の側にあった。それは、わが家を出てサルーテの前を通り、サン・マルコを向う岸に眺めながら潮風に吹かれて税関岬を一周する散歩のとき、それとは知らずによく通っていた。ザッテレの岸辺《フォンダメンタ》の歩道の一部だった。(中略)

一五八二年二月二十日長崎を出航した少年たちは、ポルトガル、スペイン経由でイタリアに入り、八五年三月二十三日、ローマで教皇グレゴリオ十三世の公式謁見にあずかる。ところがこの教皇は十八日後に急死したので、使節たちは新教皇シスト五世の選出をまって再び謁見をうけ、大友、大村、有馬三侯への新教皇の返書を託された。(中略)

ローマからアッシジ、ペルージャを経てアドリア海沿岸に回った使節の一行は、アンコーナ、ペーザロ、ボローニャと北上したのち、フェルラーラから船でポー河を下り、ヴェネト潟の南端にあるキオッジャに到着する。……キオッジャに一泊したのち、いよいよヴェネツィアに向った一行の船団は、祝砲と鐘の音に迎えられる。サント・スピリト島には礼装姿の元老議員四十人が、少年たちを待ち受けていた。無数のゴンドラや艦船が加わってさらに規模が大きくなった船団は、遠来の客へのサーヴィスにまず大運河の上を進んでから、宿舎の修道院に到着した。」

＊

〔イタリア第13日　ヴェネツィア・第2日目〕

1　サン・マルコ地区（S.Marco）

曇。

今朝、太陽は大運河のほうから昇った。陽がさし始めた一階のレストランで簡単な食事。エスプレッソで仕上げ。チップを置く。気になっていたリリの様子が変だ。食欲がない。眼が痛くなったのか。せっかく待望の町にやってきたのに先が思いやられる。寒いのでゴンドラも乗れない。風邪を引く。

「リリはこの近くで過ごすから、ジュンは好きなところへ行って来なさいよ」

「それじゃ意味がないよ。どうしたの？」

どこか憂鬱そうだ。

「今日は海を見ながら過ごしたいの……」

逆らわずに納得する。

「調べて呉れたヴェネツィアの資料を読んでみたいから、貸して」

読むかどうか判らないが渡す。予定が狂い、私も欲張らずに近くを散歩するだけにする。ホテルを出てSchiavoni《スキアヴォーニ》河岸に来かかると、後から早足の靴音が聞えて来た。

「やっぱり行くわ」

「そうだよ……」

これだからリリは難しい。

「この町はね、歩くかゴンドラに乗るか、それとも水上バスに乗るかしなければどこにも行けないよ。橋だって四百もあるんだから」

以下は、リリの顔色を窺《うかが》いながら歩いた今日のコース。


サン・マルコ広場（Piazza S.Marco《ピアッツァ サンマルコ》）　朝なのに観光客でいっぱい。昨夜はここの広場を横切るように夕陽が聖堂の壁を抜けて奥の祭壇まで照らしていた。金と青と白と赤の華やかな輝き。サン・マルコの建物は、光と影の微妙な振幅を全体に反映させる一方で、ビザンティンとイスラームの二つの円屋根が威容を誇る。広場は一五七㍍×八二㍍の大長方形、石畳が出来るまで五世紀掛かった。鳩の群れが舞い、眼の前の白とピンクのドゥカーレ宮殿に眼を奪われる。

サン・マルコ大聖堂（Basilica di S.Marco《バズィリーカ ディ サンマルコ》）　内陣に入ると、ビザンティン様式の内部が黄金のモザイクで覆われたドームとアーチで圧倒される。暗いながらも燦然と輝いて、一枚一枚のモザイクは二枚のガラスの間に薄い金箔を挟んで熱処理されているという。

ここには、九世紀にエジプトのアレキサンドリアから運ばれた聖マルコの聖体を納めてある。聖マルコはヴェネツィアの守護聖人。モザイクの床は十一世紀、天井のモザイク画は十二世紀の制作だ。「旧約聖書物語」が描かれ、堂内中央に聖女マリアと十二使徒を、その左右にキリストと聖マルコの生涯の物語を描く。祭壇に、「聖女ウルスラ画伝」の殉教者ウルスラもモザイク画像として彫刻されている。

黄金のモザイクで眼も眩みそうだ。説明書はモザイクの数を並べている。

　床のモザイク・天地創造の円蓋・ノアの物語・方舟の建造・動物を方舟に乗せるノア・大洪水・身廊・身廊の天上・使徒像・バーラ・ドーロ・キリストの昇天・最後の晩餐・ゲッセマネの祈り・ユダの接吻・磔刑・聖母マリアと悲しみの女たち・聖マルコの遺骸の発見・薔薇窓。

「こんなにモザイクを貼って、昔の人は信仰が篤かったのね」

内陣に進みながらリリが感嘆する。体調は戻ったらしい。

この聖堂も、光の効果を狙って造られたに違いない。六世紀の写本を使って『創世記』のモザイクを作り、十五・十六世紀の画家たちが仕上げるまで、実に千年の月日を要したという。使徒たちの伝道を描く円天井や、壁に描かれたサロメがモザイクの青光でひときわ光彩を放ち、床に敷き詰められた大理石に描かれている絵を浮び上がらせる。

大聖堂を出て、広場にある鐘塔（Campanile《カンパニーレ》）に登る。太いレンガ積み。高さ九十七メートル。真下の広場が狭く見える。空は爽やかに晴れわたって鷗が舞う。潟（Laguna《ラグーナ》）と呼ばれる海の水面が、さまざまな形で遥か遠くまで潮の流れを作って青い水脈と浅い海底の影を見せて広がる。南側を見るとサン・ジョルジョ・マッジョーレ島のレデントーレ教会堂の尖塔が空に浮かんでいる。

鐘塔を降りて眼の前のドゥカーレ宮殿（Palazzo《パラッツォ》 Ducale《ドゥカーレ》）に入る。これがヴェネツィア共和国時代の総督（dòge《ドージェ》）が住んだゴシック建築の最高作という。一階と二階の壁面は、ビザンティン風の軽やかなリズムのアーチ型柱廊が支え、三階は白と薔薇色の大理石が嵌めこまれている。共和国千年の歴史で、貴族とともにヨーロッパ軍や法王に対抗し、トルコに戦争を挑んで強大な国を築いた総督たちの本拠だ。

驚いたのは、二階の「大評議会の間」で、この宮殿最大の大広間だ。ここで総督や議員の集会、儀式、饗宴が開かれた。正面の壁に描かれたティントレットの〈天国〉は七メートル×二十二メートルもある世界最大の絵。天井中央にヴェロネーゼ（Paolo Veronese）の素晴らしい〈ヴェネツィアの大勝利〉が架かる。ほかにも技巧を凝らした建築美あふれる部屋にヴェロネーゼらの〈勝利の熱狂〉や〈二人の総督が天使に支えられたキリストを敬う〉などの大作が、往時の栄光を象徴するように架かっている。

宮殿を出て西に二百メートルほど歩いてコッレール美術館（Museo《ムゼーオ》 Correr《コッレール》）に来る。階段を上った入口は左手の聖堂の真ん中、それと向いあって右の扉がサン・マルコ洗礼堂（Battistero《バッティステーロ》）の入口だが、洗礼堂は修復中だ。脇扉の閾の床の大理石が、色模様のモザイク・タイルであること、石切り場のアッコから運ばれた二本のピラスターが、小広場（Piazetta《ピアツェッタ》）に面したサン・マルコ聖堂の側面南側に据えられていること、の二つを見ただけだ。

十八ある展示室の中で、一階中央のヨハネ像や右上の壁の〈サロメ〉などは見られず、二階にある十四〜十六世紀のヴェネツィア美術の展示室を覗く。その中に、ブリューゲル（Pieter the Elder Brueghel）の〈東方三博士の崇拝〉、メッスィーナの〈ピエタ〉がある。そしてカルパッチオ（Vittore Carpaccio）の〈二人のヴェネツィアの女〉もあった。二人の女が子供と一緒に、庭のヴェランダの大理石の囲いの中で、小鳥や子犬と暑さに耐えながら同じ方向に視線を向ける堂々とした構図。どっしりした存在感だ。昔、この女性は閨房に向かう娼婦（Cortigiane《コルティジャーネ》）と見られたことがあるとか。それにしては優雅な着衣だ。これが名家トゥレルラ家の女性と判ったのは近代のことという。

リリが「ちょっと疲れちゃった」と言うので、「それならホテルに戻ろうか」というと、いやだという。眉をひそめる顔がまるで駄々っ子だ。

「お腹が空いたんだろ？　もう昼が過ぎたから店が閉まらないうち食事にしよう」

近くを探し、美術館裏の Calla Vallaresso《カッラ ヴァッラレッソ》通りにある〈Harry's Bar〉という店を見つける。昼食（pranzo《プランゾ》）は、一度食べたグリンピース入りの米の料理（risotto con piselli《リゾット コン ピゼッリ》）と仔牛レバーの玉葱炒め煮（fegato alla veneziana《フェガート アッラ ヴェネツィアーナ》）。結構うまい。一人二万七千リラは安い。リリの憂鬱症はカトレアが出来ないせいじゃないか。そうなら解禁すればいいのだ。

食事のあと、老舗のカフェ〈Florian《フローリアン》〉に来る。広場に面したテラスの椅子に掛け、ご機嫌直しにカップッチーノ（cappuccino）を飲む。

「この店にカサノヴァやバイロンも来てるんだよ」

「そうよ。ゲーテもリルケもスタンダールもよ」

「ワーグナーはね、《トリスタンとイズー》をここで書いて、ここで死んだんだ」

リリは黙って目を瞑ったまま、吹きぬける潮風の匂いを嗅ぐように鼻を向ける。

「ああ、いい気持、この風……」と肩を落とす。カップッチーノの香りが流れる。

「気分よくなった？」

「うん。……思ってご覧なさい……こんなところまできたのよ、あたしたち……」

「ああ」

「運河の水ってエメラルド色ね、ひたひた寄せてるのを見てると、こっちまで心が揺さぶられてくるみたい……」

「揺さぶられて、それからどうなるんだ？」

「ジュンと遠くまで来たってこと……これからどこへ行くのかしら……」

手を握った。返事はいらない。リリは不安な顔で続けた。

「愛するって、いつまでも続くの。リリはどうしたら良いの、これから先、何が起こるかわからないし……」

こういう思いには答えようがない。答えないほうがいい。かといって、放置も出来ない。むしろ無関心を装うか。

「nil admirari《ニル アドミラリ》……。全く無感動、無関心っていう奴、よくないな」

自問自答だ。思いと反対の言葉が口をついて出そうだ。リリは何かの感懐に浸っている。それだけはわかる。でも一緒に楽しむという気分ではない。

あらためて広場を見渡す。いつか見た映画のシーンを思い出した。あれはデイヴィッド・リーンの『旅情』だ。キャサリーン・ヘップバーン扮する独身の米人秘書が、ひと夏のヴァカンスで、この街の骨董店の店主ロッサノ・ブラッツィと出会って逢瀬を重ね、それも実らず別れて帰国する悲話《ストーリア》ロマンス。もう一つはフェニーチェ劇場を背景とした『夏の嵐』。これは見ていない。あの運河の向うのリド島で撮影した「ヴェニスに死す」は侑子と見た。ここに侑子がいたら何というだろう。侑子が遠い存在となった今、すでに懐旧の時を呼び戻す必要はない。そんな非現実より、ここにいるリリを思うべきだ。リリを大事にしよう。

海岸通りに戻り、運河の手前から溜め息の橋（Ponte《ポンテ》 Dei《デイ》 Sospiri《ソスピーリ》）を眺める。政庁のあったドゥカーレ宮殿の後ろの運河を跨ぐようにして、隣の新監獄の建物（Nuovo《ヌオーヴォ》 Prigioni《プリジオーニ》）とドゥカーレ宮殿の二階とを繋ぐ渡り廊下風の橋だ。橋に二つの鉄格子の嵌まった窓がある。有罪判決を受けて監獄に入る囚人が、窓からこの世の見納めに外を見て溜息を洩らしたことから「溜め息の橋」と呼ばれる。カサノヴァがこの監獄から見事に脱獄した話は有名だ。

次に、schiavoni《スキアヴォーニ》河岸を東へ四百《メートル》ほど行き、Calle《カッレ》 de《ド》 Vin《ヴァン》通りを左折してサン・ザッカリーア教会堂（S.Zaccaria《サンザッカリーア》）に入る。ゴシックの鐘楼、内部はゴシックとルネサンスの混合で、灰色の柱とアーチ、白漆喰の天井、白大理石の祭壇と扉。これ以外の空間はすべて絵で埋められて圧倒的だ。祭壇にはジョヴァンニ・ベッリーニ（Giovanni Bellini）の〈聖なる会話〉のキリストを抱くマリアと侍女たちが、あたかも生きているように現実味を帯びて描かれ、しかも綺麗だ。この三幅対（trittico《トリッティーコ》）は見るものを引き込ませる恍惚の聖母だ。記憶にとどめておく。

踵を返して、三月二十二日大通り（Calle《カッレ》 Larga《ラールガ》 XXII《ヴェンティドゥ》 Marzo《マルツォ》）から四本柱の入口の「フェニーチェ劇場」（Teatro《テアートロ》 La《ラ》 Fenice《フェニーチェ》）の前に来る。時間もないので見学を断念する。今日の演目はロッシーニの〈セビリアの理髪師〉とブリテンの〈真夏の夜の夢〉だ。

「ここでオペラを聴くのは理想なんだけどね。ヴェルディの〈Nabucco《ナブッコ》（Nabucodonosor《ナブコドノゾル》）〉、〈Rigoletto《リゴレット》〉や〈La《ラ》 traviata《トラヴィアータ》〉はここで初演されたんだ。〈Il《イル》 trovatore《トロヴァトーレ》〉とか、〈Aida《アイーダ》〉、モーツァルトの〈Cosi《コスィ》 fan《ファン》 tuttes《トゥッテ》〉なんて、みんなここで見られるんだ」

「ジュンが一人で来て見たらいいじゃない」

「そんな冷たいこと言うもんじゃないだろう？」

「〈フェニーチェ〉ってどういう意味か知ってる？」

「知らないな」

「不死鳥よ」

「そうだそうだ、……」

「じゃ、〈コスィ・ファン・トゥッテ〉って、どういう意味？」

「いつか聴いたことがあったけど」

「〈女はみんなこうしたもの〉っていうの。二幕のオペラ・ブッファ」

「筋は？」

「忘れないようにね。この歌劇は〈恋人たちの学校〉ともいうの。士官のフェッランドがテノール、その許婚ドラベッラがソプラノ、もう一人の士官グリエルモがバリトン、その許婚フィオルディリージと侍女のデスピーナもソプラノ。そしてドン・アルフォンソがバリトン」
「それで?」

「二人の士官がそれぞれ姉妹の女性を許婚にしているけど、男たちの友人のドン・アルフォンソが、果たして彼女たちが本当に貞節かどうかを試すお芝居を仕組んで、ものの見事に浮気をさせるという話よ」

「面白そうだね、それ」

「ついでに言うと、初演が一七九〇年、ウィーンのブルク劇場でよ」

「わかった」

リリの機嫌を損ねないよう興ずる風をする。話しながらサント・ステーファノ教会(S.Stéfano《サントステーファノ》)まで長い道を歩く。ようやく教会に来て、入ってすぐ内陣右奥の聖具室の右壁に、ティントレット(Tintoretto)晩年の作品、〈最後の晩餐〉と〈洗足式〉〈畑での祈り〉の三点が架かる。天井は木製、四角の格子を組んだ船底構造で天井と壁が一体になっている。

リリの顔色が優れない。

「今日はこれでおしまいにしよう」

「そうね。ああ疲れちゃった!　最初の夜は美味しい料理を食べましょうよ」

リリといっしょに店を探し、やっと聖堂裏のS.Marco《サンマルコ》通りのリストランテ〈Ai Coisti《アイ コイースティ》〉を見つける。フルコースを摂る。始めの前菜は生ハムとメロンのつき合わせ、次にアスパラガスのクリームソース。リリはいんげん豆入りスープ（zuppa di fagioli《ズッパ ディ ファジョーリ》）とグリーンピース入りコメ料理（risotto con piselli《リゾット コン ピゼッリ》）。私はカナッペ用のパンクロスティーニ（pancrostini）とあさり入りスパゲッティ（spaghetti alle vongole《スパゲッティ アッレ ヴォンゴーレ》）。肉料理は仔牛レバーと玉葱の炒め煮（fegato alla veneziana《フェガート アッラ ヴェネツィアーナ》）、野菜はさやいんげん（fagiolini《ファジョリーニ》）のバター炒め、あとはフルーツポンチ、飲み物は赤ワインのBarolo《バローロ》。ひたすら食べる私と違い、リリは何度もフォークを皿に置く。

「これなら東京でも食べられそうじゃない？　特別の味じゃないわ」

「少しおかずを取りすぎたね。だからあんまり美味しくないんだ」

「うん。ちっとも美味しくない」

「体調のせいだよ、悪いときは何を食べてもまずいから」

「身体はなんともないわよ」

ワインも残して店を引き上げる。途中でみやげ物屋に来たとき、リリがはたと足を止めたが店には入らず、通り過ぎる。

歩きながらBar《バール》を探すうち、「今夜は早く休むわ」といい、まっすぐホテルに戻る。バスに温まってリリを洗う。別段具合の悪そうなところはない。

「カトレアしないからかな？」
「だめよ、まだ」
リリをそっとして、いつものように手を握って寝る。

**〔イタリア第14日　ヴェネツィア・第3日目〕**

**2　サン・ポーロ地区**（S.Polo《サンポーロ》. 午前）

曇。

部屋の窓から見える大運河が、きらきら朝の陽を映している。暖房の効いた部屋で寒気は感じられない。目を覚ましたリリは、幸いに目を痛がらない。昨日のコースが少しオーバーだったので、今日は歩数を落として廻るという。一階のリストランテで朝食（colazione《コラツィオーネ》）。リリがミルクコーヒー（caffellatte《カッフェッラッテ》）をお代わりする。チップを置き、夕方寒くなるのでブルゾンを一枚余計に持って出る。

まずはリアルト橋（Ponte《ポンテ》 di《ディ》 Rialto《リアルト》）を目指す。サン・マルコ広場を隔てた向うに旧制財政官舎（Procuratie《プロキュラティーエ》 Vécchie《ヴェッキエ》）のアーケードがある。その近くに時計塔（Torre《トッレ》 de《ド》 L'orologio《ロロロージオ》）があり、そこから始まるMerceria《メルチェリーア》 de《ド》 L'orologio《ロロロージオ》通りを抜け、S.Zulian《サンズリアン》教会の脇の同じ名前の通りへ入る。少し歩いてCapitello《カピテッロ》通りに入り、途中、左手に綺麗なウインドーの前に差し掛かると、リリは中を覗いて入っていった。

　買い物でもするのか女店員と話している。濃いワイン色のプリーツの衣装が奥の棚に畳んで置かれている。リリが見つけて、

「これ、イッセイ・ミヤケでしょう？」

　と訊く。腹の出た中年の男が、ぎょろりと眼を向けて、

「いや、これはマリアーノ・フォルトゥニー（Mariano Fortuny）ですよ、素晴らしい生地でしょう！」

　と得意げに摩《さす》ってみせる。フォルトゥニーと聞いて思わずリリと顔を見合わせた。こんなところでプルーストの作品と出会うとは驚きだ。リリは何度も手で触り、欲しそうにしている。買ってやろうかどうしようか迷っていると、今にも買いたそうに、

「いいわね、このワインレッド！」

　と生地を肩に垂らして掛けて私を見返る。

「どう？　似合う？」

「ぴったりですよ！　よくお似合いですこと」と女店員が眼を細めて笑っている。

「ああ、お似合いですな。目が覚めるようです。この生地が奥様をお待ちしていたんですよ」

　店主は掌をこすって愛想を振りまく。買うしかない。

「買ってやるよ」

思い切って言ったとき、リリは私をまじまじと見つめ、

「ほんと？　有難う！」

店主が紙袋に生地を包んで手提げ袋に入れる。私がそれを受取る。リリは嬉しそうに晴れ晴れした顔で店を出た。振り返ると、〈Al《アル》 Duca《ドゥーカ》 d'Aosta《ダオースタ》〉と金文字で店の名がショーウインドーに貼り付けられていた

「いつの間にかアルベルチーヌになったね？　小説みたいにそれを着てどこかへ逃げ出すんじゃないだろうね」

「偶然って恐ろしいわね。もしかしたら、ママのお土産にしちゃおうかしら」

私は黙っていた。それはリリの自由だ。私は手提げ袋を持って歩く。

さらにリアルト橋に向かい、通りの終りに来てサルヴァドール教会と出会う。そこを右に曲ってS.Salvador《サンサルヴァドール》通りに出ると、右角に〈Salvadori《サルヴァドーリ》〉という宝飾店が見えた。リリが「あの店へ行ってみない？」と言うのでついていく。ウインドーに何種類もの宝石が所狭しと並べてある。眺めているうち、リリが、

「あれ、綺麗ね」

と目ざとく何かを見つけた。真ん中に硝子のネックレスが飾ってある。

「買っちゃおうかしら？」

リリは入っていって交渉を始めた。リリと同い年くらいの美しい女店員。

「もう少し、お安くしてくれない？」

「いいでしょう、お嬢さん！」

栗色の巻き毛で切れ長の目の女性が応対している。きれいに澄んだ声。

見ると、ヴェネツィアン・グラスの繊細なロングネックレスが、リリの手に握られている。黒と茶のクリスタルで見事な透明感があり、まるで夜光を放つようだ。

「これ下さい」

巻き毛の女性はにっこり笑って包装箱に収めた。それをバッグにしまいながら、思わぬ買い物をしたので嬉しそうだ。

「良かったね、また好きなのが買えて」

「そう、これはヴェネツィアの記念よ」

店の前のStagneri《スタニエーリ》通りを抜け、同じ名の通りを左折するとMerceria due Aprile《メルチエリーア ドゥエ アプリーレ》通りに突き当たる。そこを右折してサン・バルトロメーオ広場（S.Bartolomeo《サンバルトロメーオ》）に来た。ここは大運河の中心地だ。歩き出してざっと二キロ。

眼の前に屋根の付いたアーケードが二つ。リアルト橋（Ponte di Rialto《ポンテ ディ リアルト》）は始め木造だった。

十四世紀に焼け落ちて十六世紀に今の大理石の橋となった。長さ五十メートル、幅二十二メートル。このあたりはヴェネツィアで最初に人が住み着いたところだ。人口十万に対して娼婦が一万以上もいたというからそれだけ人々の行き交いも多く、経済の中心地でもあったわけだ。

ヴェネツィアの橋は、下で船が通れるように、どの橋も中心に向って太鼓橋のようにカーヴの膨らみを作り、ゆるい勾配がつけられ、必ず両端に階段がある。この橋を運河から眺めると、橋のアーチに施されている大理石のさまざまな細工が目に付く。どうやら石と石の継ぎ目を覆うためらしい。大理石に彫った石の仮面は、ちょうどギリシャの様式のそれだ。デザインは四百年前のままというから古い。反り返った橋を渡るとき、少し上り、少し下る。それを繰り返しながら幾つもの橋を渡るのがこの街を歩くことと判った。

リアルト橋から運河を眺めると、両岸に並び建つ石造りの建物が遥かまで続き、川面に水上バス〈vapoletto《ヴァポレット》〉の渡し舟が浮かぶ。この眺めは恐らくヴェネツィア第一だろう。

橋の両側に商店が並び、みやげ物屋のアーケードの間を向うの岸へ降りていく。ちょうど乗合船から降りた買い物客と合流する。リリは花屋の前で暫く切花を眺めていた。すると隣の果物屋の肥った女が、大きなエプロンで手を拭きながら、

「Senti《センティ》！bella《ベッラ》 signora《スィニョーラ》！Queste《クエステ》 prugne《プルーニェ》 est《エ》 buone《ブオーネ》！」（ちょっと！　綺麗なお嬢さん！　このプラムは美味しいんだよ！）

と呼びかけた。リリの手提げ袋を持ってやる。リリは店に入って幾つかの果物を買った。

「Basta《バスタ》 cosi《コズィ》. Quante《クワンテ》 costa《コスタ》 ?」（もうこれでいいわ。お幾らかしら？）

と訊き、何枚かのリラ紙幣を渡した。

通りはまだ店が続き、乾物屋、八百屋、青物売りの屋台がずらりと並ぶ。

ここからいったん橋へ戻り、西へ向かって凡そ一キロ歩きサンタ・マリーア・グロリオーサ・ディ・フラーリ教会（S.Maria G.dei Frari）に来る。壁面が赤煉瓦で、アーチ模様に縁取られ、上には大理石の尖塔と、七〇メートルの鐘楼が聳える。内部は白とピンクの大理石が交互に敷かれて、側廊の祭壇にティツィアーノの〈ペサロの聖画〉が置かれ、人物が斜めに配置されている。反対側に同じ作者の〈聖母の被昇天〉が赤い衣をまとってひときわ眼を惹く。ここの聖堂の見物らしい。一方のジョヴァンニ・ベルリーニの聖母を囲む三幅対（trittico《トリッティーコ》）は、ザッカリア教会のそれと同じように天国へ向かって心も姿も崇高さのうちに恍惚の境地を開いている。盛り上った浮彫りに色彩を施す穹窿《きゅうりゅう》の中や、祭壇とアルコーヴ（alcove）が複雑に入り組んだところに聖母の玉座が嵌めこまれ、足元に可愛い天使たちが描かれている。天使たちは歌い踊り、楽しそうに楽器を奏でている。プルーストはこの絵を絶賛していた。

フラーリ教会堂を出て建物に沿って左に歩くとサン・ロッコ教会堂（S. Rocco）だ。ここは聖ロッコの聖体が納めてある。内陣の柱の間にティントレットの〈患者を治すキリスト〉と、直った患者が寝床をしまって運ぶ力強い姿を描いた絵がある。その先に、スクオーラ・グランデ・ディ・サン・ロッコ（Scuola Grande di S.Rocco）がある。解説によると、「スクオーラ」とはラテン語scholaで、「協同体」に由来する。つまり宗教的な相互扶助、その同志、そして後年は職業組合の集会所を指すようになったとある。

ここの一階に、宗教的な神秘感の漂う八枚のティントレット最晩年の絵がある。階段を上って折り返すところから始まり、二階の大広間には「旧約」と「新約」の聖書物語の絵がある。画面斜めに置かれたテーブルに、ずらりと使徒が並んだ〈最後の晩餐〉は佳い。奥の間の、木の天井の真ん中に〈聖ロッコ〉、そして正面に巨大な画面の〈磔刑〉が堂々と鎮座している。みな成熟期のティントレットの絵だ。

「もうお昼でしょ。お昼にしましょうよ」

リリはお腹が空いてきたらしい。まだ十一時半だ。早お昼にすれば午後はそれだけ歩けるので言うとおりにする。運河に向かって三百メートルほど歩き、Traghetto《トラゲット》通りのトラットリアで茄子とトマトのlasagne《ラザーニェ》と、risi e piselli《リーズィ エ ピゼッリ》という米とグリンピースのスープ煮を食べる。喉が渇くのでミネラルウォーター（acqua minelare《アックワ ミネラーレ》）を一瓶買う。運河に向かって百メートル先のS.Tomà《サントーマ》桟橋から乗合船（vapoletto《ヴァポレット》）に乗って運河を南下し、幾つか桟橋に停まり、二十分ほどでアッカデミーア桟橋に来て降りる。

**3　ドルソドゥーロ地区〔Dorsoduro. ヴェネツィア第3日目・午後〕**

アッカデミーア美術館（Galleri《ガレリーエ》e dell'《デッラ》Accademia《ッカデミーア》）　古ぼけた建物だ。手荷物を預けようとロッカーを探したがどこにもない。仕方なく、まずは第五室ジョルジョーネ（Giorgione）の〈嵐〉（Tempesta《テンペスタ》）から見る。八十四《チセン》方の小さい絵だ。稲妻の光る不気味な空と雲が垂れ込め、風も吹き荒れている。その下で子供を抱く女がいる。清楚だ。全体に滅び行く過去の栄光をとどめるように余光がなびいている。それを象徴する川と廃墟、塔を照らす銀とブルーの光……。幻想と現実が交錯し、静かな日々を繰り返す息づかいが聞えてきそうだ。それに、右前面に位置する女の佇まいが不思議な神秘感を伝えてくる。これが特徴。あとは、〈嵐〉に描かれた女性が老年になった〈老婆〉が一点。

以下順に展示室を廻る。

①＝中世の絵画。

②＝ジョヴァンニ・ベルリーニ〈聖なる会話〉。

③＝同じくベルリーニ〈受胎告知〉。

④＝マンテーニャ〈聖ジョルジョ〉、ピエロ・デルラ・フランチェスカ〈聖ジェローラモと信者〉、ジョヴァンニ・ベルリーニ〈聖母子像〉と〈ピエタ〉。

⑤＝ジョルジョーネ〈嵐〉、〈老婆〉。

⑥〜⑨＝十六世紀前半の絵。

⑩＝十六世紀後半、ヴェネツィア派の巨匠の絵。右奥の壁にパオロ・ヴェロネーゼの〈レヴィ家の饗宴〉は大画面の鮮やかな光の中に、さまざまな人物が色彩豊かに彩られる。左横の壁＝ティントレット〈聖マルコの遺体の運搬〉。その隣は同じく〈聖マルコの奴隷の解放〉、〈聖マルコの奇跡〉。ティツィアーノの〈キリストの降架〉、〈ピエタ〉、〈洗礼者ヨハネ〉。部屋の左奥にヴェロネーゼ〈聖カレリーナの汚れなき結婚〉。

⑪〜⑮＝ティントレット〈アダムとエヴァ〉、〈カインとアベル〉、〈テゾレリアの聖母マリア〉、部屋の正面に〈十字架の讃美〉。

⑯・⑰＝十八世紀の絵。

最上階の第二十室に来ると大画面が連なっている。リリが、「なんて大きいの！」と驚く。始めにジェンティーレ・ベルリーニ（Gentile Bellini）の〈サン・マルコ広場の宗教行列〉。次も同じ作者の〈サン・ロレンツォ橋における奇跡〉で、運河に沈んだ聖十字架を発見してそれを浚《さら》っている絵。次は、右の壁にカルパッチオの〈リアルト橋における奇跡〉。これも運河に落とした聖十字架を拾い上げる物語を描いている。画面下に、ゴンドラが今にも接岸するというとき、斜め後ろに背中を向けてコートを引っ掛けて立っている青年がいる。一九〇〇年、ヴェネツィアに来てこれを見たプルーストは、『逃げ去る女』の中で、話者がこれに眼を留め、そのコートがデザイナーのマリアーノ・フォルトゥーニが作ったことを知って、後にゲルマント公爵夫人の口利きでその一着をアルベルチーヌに買い与える話を書いている。調べてきた資料にあった。

「ほら、これだよ、きのう買った生地と同じフォルトゥーニのコート」

色こそ褪めているが、絵の中のコートは小説に出てくるアルベルチーヌが着ていたコートだ。アルベルチーヌはこれを着たまま〝逃げ去った〟。

上に上がって、大作〈聖十字架遺物の奇蹟〉を見る。木造のリアルト橋の下で、幾艘かのゴンドラが十字架を探し、それを対岸の大勢の人々が見守っている賑々しい絵だ。

第二十一室はカルパッチオだけの部屋。カルパッチオは、十五〜十六世紀のヴェネツィア最盛期を生きた画家だ。

八枚の連作〈聖女ウルスラ物語〉。これも、プルーストの『逃げ去る女』のヴェネツィアの章にあった。話者と母がゴンドラを雇って一番多く出かけたのはサン・マルコ聖堂で、「大理石とガラスとのモザイクであるタイルを踏んで洗礼堂の中に入った」とある。

資料のとおり、この美術館は〈大使の派遣〉が左の三枚、〈ローマへ出発〉は正面の絵、殉難の告知の絵〈聖ウルスラの夢〉は右の奥、〈帰途、ケルン着〉は右の二番目、そして最後は〈フン族に襲われウルスラは聖女として葬られる〉という絵が並んでいた。


ホテルに戻り、リリとバスに浸かる。上ってから、「くたびれた！」を連発しながらもビールを飲んで喉をいやす。

「今日はいい買い物したから元気が出ただろう？」

「そうよ。買い物はしないと決めてたんだけど、やっぱり乙女心はそれでは済まないのよ」

「おとめ心？」

「女性が買い物するときは乙女心に還るものよ。ネックレスと洋服の生地よ。そりゃ嬉しいわよ。だってそうでしょ？　滅多に買い物なんかしないリリだもの」

「だから良かったじゃないか」

「ちょっと贅沢だったかしら？　ジュンに何も買わないで悪かったわ」

「僕なんかいいさ。リリが喜んでくれるのが一番だ」

「あらそう、有難う」

蟠りはないが、なにか言いそびれた感じが残る。

「さっき、運河を走ってるゴンドラに七、八人固まって立ったまま乗ってたわね。あれは通勤用の渡し舟（traghetto《トラゲット》）かしら。すし詰めに詰め込まれてる感じ。船頭さんも二人いたわ」

「ゴンドラの渡し舟は住民の足だろうね。観光のゴンドラは一人の船頭で間に合うらしい」

「日本だったら、ヴェネツィアとどこが似てると思う？」

「どこだろう？　瀬戸内海のどこかの島かな」

「リリは京都じゃないかと思うけど」

「京都？　だって京都は海も水もないじゃないか」

「離れてるけど琵琶湖があるわ。鴨川だってあるし。どっちも昔は文化の中心地だったでしょ。そして、他の土地の人たちに乗っ取られたりして。ここと同じよ」

「そうかなぁ？　まあいいや……」

逆らってはまずい。ここは黙って聴いておく。

「今夜は何だかいい夢を見そうな気がするわ」

「そうあって欲しいね」

話が弾んでいたところへ、フロントから電話が入り、ミケーレからファックスが入っているから取りに来い、ということで、リリが立っていく。

「これね、ミケーレがミラーノのリストランテを探すの大変だから、店だけ選んで知らせておくって書いてあるわ」

ファックスを見ると、びっしり細かい活字で市内のレストランの名前と住所が書いてある。

「これ、訳すの面倒くさいけど、あとでやってみるわよ」

「じゃ、たのむよ」

さっきからの安らいだ気持ちに帰ってベッドへ行き、横たわるリリの繁みに掌を置く。リリも指先で突起を摩っている。

その夜、知らぬまに部屋の白い壁が海水に溶けだし、その水がさざめきながらワイン色の衣装を溶かしはじめ、それと一緒にリリも私も、遠く離れた未知の世界へ運ばれていく、そんな夢を見た気がした……。

《ドルソドゥーロ地区の割愛》

サンタ・マリア・デッラ・サルーテ教会　バロックの白い伽藍。大祭壇左にティツィアーノの〈キリストの降天〉、聖具室は、十七世紀にペストの流行が収まり、聖母マリアを祀って感謝を表すために建てられた教会。

カー・レッツォニーコ　三階のヴェネツィアの風景画。カナレットの〈リアルトから眺めたカナーレ・グランデ〉と〈リオ・ディ・メンディカンティ〉。
《カナレッジョ地区の割愛》
ヴァポレットの52番でフォンダメンテ・ヌオーヴェで降りる。
ジェスイーティ（イエズス）教会堂　ティツィアーノの〈聖ロレンツォの殉難〉
マドンナ・デル・オルト教会堂　格天井。ティントレットの〈最後の審判〉、〈立法の板を受け取るモーセ〉。ティントレットの墓。
カンポ・ディ・モーリ　ムーア人の彫像三体。
ジョルジョ・フランケッティ美術館

**〔イタリア第15日　ヴェネツィア・第4日目〕**

**4　カステッロ地区（Castello.）**

晴。ホテルの ristorante《リストランテ》 で朝食をとった後、そろそろ疲れが出てきたか、リリが今日一日ホテルで休んでいたいという。それもいいが、後で気が変わりそうなので念を押した。

「あとで急に気が変るんじゃないだろうね」

「そんなことないわよ。この辺で一度頭の整理をしておこうかと思って。今まで一つも発見がないんですもの」

それなら〈自分から物を見てやろう〉としないかぎり駄目だ、と言いたかった。何のために今日まで歩いてきたのか。

パリでミラボー橋を渡っていたとき、リリが言った言葉を思い出す。

「〈人は一人で時を失い、一人で時を見出す以外にない〉ってプルーストも言ってるわ。死ぬ時も一人で死ぬ以外にないのと同じにね。そういう感懐を持つのよ。そうでないと、宗教画は理解できないわ」

今のリリは、あのときのリリと違ってしまったのだろうか。

第一、ミケーレにも悪い。せっかくホテルまで紹介してくれたのに、ホテルで寝ているなんて聞けば、彼だって良い気持ちはしないに決まっている。

「ミケーレにも連絡を取って、ミラーノのことでも相談してみたら？」

「ジュンはいいわよ、リリにくっついて歩いていればいいんだから。リリはそうは行かないの。そろそろ帰国の用意もしなければと思ってるの」

これは駄目だ。そっとしておくしかない。

「じゃ、すまないけど一人で歩いてくる。お昼は一人だよ、いいね。それから、後の準備をたのむよ、ね」

チップを置いて、思い切って一人でホテルを出る。

地図を見てサン・マルコ広場の北側から歩き出す。S.Marco《サンマルコ》通りから入ってRimédio《リメーディオ》通り、そこからCalle Querini《カッレクエリーニ》通りを行くとパラッツォ・クエリーニ・スタンパリアという図書館兼美術館に出る。そこから少し歩いてサンタ・マリーア・フォルモーザ教会堂（S.Maria Formosa）に来る。ここは聖女マリアが出現したという古い教会。横の広場はこの町最大の広さがあるという。右手奥へ進んで、Pindemonte di Borgoloco《ピンデモンテディボルゴローコ》通りを抜け、サント・マリーナ広場を右に折れてCalle.《カッレ》Castelli《カステッリ》通りを左に進み、サンタ・マリーア・デイ・ミラコーリ教会堂（S.Maria dei Miracoli）に来る。多角形で筒型の塔と円いドーム。建物の壁にいろいろな大理石がはめ込まれ、「ヴェネツィア・ルネッサンスの宝石」と呼ばれるそうだ。正面の外壁に大理石が幾何学模様に嵌め込まれて綺麗。そこからCalle Larga《カッレラルガ》通りに入り、パナーダ運河とメンディカンティ運河を渡って、スクオーラ・グランデ・ディ・サン・マルコ（EX Scuola Grande di S.Marco）という市立病院に来る。入口の両側はだまし絵風のライオンが彫られ、その上に半円形の中に聖マルコが彫りこめられている。病院と隣接してサン・ジョヴァンニ・エ・パオロ教会堂（SS.Giovanni e Páolo）がある。内陣は長さ百メートル、幅三十二メートル。サン・マルコ大聖堂に次ぐ重要な教会で、二十五人の総督を祀る大理石の墓碑が並んでいる。

やはりリリがいないと落ち着かない。一緒に歩いていれば、側にいなくてもリリの匂いがして安心だ。それが判った。いつも居る人が居ないということは不自然だ。ホテルに戻って一緒に昼食を食べようかと、スキアヴォーニ河岸へ戻りかけたが昼にはまだ早いからもう少し足を伸ばすことにする。

Zaccaria《ザッカーリア》の船着場を過ぎて左手に見えてきた白い建物がピエータ教会堂（La Pietà）だ。今日は締まっている。ここはヴィヴァルディがヴァイオリンを教えていて、孤児院のためにバロックの名曲を六十ほど作曲したという。この奥はビエンナーレ美術展の会場だ。来た道を戻ってCalle de Vin《カッレ デ ヴァン》通りを右折すると、遥か遠くにゴシックの鐘楼が見えた。そこを出て、Osmarin《オスマリーン》通りとCalle Del Lion《カッレ デル リオン》通りに入ってリオ・デッラ・ピエタ運河（Rio della Pietà）を渡り、スクオーラ・ディ・サン・ジョルジョ・デッリ・スキアヴォーニ（Scuora di S.Giórgio degli Schiavoni）に来る。ここは、「スラヴォニア人の聖ジョルジョ組合集会堂」といって十六世紀からの宗教的祭儀場という。ここでカルパッチオの作品群を見る。天井すれすれに九枚の絵が並んで掛けられて見事なものだ。

そろそろ空腹を覚えてくる。さっきのカッレ・デル・リオン通りに戻って Bar《バール》 に入り、肉詰めのパスタ（tortellini《トルテッリーニ》）とミルクコーヒー（caffellatte《カッフェラッテ》）で簡単な昼食。リリがいないので味気ない。いまごろホテルでどんな昼飯を食べているのだろう。そして何を考えていることか。うかうか一人で歩いている無意味さが身に沁みる。早く帰ろうとは思うが、もう一つ見て行こ

う と欲が出て、手帳で調べたサン・ジョルジョ・デッリ・スキアヴォーニ集会堂へ行ってみようと思い、乗合船（Vapoletto）《ヴァポレット》で大運河を遡ってサン・トーマ桟橋（S.Tomà）で降り、スクオーラ・グランデ・ディ・サン・ロッコ（Scuola Grande di S.Rocco）へ向って二百メートルほど歩く。

このスクオーラは、カルパッチオの傑作もあるが、ティントレットの作品が圧倒的に空間を埋めている。解説本には、プルーストはティントレットよりカルパッチオに惹かれたらしいとあった。

陽が傾きだした。教会の斜め端にある桟橋から、乗合船で対岸のサン・タンジェロ桟橋（S.Àngelo）で降り、カンポ・サン・ベネート広場（Campo S. Beneto）まで歩いてフォルトゥニー美術館（Museo Fortuny）まで足を運ぶ。ところが全館修復中だった。残念！

再びサン・タンジェロ桟橋から乗合船でアッカデミーア橋を潜り、大運河へ出る。両岸は次々と館《パラッツォ》が隙間なく櫛比《しっぴ》している。終着近くに、運河に面した有名な「ホテル・エウローパ」が見えてきた。建物下の側面に書かれた「HOTEL EUROPA」の文字が、長い間波に洗われた痕で汚れている。ホテルのテラスや壁にびっしり木蔦が這い延びている。やっとザッカーリア桟橋（S. Zaccaria）に来て降りる。見上げると、空はいつの間にか暗い雲に覆われだし、今日一日が瞬く間に過ぎていったことが思い返される。

ホテルに戻るとリリが待っていた。

「ああ、歩いた、歩いた！　疲れちゃったよ」

「どうだったの？　一人でも愉しかった？」

「つまんなかった」

「どこかで美人を見つけたんでしょう？」

「そう。あっちもこっちも美人だらけで眼のやり場に困っちゃった」

それには答えず、いたずらっぽく後ろ手に何かを隠した。

「さっきから向こうのマッジョーレ教会を見てたの。ぼんやりとしか見えないけど、海に浮かんでる形が気に入ったの。街はずいぶん人が多く出ていそうね。……それで、どうだったの？　どこへ行ったの？」

一人で考え続けていたらしいが、何かを発見したわけではなさそうだ。かといって、この一人ぽっちをつまらなく過ぎたようでもない。

「人生って、善いことと悪いことから出来てるのね、しみじみそう思ったわ」

「なんでそんなに考え込むんだ？」

「ちょっとね。苦悩と歓びだけしかないのよ、この人生は……」

まだ後ろ手に隠している。それには触れず、

「メモを見てさ、地図を頼りに歩いてみたんだ。橋が多いんだよ。どこへ行くのも橋があって。あ、それなに？」

「それより何か収穫はあったの？」リリは逸らした。

「大ありだよ。カルパッチオの絵は面白かった」

「カルパッチオ？　生牛肉の薄切りのあれでしょ。牛刺しよね」

「食べ物とは大違い。カルパッチオの絵はうまい。あのころの風俗が見えるようだよ。よく描いてる。それより一日中何してたの？」

「いろいろ。……毎日苦悩と後悔しかない人生なんて、つまんないと思ったの……」

「そんなに苦悩があるの？　じゃ、他に何があればいいんだい」

「いいのよ、リリをほっぽらかして歩って行ったんだから、今日のジュンは良かったじゃない、一人で自由に見て回れて。神経ばかり使わされるリリが居なくて清々したでしょ」

「何をそんなにひねくれるんだ？」

「ひねくれてるんじゃないの、言ってみたかっただけ。実際はその逆よ。さっき運河の向うに星が光りだして、それがだんだん濃くなってきたかと思うと、上へ上へと昇っていったの」

「星が昇った？」

「そう、星の周りも小さい星が群れだして、きらきら輝きはじめたの。それで思わず『トスカ』

の〈星はきらめき〉の歌を思い出したわ……」

「それ、歌ってみて」

リリは星空で光る運河に目をやりながら、メロディーを口ずさみ始めた。

*E lucevan le stelle*

E lucevan le stelle,
ed olezzava la terra
stridea l'uscio dell'orto
e un passo sfiorava la rena.
Entrava ella fragrante,
mi cadea fra la braccia.
O dolci baci, o languide carezze,
mentr'io fremente le belle forme disciogliea dai veli !
Svani per sempre il sogno mio d'amore.
l'ora è fuggita, e muoio disperato !
e muoio disperato !

E non ho amato mai tanto la vita !
tanto la vita !

「星はきらめき」
そして星は輝いて
大地もかぐわしく匂っていた。
果樹園の戸がきしみ、
砂地を軽く踏む軽やかな足音がし、
彼女が甘やかな香りを漂わして入ってくると
私の腕の中に崩れかかる……
おお！　甘い口付け、おお！　悩ましい愛撫！
私は震えながら彼女のヴェールを取り去って、
その美しい姿を顕わにした！
だが私の愛の夢は、永遠に消えてしまった、
玉響《たまゆら》の時は過ぎ行き、私は絶望のうちに死んで行く！
私は死んでいく！

今までこれほど生命をいとおしく思ったことはない！


「それで、どうなの？　気持ちは」

「昼間はずっとあの海を眺めていたけど、光に洗われた海面が金の衣装のようにそれは綺麗なの。鏡のように平らな水で、覗いているリリが映ってきそうだったわ。だからここが水と空の都会だってことが判ったの。それを知らないで街を歩いてもだめよ。肝心な水と空を忘れて、水上都市だと思ってたら、間違った印象を持って帰るだけ。そうやってイメージを固定したら町の中身は絶対理解できないんだから」

「わかったよ。リリは夢を見てたんだね」

「そうかもしれないわ。リリは日常というのをすっかり日本に置いてきたのよ。それで、あのワイン色が海に溶け出して、ぼうっと燃えるように紅い炎が上るのを見たような気がしたの」

「まるで夢遊病者だね」

「そうじゃないわよ。ワインの生地が、あの店主が言ったようにリリを待ってたみたいに思えてきたのよ。そうでなかったら、あんなところで出会えるはずはないもの。ここに来るまで、きっと生活の鬱陶しさを忘れさせて、心の傷を癒してくれると思っていたら、その通りに癒された感じよ。リリの離婚だって、こうしてジュンが来てくれたし、今だって、主人の仕掛けた罠に落ち込まずにここまで来られたんだから、もう彼を疎ましく思わないって決めたわ」

「じゃ、素直に喜んだらいいじゃないか。よかったね。で、そのテーブルの紙はなに？」

「これ？　コイビトに手紙書こうと思って」

「ジャン・クロード？」

「そう。ずっと考えていたの。来てみなければここが水の上に建てられた都会だって判らなかったから。それこそ海に浮かんだ実在しない町だなんて幻想的に考えていたけど、実際はそれ以上に不思議な街よ。ほんとに水に浮かんでる都会なんですもの。世界にここしかないでしょ」

「それで、手紙書けた？」

「だめ。頭の中で書いてるんだから。それより、ここは昔から当然のように住んでる人は別として、あたしたちみたいな観光客はカーニヴァルの季節に巡り会えてたらよかったのにね。仮面舞踏会なんか見たかったわ」

「カーニヴァルはいつ？」

「十月の初めの日曜かららしいわ。それと復活祭の後の四十日目のキリスト教の祝日から二週間。いろんな仮面が見られて、ヨーロッパの祝祭劇って面白いんだってね」

「仮面ならいろんな店で売ってたよ。一枚買っていったらいいよ。だから一緒に歩いてみればよかったんだ。面白い町だよ。傷んだ石の建物があって見るからに痛々しかったけど」

「ヴェネツィアって、広場が方々にあるでしょ。その広場が劇場になるんだって。仮面劇がすぐ出来ちゃうのね」

「調べてきた資料を読んだ？」

「読んだわよ。プルーストのは本の中の説明ね。ほかのもこの町に魅力を感じてるのは判ったけど、あの明治の『回覧実記』は面白かったわ」

「少しでも参考になればいいんだ」

「でもみんな部分的で脈絡がないでしょ。だから役には立たないの」

「そんな意地悪いうなよ。それよりゴンドラに乗りたかったな、寒いけど」

「今からでも乗ってらっしゃいよ。リリは海を見てるほうが好き。ゆったりしている水面が、陽の射し方で深い緑から真っ青に変って行くの。リリまでそれに染まりそうよ。かと思うと、いろんな形の雲がゆっくり流れて、空と一緒に色を変えて海の上にそれを映すの。緑になったときが一番綺麗。エメラルドグリーンで。広い空の中を、教会の円屋根や鐘楼の尖塔が生き物のようにくっきり突き刺さってるのって、とってもいい感じ……」

「じゃ、僕もそれを見に行ってくる」

私はリリをそのままにして下へ降り、再びスキアヴォーニ河岸に入日を見に行く。残念だがもう日は落ちていた。ホテルに戻る道々、今夜こそリリを抱きしめたいと思った。ホテルに戻ってリリを呼んでリストランテで夕食。

前菜はサラミと茸《きのこ》とアンチョビの盛り合わせ、あさり入りトマト・ソースのスパゲッティ、野菜スープ、ヴェネツィア風の仔牛レバーと玉葱炒め、舌平目のグリル、それにデザートのミルフィーユと飲み物はキャンティー・ガッロネローの赤。舌鼓みを打ちながら美味しく食べる。

部屋に戻ると、さっきは気がつかなかったが隅のテーブルに白い紙が裏返しに置かれていた。意味ありげにこちらを見詰めてくる。構わず近づいて裏返すと、欧文の詩が書いてある。ポーの「A dream within a dream」（「夢のまた夢」）とオッフェンバックの「Barcarolle D'Hoffmann」（「ホフマンの舟唄」）だ。どうやらリリお得意の〝心の流離《さすらい》〟を詩で拾っていた感じだ。ここでこの詩を思い出すのは自然なのかもしれない。しかし、なぜか判らないが何かが足りない。訊くだけ野暮だから口には出さない。

「ポーは学生のころよく読んだよ。これ、リリが訳したの？」

「そうよ。いつか横浜で勉強したとき、二人で読んだじゃないの。忘れちゃった？」

「そうだったかな……」

書き写したポーの詩を読む。

*A dream within a dream*

Take this kiss upon the brow !
And, in parting from you now,
Thus much let me avow :
You are not wrong, who deem
That my days have been a dream,
Yet if hope has flown away
In a night, or in a day
In a vision, or in none,
Is it therefore the lesse gone ?
All that we see or seem
Is but a dream within a dream.

I stand amid the roar
Of a surf-tormented shore,
And I hold within my hand

Grains of the golden sand —
How few ! yet how they creep,
While I weep — while I weep !
O God ! can I not grasp
Them with a tighter clasp ?
O God ! can I not save
One from the pitiless wave ?
Is all that we see or seem
But a dream within a dream ?

(Edger Allan Poe)

「夢のまた夢」
この接吻《くちづけ》を額に受けたまえ
あなたとのこの別れにのぞんで
ただこれだけは語らせたまえ——
わたしのすぎし日が夢であったと

たとえあなたが思ったとしてもまちがってはいない。
だが、かりに希望が
一夜のうち、一日《ひとひ》のうち、
夢うつつのうちに消えたとしても、
消えたことに変わりはないはず。
われわれに見えるもの、見えていると思うもの、
すべてはみなただ夢のまた夢。

荒波の砕ける磯の、
そのとどろきの中にわたしは立ち、
わが手に握りしめるのは
金のまさごの砂粒——
なんとわずかな砂粒——　しかもその砂は
わが指の間から海へとこぼれ落ち、
わたしはただ泣きに泣く！
おお神よ、もっともっとしっかりと

この砂を握りしめてはおれないのでしょうか。
おお神よ、無情の波間に
この砂をこぼさずにはすまないものでしょうか。
われわれに見えるもの、見えていると思うもの、
すべてはみな、夢のまた夢にすぎないのでしょうか。

（『ポー詩集』裕リリ子訳）


「ねえ、この歌は歌えるでしょ？　優しい旋律の……」

「知ってるよ、これ、『ホフマン物語』の二幕で歌う愛の二重唱だろ？」

「そう、知ってたの」

「ジュリエッタとニクラウスが歌うんだ。オペラのアリアはたいてい聴いてるよ」

海はいつしか昏《く》れ始めて黝《あおぐろ》い皺を集めている。リリが低い声で「舟唄」のメロディーをハミングする。

*Barcarolle D'Hoffmann*　　(J.Offenbach)

Belle nuit, ô nuit d'amour, Souris á nos ivresses !

Nuit plus douce que le jour, O belle nuit d'amour !
Le temps fuit et sans retour Em porte nos tendresses
Loin de cet heureux séjour Le temps fuit sans retour
Zéphyrs embrasés, Versez nous vos caresse
Zéphyrs embrasés Donnez nous vos hai sers
vos baisers, vos baisers, Ah !
Belle nuit, o nuit d'amour, Souris a nos ivresses !
Nuit plus douce que le jour O belle nuit d'amour !
O belle nuit d'amour ! Souris a nos ivresses !
Nuit d'amour ! o nuit d'amour
Ah ! ah ! ah ! ah ! ah ! ah ! ah ! ah !

「ホフマンの舟唄」
さざなみ漂う　夜の海
櫓の音静けく　舟は行く
十六夜月《いざよいづき》の　かすむ空

さざなみ漂う　夜の海
いざやわれら　共に行かん
海の女神　共に語り
うるわし　うるわし
ああー
妙《たえ》にも調ぶる　海の精
歌声波間に　漂えば
夢見る夜　あこがれの夜
ああー ああー ああー ああー ああー ああー ああー ああー

（『世界名歌一一〇曲集』福田三岐夫訳）

歌もいいが解禁はいつだろうと思っていると、
「これ、訳しておいたわ」
と、リリが紙をひらひらさせて持ってきた。見るとレストランの一覧表だ。

【ミラーノ市内有名店】

ドゥオーモ附近

〈Bloom〉via Conca del Naviglio（オヴィリオ運河沿い、洒落た懐石風の店）
〈Al Mercante〉piazza Mercanti 17（メルカンティ広場）
〈Al Gisso〉via F.Filzi 12（中央駅南東、via V.Pisani 北側。イチゴのリゾット、ホーレ）
〈Da Bruna〉via Maurizio Gonzaga 6（ドゥオーモ南）
〈Allo Scudo〉via Mazzini（ドゥオーモ南。ホーレンソウのタリアテッレ）
〈Casa Fontana〉piazza carbonari（リゾット美味。Tartufo（トリフ）入りリゾット、中央駅東）
〈Al to pascio〉via Gustavo Fara（トスカーナ料理）
〈Giglio Rosso〉piazza Luigisi Savoia 2（中央駅近く）
〈Alfio〉via Senato 31（ドゥオーモの北東。エビ・魚類。パスタ。格高）
〈Taverna del Gran Sasso〉Piazza Principessa Clotilde（にんにく・唐辛子・南部料理。マカロニ）
〈Sant'Andrews〉via Sant'Andrea 23（ドゥオーモ北東ショッピング街。一級）
〈Savini〉Galleria Vittorio Emanuele 2（ガッレリア。伝統料理。リゾット Rissotto《リッゾット》 alla《アッラ》 milanese《ミラネーゼ》.
ミラノ風仔牛カツレツ Costoletta《コトレッタ》 alla《アッラ》 milanese《ミラネーゼ》。ミラネーズ、コットレッタ。格高）
〈Barbarossa〉via Cerva 10
〈Boeucc〉（名物 Bœuc《ブーコ》・Ossobuco《オッソブーコ》・Risotto《リゾット》 alla《アッラ》 Milanese《ミラネーゼ》）

〈La Pantera〉 via Festa del Perdono 12（トスカーナ料理、３５０００リラ）

中央駅周辺

〈pizzeria dei genovese〉 via castaldi 18

〈Pizzeria dei nonno〉（地下鉄①② Lorento 駅）

ドゥオーモ附近

〈trattoria stella d'oro〉 via g.donizetti （ドゥオーモ広場東）

〈Trattoria da bruno〉 via cavallotti（ドゥオーモ東側　corso europaを下る）

〈La Pantera〉（ドゥオーモ西）

〈Al Mercante〉 piazza mercant

〈Allo Scudo〉 via Mazzini （ドゥオーモ南）

〈Da Bruno〉 via maurizio gonzaga （ドゥオーモ南）

〈Albric〉 via albricci

中央駅〜共和国広場

〈casa fontana〉 中央駅の北東　carbonari広場（トリフ入りのリゾット tartufo《タルトゥーフォ》）

〈Al to pascio〉 via Gustavo Fara 17（トスカーナ料理）

〈Giglio Rosso〉 piazza uigisi Savoia 2

〈La Buca〉via Napo Torriani

「こいつはすごいね」

ミケーレの心遣いを感謝しなければならない。

「これがあれば、地図ですぐ探せそうね」

「そうだね。だいぶ助かるよ」

ところでリリの禁欲も限界に近いはずだ。それを判らないはずはない。だが今夜も静かに繁みに手を置いて寝る。リリもそれで納得している。

## 沙翁《シェークスピア》の影・ヴェローナ

**〔イタリア15日目　午後　ヴェローナ＝通過地〕**

曇。朝、ホテルのリストランテでヴェネツィア最後の朝食をとる。出発の支度をしてフロントで精算する。今朝はぶっきら棒な男ではなく、愛想のいい女がにこやかに応対した。気持が和む。再びサン・マルコ広場へ出て、鳩の群れを眺めながらもう一度Schiavoni《スキアヴォーニ》河岸を通って乗合船に乗る。サンタルチーア駅前で降り、待っていた高速バスに乗りこむ。リリがぐったり肩に寄りかかる。出発しておよそ一時間半、S字形に流れるアディージェ川（Fiume Adige）が見えてきた。ここからヴェローナ（Verona）の町に入る。

リリが、「もう高速バスは飽きちゃった」と口を尖らす。肩を抱いて背中を摩り、「これもみんな佳い思い出になるんだ」と言ってやる。

調べてきた記録をリリに渡し、ざっと目を通させる。ついでにミラーノに関する記録も。

*

原作『ロメオとジュリエット』から抜粋

作品の第二幕第三場で、愛が結婚に結実するように、二人は慕っているローレンス神父を訪れる。朝まだきのこの時、神父はヴェローナの城壁の外で、薬草を摘んでいる。彼は日ごろ、信徒の肉体を医術で癒すばかりでなく、精神の幸福にも深い関心があった。だから、薬草にも、薬効以上のものを期待していたのだった。シェイクスピアは書いている。

The earth, that's Nature's mother, is her tomb
What is her burying grave, that is her womb.
And from her womb children of divers kinds

We sucking on her natural bosom find.

自然万物の母たる大地は、またその墓であり、
自然を葬るその墓は、同時にまたその母胎でもある。
大地の胎より生まれ出たとりどりの子らは
おのれを生んだその胸にむらがり乳を吸う。

（ピーター・ミルワード『シェイクスピアの人生観』安西徹雄訳）

ゲーテは一七八六年九月、ヴェローナを訪れて、円形劇場（Anfiteatro Arena《アンフィテアートロ アレーナ》）やブラ劇場（Teatro Bra《テアートロ ブラ》）を見ている。

『イタリア紀行』
一七八六年九月十六日、ヴェロナにて。
円形劇場は、すなわち古代の重要記念物のうち、私の見る最初のものであり、しかもそれは実によく保存されている。中にはいったとき、そしてまた上に昇って縁を歩きまわったときにはなおさらのことだが、私は何か雄大なものを見ているような、しかも実は何も見ては

いないような、一種異様な気持がした。実際それは空《から》のままで眺めるべきものではない。近年ヨーゼフ二世やピウス六世のために催しをしたときのように、人間を一ぱい鮨詰めにしたところを眺めるべきものである。さすがに群衆を見慣れていた皇帝も、これにはびっくりされたそうである。しかし円形劇場が全面的効果を発揮したのは最古の時代だけであった。当時は民衆が、現在よりもさらに遥かに民衆であったからである。けだしこういう円形劇場なるものは、元来民衆自身をもって民衆を驚歎せしめ、民衆自身をもって民衆を楽しませるように作られているのである。

（ゲーテ『イタリア紀行』相良守峯訳。岩波文庫〈上〉）

〈モーツァルトのヴェローナ滞在時期〉

一七七〇年一月七日。ザルツブルグの姉宛に発信。同じ日付の父レーオポルトからザルツブルグの妻宛の手紙の中で、ヴォルフガングの肖像画を描かせることに触れている。

今日、私たちはレガッツォーニさんというさる名望家のお宅に招かれました。ヴェネツィアの収税長官ルジアーティさんが、私がヴォルフガングの肖像を描かせるのを承知するよう、貴族の方がたに私にたって求めるよう頼んだのです。昨日の午前、肖像描きがありましたが、今日、教会に行ったあと、ヴォルフガングは再度モデルになり、そこでまた食事もするはずでした。ルジアーティさんはじきじきにレガッツォーニさんのところへ行き、私たちを自分に任せてくれないかと彼に頼みました。レガッツォーニさんはまことに不承不承ながら、そうさせざるをえませんでした。ルジアーティはヴェネツィアでたいへんな有力家だからです。そこで、今日の午前には、教会のあとでルジアーティさんのところへ行き、食事の前にもういちど画家のモデルにならなければなりませんでした。

（『モーツァルト書簡全集』II「最初のイタリア旅行」高橋英郎訳）

モーツァルトは一七七一年八月十八日も姉宛に手紙を発信。

〈音楽から見えてくるヴェローナ〉

ヴェローナに関する音楽を調べてみた。以下がそれらしい。他にもあるかもしれない。

グノー（Charles François Gounod）

歌劇「ロメオとジュリエット」（五幕）一八六四年作

ロメオ＝バリトン、ジュリエット＝ソプラノ

わたしは夢に生きたい（Je veux vivre dans ce rêve）＝「ジュリエットの歌」第一幕

ああ、太陽よ昇れ（Ah ! léve-toi, soleil）バリトン
昨日から、いたずらに探し求めて（Depuis hier, je cherche en vain）ソプラノ

チャイコフスキー（Pytr Il'ich Tchaikovsky）
管弦楽曲「幻想的序曲」〈ロメオとジュリエット〉一八六九年作
シェイクスピアの劇の物語による。

プロコフィエフ（Sergei Sergeevich Prokofev）
バレー音楽「ロメオとジュリエット」（四幕）一九三五年作
第一組曲・八曲、第二組曲・七曲、第三組曲・六曲。

＊

モーツァルトがこの町に滞在したことをリリに話す。彼は、一七六九年の暮から、翌年一月十日までこの町に滞在し、父親の手紙にあるように、町の画家に肖像画を描かせている。このときモーツァルトは十四歳。その肖像画を見ると、円襟と袖口に綺麗に刺繍された飾りつきの赤い服を着て、チェンバロの前に楽譜を立てて右を向いて椅子に掛けている。右手の小指に十二個のダ

イヤを鏤めた指輪をしているが、これは一七六二年、彼が六歳のとき、ウィーンのシェーンブルン宮殿で女帝マリア・テレジアから貰った指輪だ。

「そうだったの？　リリもいつか見たけど、赤い服を着た小さな坊やと思ってたわ」

と納得したように、揺れるバスの窓から町の様子を眺めている。

　バスは、古代ローマ一世紀からの円形競技場（円形劇場＝Anfiteatro Arena《アンフィテアートロ　アレーナ》）に来る。周囲は赤みがかった大理石の壁が巡らされ、中は四十四段の階段状になって観覧席は二万二千という。ここで夏に歌劇「アイーダ」が上演される。解説では、曲の中の凱旋行進のとき、本物の象や馬が登場して糞を落とすと書いている。貰った資料に今年の公演種目が並んでいる。

「NABUCCO《ナブッコ》」・「AIDA《アイーダ》」・「LA FORZA DEL DESTINO《ラ　フォルツァ　デル　デスティーノ》」・「CAVALLERIA RUSTICANA《カヴァッレリア　ルスティカーナ》」・「LA《ラ》 STRADA《ストラダ》」

　バスはMazzini《マッツィーニ》通りからエルベ広場（Piazza delle Erbe《ピアッツァ　デッレ　エルベ》）に出て、そこから東へCappello《カッペッロ》通りを少し行き、「ジュリエッタの家」（Casa di Giulietta《カーサ　ディ　ジュリエッタ》）に来る。ここは皇帝派キャピュレット家の娘が眠る。館は十三世紀の建物で、中庭に面して蔦《つた》の絡まる暗いバルコニーがある。中庭に立つと芝居の舞台かと錯覚しそうだ。隅にジュリエッタの像が建ち、剽軽《ひょうきん》な観光客がよじ登って抱きついている。ここにもシェイクスピアの影が揺曳する。また、「ロミオの家」もあるようだが、そこは寄らない。

再びバスに乗りこむと、金髪で小柄な美人のガイドと交替していた。彼女はにこにこと乗客を迎えた。何がおかしいのかリリがくすくす笑って見ている。「そんな顔して見るもんじゃないよ。向うだって分かるんだから」と注意する。

バスはPonte Nuovo《ポンテヌオーヴォ》の橋を渡って川の東岸に出て左折し、川に沿って北へ走ってカステル・サン・ピエートロ（Castel S. Pietro）の丘の麓にある、一世紀ごろの跡をとどめたテアトロ・ロマーノ（Teatro Romano）を見る。立て看板にはもう夏の公演が書いてある。シェークスピア作「ヴェローナの二紳士」（「I due Gentiluomini di Verona」《イドゥエジェンティルオーミニディヴェローナ》）、モリエール原作「ドン・ジュアン」（「Don Giovanni」《ドンジョヴァンニ》）。時間がないので町を眺望する展望台までは行けない。

バスは再び蛇行する川沿いを行き、Campagnola《カンパニョーラ》通りを左折してPonte Scaligero《ポンテスカリジェーロ》橋を渡り、古城カステルヴェッキオ（Castelvecchio）の中の市立美術館に入る。そこに、ヴェローナ派の「鶉のいる聖母」があった。次にRigaste San Zeno《リガーステサンゼーノ》通りを北西に進み、サン・ゼーノ・マッジョーレ教会（Basilica di S.Zeno Maggiore）に来る。十三世紀のイタリア屈指のロマネスク様式。正面の扉はブロンズ製で浮き彫りがあり、町の守護聖人聖ゼーノの生涯を刻んである。扉の上の薔薇窓も素晴らしい。内陣の祭壇にマンテーニャ（Andrea Mantegna）の〈聖母子像〉がある。キリストと十二人の使徒の彫像の列もなかなか荘厳だ。

教会を出て、バスはC.S.Anasutasia《アナスタシア》通りを走り、聖アナスタシア教会（S.Anastasia）ではピサネッロの最高傑作でフレスコ画の〈トラブゾン国の王女を救い出す聖ゲオルギウス〉を見た。これは黄金伝説の第五十六節「聖ゲオルギウス」伝説で、カッパドキアの勇者の龍退治の物語を描いたものという。特に感興は沸かない。

昼食のためバスに乗り、市庁舎の方へ迂回してエルベ広場で降り、コンダクターの勧めで市庁舎に近いリストランテ〈Bolzano《ボルツァーノ》〉に入る。午後一時半。店構えもよくなく、セルフサービスでリリもがっかりする。パスタはきしめん状のfettuccine《フェットゥッチーネ》と仔牛のオーブン焼き（vitello《ヴィテッロ》 al《アル》 forno《フォールノ》）、それにモッツァレッラチーズとトマトのサラダ（insalata《インサラータ》 alla《アッラ》 caprese《カプレーゼ》）。確かに美味いが口の中がすっきりしない。カップッチーノを飲んでごまかす。

「何だかガイドに振り回されてるみたいね、あたしたち……」

「いいじゃないか。ここが美味しければ」

「そうやって何でも妥協するのって嫌い！」

「そう怒りなさんな」

リリは何かにつけて気に入らないことを欠点として論《あげつら》う。困ったものだ。

こうしてみると、ヴェローナは優しい町に思えてくる。ゲーテのようにアルプスを越えてこの国に入ってくる旅人を温かく迎えるわけだ。

再びバスに乗って一路ミラーノに向う。リリが、ヴェネツィアのホテルから眺めた向こうのリド島に娼婦の町があったことを話しだす。そこはヨーロッパの娼婦の発祥地で、十六世紀の宮廷や貴族たちにもてはやされた才色兼備の高級娼婦がいたという。

彼女たちはただの娼婦と違って、cortigiane《コルティジャーネ》という貴族や教会の高位聖職者を限って客とし、奔放に肉体の快楽も提供した。そのうえ古典文学や哲学、神学にも精通し、楽器を演奏したり、歌を歌ったりして教養が高かったという。彼女たちは、ヴェネツィア派の画家ティツィアーノやティントレットのモデルとなって今もそれが遺されている。中には有名な詩人ガスパラ・スタンパもいたと。こんな話を得意気にしゃべり続ける。黙って聴いてやる。

高速バスは夕闇の中を真西に向って走り続け、ようやく前方に薄靄の中に浮ぶミラーノの街が見え隠れしてきた。

## 晩餐図《チェナーコロ》の黴《かび》・ミラーノ

〔**イタリア第15日　ミラーノ・第1日目 夜**〕

晴。いよいよ周遊も最後の都市に着いた。ミラーノはどこから眺めても商業都市だと思っていたが、そうでもない。この国の成り立ちの日が浅いせいか、街の顔が見えてこない。物の本にはいろいろな人が、ファッションを語り、ビジネスを語り、美術を語っている。それを読んでみても、本当のところはわからない。

今、西の空が暗くなりかけ、かなり遅くなってミラーノの街衢に入った。バスに乗って二時間、午後五時近くにミラーノ中央駅の傍で降り、ホテルの住所を確かめる。

ミラーノ＝ヴェネツィアから約二時間。宿泊先　ホテル・ジョリー・プレジデント

(HOTEL JOLLY PRESIDENTO Largo Augusto 10, Milan, 7746)

地図で見るとドゥオーモの東側四百米《メートル》ほどのところに、Largo《ラールゴ》 Augusto《アウグースト》通りがあった。観光案内人が付き纏ってくるのを捲く。まっすぐホテルに向う。車を拾い、ホテルの地図を見せて、ブエノス・アイレス大通り（Corso Buenosu Aires）を南に走り、ホテルの前で降りる。アメリカ式のホテルだ。二百三十五室。エレヴェーターで５５７号室に入る。黒縁眼鏡の案内男にチップを渡す。彼を見てリリが嫌そうな目つきをする。金色に塗ったベッドの真上の天井に、ベルニーニだかなんだかの絵が描かれている。これでは趣味の押し付けだ。リリもこのホテルが気に入らないらしい。ミケーレが決めたのだから文句は言えない。フロントで予約の番号を検《あらた》め、ミケーレに到着を電話で知らせる。電話しながら振り返って眼くばせする。

「ミケーレが明後日《あさって》ここに来るって」

「明後日？」

「お別れなので、また一緒に食事しましょうって」

「それはいい」

「何だかめんどくさい……」

「そう言っちゃ悪いよ。ホテルを予約してくれたんだから」

「そうね」

納得したかどうか怪しい。部屋は南の突き当り。荷物を解き、窓から外を見降ろす。

「なんだかごみごみしてるわ」

リリが粗探《あらさが》しをはじめる。このLargo Augusto《ラールゴ　アウグースト》通りというのはショッピングの町と聞いたのでいささか軽蔑している。

「この町は歩き回るところじゃなさそうだから、少し見て、後は休んでいましょうか」

そうするしかない。リリが身体の不調を訴えてきたらおしまいだ。

「だけど、どこかで食事しないと……」

「じゃ、フロントに訊いていい店を紹介してもらうわ」

早速フロントに降りていく。戻ってきて、

「ドゥオーモの南側にいいお店があるんですって。これ」

メモ用紙を見ると、〈N'derre a la Lanze《エヌデッレ アラ ランツェ》〉とあってpiazza《ピアッツァ》 S.Stefano《サント ステーファノ》 10と住所まで書いてある。

それを持ってホテル前から車で店に向かう。ステーファノ通りから入ったところに店はあった。ドゥオーモから二百メートルほど南。車を降り、寒風から身を避けて店に飛び込む。中はものすごい暖房でむんむんする。ほぼ満席。Camerière《カメリエーレ》が奥で手招きしている。

　幾つかのテーブルを縫って歩き、やっと空席を見つける。

「あら、ここ魚介料理が専門らしいわ。エビ入りスパゲッティ（spaghetti agli Scamponi《スパゲッティ アッリ スカンポーニ》）とか、魚介のリゾット（risotto al pesce《リゾット アル ペッシェ》）とかよ。どうする？」

「何でもいいさ」

「それだからジュンはつまらないのよ」

「いいよ、メニュの通りで。ただリゾットはこのRisotto alla Milanese《リゾット アッラ ミラネーゼ》がいいな」

「これ、サフラン風味のリゾットよ。それでいい？　あとはお魚のフライの盛り合わせ（fritto《フリット》 misto di pesce《ミスト ディ ペッシェ》）ね」

「野菜はないかな」

「あるわよ。これはどう？　peperoni《ペペローニ》 arrostiti《アッロスティーティ》、ピーマンの炭火焼よ」

「それでいいや。このGorgonzola《ゴルゴンゾーラ》っていうチーズ食べてみようか」

「そうね。ワインは赤の〈Valpolicella《ヴァルポリチェッラ》〉ね」

「悪酔いしたら駄目だよ。明日歩けなくなるから」

「あと何日ここにいるわけ？」

「明々後日《しあさって》は帰るんだよ」

「明後日《あさって》じゃないのね？」

「うん」

「イタリアってどこの町も同じね。いくら見てもきりがない。研究者じゃないんだから」

「あと二日我慢すればミケーレが喜んで迎えに来てくれるよ」

「あ、そうだった。じゃ、がんばらなくっちゃ……」

リリと頭をくっつけんばかりにして食べる。空腹で美味い。ワインも利いてくる。ともかくリリと妥協しないと帰り道が怖い。機嫌よくさせるのが一番だ。

リリに渡しておいた資料を取り出して見る。

＊

アレッサンドロ・マンゾーニ『いいなづけ――17世紀ミラーノの物語』（第一章・冒頭）
Quel ramo del lago di Como, che volge a mezzogiorno, tra due catene non interrotte di monti, tutto

a seni e a golfi, a seconda dello sporgere e del rientrare di quelli, vien, quasi a un tratto, a ristringersi, e a prender corso e figura di fiume, tra un promonlorio a destra, e un'ampia ostiera dall'altra parte ; e il ponte, che ivi congiunge le due rive, par che renda ancor più sensibile all'occhio questa trasformazione, e segni il punto in cui il lago cessa, e l'Adda rincomincia, per ripigliar poi nome di lago dove le rive, allontanandosi di nuovo, lascian l'acqua distendersi e rallentarsi in nuovi golfi e in nuovi seni. La costiera, formata dal deposito di tre grossi torrenti, scende appoggiata a due monti contigui, l'uno detto di san Martino, l'altro, con voce lombarda, il *Resegone*, dai molti suoi cocuzzoli in fila, che in vero lo fanno somigliare a una sega : talchè non è chi, al primo vederlo, purchè sia di fronte, come per esempio di su le mura di Milano che guardano a settentrione, non lo discerna tosto, a un tal contrassegno, in quella lunga e vasta giogaia, dagli altri monti di nome più oscuro e di forma più comune. Per un buon pezzo, la costa sale con un pendio lento e continuo ; poi si rompe in poggi e in valloncelli, in erte e in ispianate, secondo l'ossatura de' due monti, e il lavoro dell'acque.Il lembo estremo, tagliato dalle foci de' torrenti, è quasi tutto ghiaia e ciottoloni, il resto, campi e vigne, sparse di terre, di ville, di casali ; in qualche parte boschi, che si prolungano su per la montagna. Lecco, la principale di quelle terre, e che dà nome al territorio, giace poco discosto dal ponte, alla riva del lago, anzi viene in parte a trovarsi nel lago stesso, quando questo ingrossa : un gran borgo al giorno d'oggi, e che s'incammina a diventar città.

(Alessandro Manzoni 'I PROMESSI SPOSI—Storia Milanese Del Secolo XVII' uno capitolo. pp.9-10.)

〔訳〕連綿と続く二つの山脈と山脈にはさまれて南へのびるコーモ湖の峡谷の一つは、その山脈が突き出したり退いたりするにしたがって、あるいは岬や鼻となり、あるいは入江や湾となっているが、右手から山の一角が張り出して、その向いからもなだらかな斜面が迫ってくると、湖面はにわかにせばまって、湖はまるで川の流れのような姿をとる。そしてそこに橋があって両岸を結びつけていることが、湖が川に変ったという印象を見る人の目にいっそう強く刻みつける。橋はコーモ湖が終り、アッダ川がふたたびはじまる徴《しるし》なのである。ところが両岸の間の距離がまたのびて、水面が新しい入江や新しい湾の中へひろびろとひろがり、流れがまたゆるやかになると、水面はふたたび湖のようになる。三つの大きな渓流の沖積土でできた斜面は、相接した二つの山——サン・マルティーノ山と、ロンバルディーア方言でレーゼゴーネと呼ばれるいま一つの山——にもたれたような恰好で、一連の尾根からなだらかに下へのびているが、その尾根のぎざぎざした形はいかにも鋸《のこぎり》に似ていた。それだから正面から見るかぎり、たとえばミラーノ市の城壁にのぼって北方を見わたすと、はじめて見た人でもその鋸状の尾根はすぐさまそれと見当がつくのである。連綿と続く広大な連山の中で、それは平凡な、名も知れぬほかの山々と判然と異なる姿を呈している。下から見上げると、斜面はしばらくの間、ゆったりとなだらかに湖畔から上へのびてゆく。ついで二つの山の骨太の山背《さんぱい》とそれをえぐろうとする水の侵蝕作用の結果、小さな丘や小さな谷の凸凹が続き、斜面や平地が交錯する。渓流の河口によって切りとられた斜面のいちばん下の縁《へり》は、ほとんどすべて小石や砂利から成っているが、そのほかは農作地や葡萄畠で、村や別荘や一軒家が点々と散在する。ところどころに林や森があり、中には山頂までのびている森もある。レッコはこの地方ではいちばん大きな村で、それだからこの地方は土地全体もレッコと呼ばれていたが、その村は橋からほど遠からぬ湖畔に位置する。いや湖畔というどころか、湖が増水した時には、レッコの一部は湖の中にまで張りだしたような恰好となる。今日レッコは大きな町で、市制《し》が布かれる日もそう遠くはないにちがいない。

（アレッサンドロ・マンゾーニ『いいなづけ』第一章・平川祐弘訳）

『いいなづけ』　（第十一章）

Dopo la separazione dolorosa che abbiam raccontata, camminava Renzo da Monza verso Milano, in quello stato d'animo he ognuno può immaginarsi facilmente. Abbandonar la casa, tralasciare il mestiere, e quel ch' era più di tutto, allontanarsi da Lucia, trovarsi sur una strada. Senza saper dove andcrebbe a posarsi ; e tutto per causa di quel birbone! Quando si tratteneva col pensiero sull'una o sull'altra di queste cose, s'ingolfava tutto nella rabbia, e nel desiderio della vendetta ; ma gli tornava poi in mente quella preghiera che aveva recitata anche lui col suo buon frate, nella chiesa di Pescarenico ; e si ravedeva : gli si isvegliava ancora la stizza ; ma vedendo un'immagine sul muro, si levava il cappello, e si fermava un momento a pregar di nuovo : tanto che, in quel viaggio, ebbe ammazzato in cuor suo don Rodrigo, e risuscitatolo, almeno venti volte. La strada era allora tutta sepolta tra due alte rive, fangosa, sassosa, solcata da rotaie profonde,che,dopo una pioggia,divenivan rigagnoli ; e in certe parti più basse, s'allagava tutta, che si sarebbe potuto andarci in barca. A que' passi, un piccol sentiero erto, a scalini, sulla riva, indicava che altri passeggieri s'eran fatta una strada ne' campi. Renzo, salito per un di que' valichi sul terreno più elevato,vide quella gran macchina del duomo sola sul piano, come se, non di mezzo a una città, ma sorgesse in un deserto ; e si fermò su due piedi,dimenticando tutti i suoi guai, a contemplare anche da lontano quell'ottava maraviglia, di cui aveva anto sentito parlare fin da bambino. Ma dopo qualche momento, voltandosi indietro, vide all'orizzonte quella cresta frastagliata di montagne, vide distinto e alto tra quelle il suo *Resegone*, si senti tutto rimescolare il sangue, stette li alquanto a guardar istamente da quella parte, poi tristamente si voltò, e seguitò la sua strada.

(Alessandro Manzoni 'I PROMESSI SPOSI—Storia Milanese Del Secolo XVII' undici capitolo. pp.229-230)

〔訳〕前に物語ったあのいたましい別離の後、レンツォはモンツァからミラーノのほうに向って歩いていった。その時のレンツォの心境がどのようなものだったかは誰にもすぐ察しのつくところだろう。家を捨て、職を捨て、しかもその上、ルチーアのもとから遠く去らねばならない。どこへ行って一夜の宿を乞えばよいかもわからず、いま路上をひたすら急いでいる。（中略）街道はそのあたりでは両手の高い土手の間に埋れて、石や岩がぼこぼこした、泥濘《ぬかるみ》となっていた。深い轍《わだち》が刻まれていたが、一雨降ればそこを泥水が渓流のように流れた。またより深い辺りではところどころ水が一面に氾濫して、小舟で往き来した方が良さそうなほどだった。そうした箇所では、土手の中腹に小さな段々の急な小道が、先に行った旅人が道なき場所に道を拵《こしら》えてくれたことを示していた。レンツォは、盛りあがった土の上にできたそうした隘路《あいろ》の一つを登りながら、突然、眼前の平野の上にあの大聖堂《ドゥオーモ》の大きな本体が、都会の真中というより、まるで沙漠の真中から聳えているような様を目にした。そして我が身に降りかかった災難もなにもかもすべて忘れて、両脚に根の生えたように突っ立って、じっともう遠くからこの世界の第八の驚異を眺めた。物心ついた時から何遍も話に聞いていたミラーノの大聖堂があった。だが暫く経ってから、後ろを振向くと、地平線の彼方にぎざぎざの刻みがついた山脈の頂きが見えた。そしてその山々の中にくっきりと際立って高いレーゼゴーネ山の頂きが見えた。その時われとわが血が全身で騒ぐのを覚えた。暫くの間、悲しげにそちらを見つめていたが、また悲しげに前を向くと、前からの道をまた続けた。だんだんと鐘楼や塔や円屋根がはっきり見え出した。

（アレッサンドロ・マンゾーニ『いいなづけ』第十一章・平川祐弘訳）

記録A＝森鷗外訳『即興詩人』(*Improvisatoren.* アンデルセン作)
B＝大畑末吉訳

A　われは日ごとにミラノの大寺院に往きぬ。此寺はカルララの大理石もて、人の力の削り成しゝ山ともいふべく、月あかき夜に仰ぎ見れば、皎潔雪を欺く上半の屋蓋は、高く碧空に聳えて、幾多の簷角《えんかく》、幾多の塔尖より石人の形の現れたるさま、この世に有るべきものともおもはれず。晝その堂内に入れば、採光の程度ほぼ羅馬の「サン、ピエトロ」寺に似て、五色の窓硝子より微かに洩るゝ日光は、一種の深祕世界を幻出し、人をして唯一の神こゝに在《いま》すかと觀ぜしむ。ミラノに來てより一月の後、我は始て此寺の屋上に登りぬ。日は石面を射て白光身を繞り、こゝの塔かしこの龕を見めぐらせば、宛然立ちて一の大逵《ひろば》に在るごとし。許多の聖者獻身者の像にして、下より望み見るべからざるものは、新に我目前に露呈し來れり。われは絶頂なる救世主の巨像の下に到りぬ。ミラノ全都の人煙は螺紋の如く我脚底に晝かれたり。北には暗黒なるアルピイの山聳え、南には稍〻低き藍色のアペンニノ横はりて、此間を塡むるものは、唯〻緑なる郊原のみ。譬へばカムパニアの野を變じて一の花卉多き園囿となしたらんが如し。

『鷗外全集』第二巻「即興詩人」（pp.572〜3）

B　わたくしは毎日のようにミラノ大聖堂へ行ってみました。まるでカルラーラの大理石坑からそのまま切りとってきたような、ふしぎな大理石の山です。この聖堂をはじめて見たのは明かるく澄んだ月の光のなかでした。建物の上半分は、無限に青い大気のなかに、目もくらむばかりに白くそびえていました。あたり一面どこを見ても、聖者の大理石像があらゆるすみずみから、また建物全体の上にまき散らしたような小さな塔の一つ一つから、つっ立っていました。聖堂の内部はサン・ピエトロ本聖堂のそれにもまして、わたくしの目をおどろかせました。ふしぎな薄あかり、窓の色ガラスをとおしてくる日の光、そこにあらわれるふしぎな神秘の世界、そうです、これこそまさに神の聖堂でした。わたくしがこの聖堂の屋根にはじめてのぼったのは、ミラノに来てから早くも一か月たったときでした。太陽はかがやくばかりに白い表面に照りつけ、そこにそびえ立つ無数の塔は、大理石を敷きつめた広場に立つ聖堂か礼拝堂さながらでした。ミラノの市街は、はるか目の下に横たわっています。まわりには、下の通りからは見ることのできなかった、新たな聖者や殉教者たちの像があらわれてきました。わたくしは、この巨大な建物全の頂点をかざっている、堂々たるキリストの像のかたわらに立ちました。北の方には暗いアルプスの高い山々がそびえ、南にはそれよりも低く薄青いアッペンニーノ山脈がつらなっていました。そのあいだは広大な緑の平野がひろがっていて、ローマのカンパーニャの広野を美しい花園に変えてここに移したかと思われるほどでした。

（岩波文庫『即興詩人』下 pp.289〜90）

＊

ここに住んで実際に生活を経験しなければ、この顔は語れないだろう。その意味から、出発前に読んだ二つの記事から、おおよそを推測するしかない。今はそれをここからたどってみる。

須賀敦子『ミラノ 霧の風景』

乾燥した東京の冬には一年に一度あるかないかだけれど、ほんとうにまれに霧が出ることがある。夜、仕事を終えて外に出たときに、霧がかかっていると、あ、この匂いは知ってる、と思う。十年以上暮らしたミラノの風物でなにがいちばんなつかしいかと聞かれたら、私は即座に「霧」とこたえるだろう。ところが、最近の様子を聞くと、この霧がだんだん姿を消しはじめたようである。ミラノの住人たちは、だれもはっきりした理由がわからないままに、ずっと昔から民謡やポップスに歌われてきた霧が、どうしたことか、ここ数年はめずらしくなったという。暖房に重油をつかわなくなったからだと言う人もいる。そうだろうか。あんな霧、なくなったほうがいいですよ、とミラノに住んでいた日本人は言うが、古くからのミラノ人は、なんとなく淋しく思っている。

もう二十年もまえのことになるが、私がミラノに住んでいたころの霧は、ロンドンの霧など、ミラノにくらべたら影がうすくなる、とミラノ人も自負し、ロンドンに詳しいイタリアの友人たちも認めていた。年にもよるが、大体は十一月にもなると、あの灰色に濡れた、重たい、なつかしい霧がやってきた。朝、目がさめて、戸外の車の音が何となく、くぐもって聞こえると、あ、霧かな、と思う。それは、雪の日の静かさとも違った。霧に濡れた煤煙が、朝になると自動車の車体にベットリとついていて、それがほとんど毎日だから、冬のあいだは車を洗っても無駄である。ミラノの車は汚いから、どこに行ってもすぐにわかる、とミラノ人はそんなことにまで霧を自慢した。

夕方、窓から外を眺めていると、ふいに霧が立ちこめてくることがあった。あっという間に、窓から五メートルと離れていないプラタナスの並木の、まず最初に梢が見えなくなり、ついには太い幹までが、濃い霧の中に消えてしまう。街灯の明りの下を、霧が生き物のように走るのを見たこともあった。そんな日には、何度も窓のところに走って行って、霧の濃さを透かして見るのだった。

（『須賀敦子全集』第1巻・「遠い霧の匂い」1985〜89年）

須賀敦子『コルシア書店の仲間たち』

中心に大聖堂を抱くミラノの街には、もうひとつ、たいせつな記号がある。ナヴィリオ運河だ。十九世紀のパリにはじまった（そして、現在は大ざっぱに「西欧的」と考えられている）西ヨーロッパの都市計画の理念は、幾何学的な円や直線のうえに構築された、強引で人工的な都市空間の構想にもとづいているが、代表的な都市の多くが、都市としてのかたちを持ちはじめた中世には、まず、大聖堂があり、それを起点として、そこから、外郭を決めている城壁に向って、街はほぼ不規則にひろがるものだった。

大聖堂が街の中心であることは、ミラノも変りないのだけれど、この都市を他のどの都市ともちがうものにしたのは、これとほぼ同じ時期に掘られた運河である。ミラノ人にとって、城壁よりも大切なこの運河は、いわゆる城壁のずっと内側に、半径が狭いところで五〇〇メートルほどの不規則な円を描いて掘られた。もともと、大聖堂の建設につかう石材を運搬するために掘ったといわれるが、幅二〇メートルもないぐらいのこの運河は、ミラノの南西でアルプスから流れてくるティチーノ川につながっていて、本来、重要な交通機関である。と同時に、セーヌのあるパリ、テヴェレのあるローマのような自然の流れをもたないミラノ人たちにとっては、なくてはならない風物詩をそえる要素でもあった。そして、運河によって閉じられた、まるい都心の空間が、ミラノという都会の中核を作り上げて、街の繁栄をもたらした。惜しんでも惜しみたりないのは、戦後の復興の途上、性急な都市整備案によって、この運河が、ほとんど跡をのこさずに埋められてしまったことである。

（前同「街」1992年）

「ミラノ」
石と霧のあいだで、ぼくは
休日を愉しむ。大聖堂の
広場に憩う。星の
かわりに
夜ごと、ことばに灯がともる

人生ほど、
生きる疲れを癒してくれるものは、ない。

（前同『コルシア書店の仲間たち』扉裏。ウンベルト・サバ。須賀敦子訳）

およそ一と月、四つの都会を回ってみてそれぞれの顔が見えたと思った。だが、いざ終わりとなるとどれも同じ町に見えてくる。それぞれの特徴が打ち消しあって影を潜める。印象に残るのは、恐らく石の壁と甃《いしだたみ》、それと賑やかなイタリア人の笑い顔。

部屋のバスで身体を洗い合いながらそんな話をする。

「ということは、ジュンは何にも見ていなかったっていうわけね」

話は早速リリの餌になる。帰国を前に、リリの気分の頑なさを少しでも解《ほぐ》せるものなら解したい。だからと言って、解禁までは進めない。その手前のところで立ち止まらなければならない。

気がついて、これまでもしてきたように、そろそろ下着をホテルのランドリーに出さないと出発までに間に合わない。リリに急いで出すように言う。その間にも、日本の救急車のように、街中を走るタクシーの警笛がうるさく響いてくる。夜は、その音を耳にしながら寝につく。リリの乳房を掌で覆ってやる。嫌がらない。禁欲は半月も続いている。リリは、やってできないことはないと自分を誉める。そう言えるだろうか。相手あってのことではないか。それが解らないリリではないはずだ。

〔イタリア第16日　ミラーノ・第2日目〕

晴。朝、リリ機嫌よし。眼も痛がらず。チップを置いて一階のリストランテに降りる。部屋数が多いだけ店内も広い。窓側の静かな席に腰を下ろしてメニュを手に取る。朝食（colazione《コラツィオーネ》）はセルフサーヴィス（si serve da sé《スィ セルヴェ ダ セ》）でコの字型に並んだ食材のところまで行って、食べたいものをトレーに取る。食材の前にメニュが太字で印刷されてある。

Succo《スッコ》 d'arancia《ダランチャ》（オレンジジュース）、Composta《コンポースタ》 di《ディ》 mele《メーレ》, Kiwi《キウイ》 e《エ》 Ananas《アナナース》（パイナップルとキウイのコンポート）、con《コン》 Mousse《ムッセ》 alla《アッラ》 Vaniglia《ヴァニーリア》 glassata《グラッサータ》（バニラムース）、Spicchio《スピッキオ》 di《ディ》 Torta《トルタ》 Rustica《ルスティーカ》 al《アル》 rosciutto《ロッシュット》（チーズとハムのキッシュ）、Danesino《ダネズィーノ》 all'albicocca《アッラアルビコッカ》（アプリコットとダニッシュ）、Panini《パニーニ》, Burro《ブッロ》 e《エ》 Marmellata《マルメッラータ》（パンとバターとジャム）、Caffè《カッフェ》, tè《テ》, latte《ラッテ》（コーヒー、紅茶、ミルク）。

「こんなものでしょうね」

今朝のリリはいたっておとなしい。

「やっぱりこの町にもモーツァルトは来てるのかしら？」

「ああ、来てるよ、三回も」

調べてみると、一七六九年暮から第一回のイタリア訪問の途中、一七七〇年一月にヴェローナからミラーノに着いて弦楽四重奏曲K80を作曲。それからボローニャ、フィレンツェ、ローマ、ナーポリと回り、またローマとボローニャに戻って三月、ザルツブルクに帰郷。第二回は一七七一年、ヴェローナから八月にミラーノに着いて、それから帰郷。第三回は一七七二年十月、ヴェローナからミラーノに来るが就職に失敗して翌年三月帰郷。

厚手のオーバーを着て地図を手に歩き出す。風が冷たいのでリリはマフラーのほかにマスクをつける。

「どこかで帽子を買うといいよ。風除けになるし」

「そうね。買おうかしら」

昨夜決めた今夜のリストランテ〈Torre《トッレ》 di《ディ》 Pisa《ピーザ》〉に電話で予約する。

① ホテルから歩いて十分、イタリアゴシック建築の代表である大聖堂（Duomo《ドゥオーモ》）は、解説によると一三五個の尖塔が天を衝いている。一番高いところに聖母像があるというが見えない。十四世紀に建築が始められ、十九世紀に完成した。建物全体は白、ピンク、灰色、象牙色などの大理石で装飾も素晴らしい。奥行き一五七メートル、間口九十二メートル。正面は青銅の大きな扉が五枚連なる。堂内は薄暗い。五十二本の列柱が外陣を支え、ローソクの灯りが束になって揺らめいている。この闇に浮き上がるステンドグラスの華やかな色彩が神秘的な雰囲気を醸す。外からの雑音

は一切聞えない。正に祈りの場だ。

　正面の祭壇近くの階段を下りると宝物庫がある。大聖堂のパイプオルガンは世界で二番目に大きく、音階も一万八千もある。建物の裏から屋根の頂上まで昇るエレヴェーターがあるが、リリが昇らないというので止める。大聖堂の南側に美術館があるがそれも見ない。聖堂を南側から眺めると、誰かが言ったように、「地上に置き忘れられた白い百合の花束を思わせる」。

　②　聖堂前の広場を北に進み、ガッレリーア・ヴィットーリオ・エマヌエーレII《セコンド》（Galleria Vitt.Emanuele）に入る。ここは名前の通りギャラリーのような通りだ。屋根が鉄の円蓋と色ガラスに覆われ、彩色を施した甃が敷き詰めてある。中を行くと、リストランテやカフェ、洋服屋、靴屋、書店、銀製品の店などが並ぶ。硝子のショーケースに変わったデザインの帽子が並んでいた。店は〈Bolsarino《ボルサリーノ》〉だ。中に入り、鍔のあるキャップを買う。

「リリも買ったらいいじゃないか」

「好きなのないわ」

「どれだってリリは似合うよ。ほら、これどうだい」

　毛糸で二重に編んだ深い緑色の帽子を取ってみせると、

「嫌よ、趣味悪いのね！」

　けんもほろろだ。そこへ小柄な店主が愛想笑いを浮かべて近づく。逃げるようにリリが店を出る。

ガッレリーアの中央にある十字路の頭上に、四枚のフレスコ画がある。ここから東西南北の方向へ、アメリカ、中国、アフリカ、北ヨーロッパとそれぞれの位置を象徴的に描いている。ここでリリが注文を出した。

「今日はそんなに歩きたくないの」

毎日同じ服を着て歩くのが嫌になったらしい。今は「ウインド・ブレーカー」という、防寒用のもみ皮仕立てで赤いバックスキンのジャケットを着ている。温かいはずだが、同じものだと愉しくないのだ。気位の高いリリはこの服に飽きが来ている。

「ちょうどいいじゃないか。どこかで好きなの買ったら？」

言っては見たものの、買ってやるとは言えない。ヴェネツィアで買ったばかりだ。

「どこへ行けば買えるのよ？」と口を尖らす。

「さっきのアーケードにあったじゃないか」

ぶつぶつ言いながら蹤《つ》いてくる。仕方がない。あとで買ってやろう。

③　ガッレリーアを抜け、Matteotti《マッテオッティ》通りを西へ歩いてスカーラ広場に来た。その真ん中にダ・ヴィンチと四人の弟子の像が建って、周りを花壇で飾っている。その先がスカーラ座（Teatro《テアートロ》 alla《アッラ》 Scala《スカーラ》）だ。入ってみると意外に天井が低く感じた。なにしろ二千年の歴史を誇るオペラの殿

堂で客席も平土間が六百人、四層の階上席と天上桟敷を含めると二千二百席もある。

この場所は昔、サンタ・マリーア・デッラ・スカーラ教会の跡地で、それを建てたヴィスコンティ家の妃の名前から「スカーラ」と名前をつけた。一階の廊下に、ヴェルディ（「ナブッコ」は一八四二年、ここで初演）、ドニゼッティ、ロッシーニ、ベルリーニの像があった。プッチーニの〈蝶々夫人〉も一九〇四年ここで初演した。今月の公演を見ると全部で十八回、オペラでは〈マクベス〉と、〈フィレンツェの麦藁帽子〉が六回、バレエの〈ジゼル〉が三回、スカーラ座交響楽団のコンサートが七回、独奏会、という次第。来月は〈魔笛〉をやる。近くにポルディ・ペッツォーリ美術館があるが行かない。思い出してリリをからかってやる。

「ね、リリ子っていうのはLirico《リーリコ》だから歌劇のことだよ。だからリリはオペラなんだ、わかるかい？」

「そんな語呂あわせ意味ないわ。まあ何とでも言いなさい」
④　話しながらVerdi《ヴェルディ》通りを北東へ進んでBrera《ブレーラ》通りに入り、画材屋や画廊が目立つ通りを過ぎると、正面に赤レンガの建物が見えてきた。これがミラーノ最大のブレーラ絵画館（pinacoteca《ピナコテーカ》 di《ディ》 Brera《ブレーラ》）だ。一階中庭にアントーニオ・カノーヴァ（Antonio Canova）のナポレオンのブロンズ像が建つ。階段を上って左手に入口があり、二階の第二十室から絵画部門だ。そこにロンバルディア派とヴェネツィア派の作品が集まっている。ティントレットの〈サン・マルコの奇蹟〉、

マンテーニャの〈キリストの死〉、フランチェスカ（Piero della Francesca）の〈聖母子〉、ラッファエルロの〈マリアの結婚〉など。他にルーベンス（Pieter Paul Rubens）の〈最後の晩餐〉、ティツィアーノ〈ポルチャの肖像〉、ジェンティーレ・ベルリーニとジョヴァンニ・ベルリーニ兄弟の合作〈アレクサンドリアにおける聖マルコの説教〉、ジョヴァンニ・ベルリーニ〈ピエタ〉、アンドレーア・マンテーニャ〈聖母子像〉と〈死せるキリスト〉、これは遠近法を利用して、横たわるキリストを目の高さに位置させて、足もとから描いている。

ほかに、秘蔵されているブロンツィーノ（Agnolo Bronzino）の〈アンドレーア・ドーリアの肖像〉があった。大胆不敵なポーズをとった海神《ネプトウヌス》の裸像もある。海の傭兵隊長アンドレーア・ドーリアは怪傑だ。カルパッチオの〈聖母の神殿奉献〉と〈聖母の結婚〉、ピエーロ・デルラ・フランチェスカの〈六聖者とフェデリコ・ディ・モンテフェルトロと聖母子〉が一堂に会していた。その先の階段を上ったところに陶磁器部門があるが見ない。

「おなかが空いたわ。この近くでお昼にしない？」

リリが空腹を訴えてきた。見回したが店らしいものがない。市外図を開いてリストランテを見る。ここプレーラ絵画館の北側のVia solferino《ヴィア ソルフェリーノ》通りに〈Spaghetteria da Emilio《スパゲッテリーア ダ エミーリオ》〉という店が青・赤・黄・緑・紫と五色のスパゲッティを食べさせる。

「行ってみましょうか」

リリが先に立って歩き出した。広いTivoli Pontaccio《ティヴォーリ　ポンタッチオ》通りを突っ切ってSolferino《ソルフェリーノ》通りに来て、三番地を探して店を見つける。思ったより大きい店だ。中に入りカウンターを通るとウエイターcameriere《カメリエーレ》が近づいてきて隅のテーブルに案内される。にこやかに笑いを振りまき、

「今日は紫のスパゲッティがお勧めです」

という。紫と来ては恐れ入るが、リリがそれをやってみるというので頼む。あと、さやいんげんのバター炒め（asparagi e fagiolino burro《アスパラーギ　エ　ファジョリーノ　ブッロ》）と赤ワイン（vino rosso《ヴィーノ　ロッソ》）を一杯。それだけだ。運ばれてきたのを食べる。

「なにこれ、随分硬いスパゲッティじゃない」

「文句は言わないこと」

ともかく黙々と食べて食欲を満たす。グラス一杯のワインでも気分は良い。

**〔イタリア第16日　ミラーノ・第2日目　午後〕**

⑤　店を出て再び歩き出し、さっき通ったTivoli Pontaccio《ティヴォーリ　ポンタッチオ》通りからForo Buonaparte《フォーロ　ブゥオナパルテ》の大通りに沿って歩き、sella olfo《セッラ　オルフォ》で右に入ってスフォルツェスコ城（Castello Sforzesco《カステッロ　スフォルツェスコ》）に来る。今は市立博物館だ。ま四角な建物。城壁の両端に円塔が立つ。入ると中庭があり、舞台が設えてある。正面

入口の手前右に図書館があった。

中の美術館には彫刻が多く、ミケランジェロが死ぬ三日前に制作したという〈ロンダニーニのピエタ〉の像があった。一面に大理石のひび割れが目立ち、見るからに痛々しい。二階は途中から絵画室になって、マンテーニャの〈マリアと聖人たち〉、同じ題のフィリッポ・リッピの作品、ジョヴァンニ・ベルリーニの〈聖母子像〉があった。さらに左手の階段を上ると、ずらりと陶磁器が並んでいた。日本のものでは古伊万里やや信楽があった。衣装部門もあるがこれは見ないで館を出る。

スフォルツェスコ城の裏側に出ると、目の前にセンピオーネ公園が開けて、遥か向うにパリの凱旋門に似たArco della Pace《アルコ デッラ パーチェ》の「平和の門」が望める。公園は樹木が多い。左手の赤煉瓦の建物がpapalazzo dell'Arte《パラッツォ デッラルテ》のミラーノ・トリエンナーレ会場だそうだ。一部に劇場があり、展望台も見える。

気を取り直して午後の目的地へ向う。

⑥ まずドゥオーモの西側の、ピオ十一世広場に近いアンブロジアーナ美術館（Pinacoteca《ピナコテーカ》 Ambrosiana《アンブロジアーナ》）に来る。ここはダ・ヴィンチの〈ある音楽家の肖像〉（Ritratto di musicista《リトラット ディ ムズィチスタ》）が面白かった。モデルはミラノ大聖堂の合唱隊長という。丸く浅く、鍋を裏返したような帽子を被り、修道服のような服を着ている。それとラッファエルロの〈アテネの学堂〉（Scuola di Atene《スクオーラ ディ アテーネ》）の原

寸の下絵（カルトン）とカラヴァッジオの瑞々しい〈果物籠〉(Canestro《カネストロ》 di《ディ》 frutta《フルッタ》) が良かった。これはミラーノ司教ボッロメーロが所持していたという。一階の図書館には、ペトラルカが注を入れたウェルギリウスの原稿や貴重な手稿本があるが見ない。

⑦　次はドゥオーモの南一キロのサン・ロレンツォ・マッジョーレ聖堂（San Lorenzo Maggiore）だ。ここはローマ時代の創建という。何とも古色溢れる建物だが、内部は見ずに過ぎる。

⑧　次に、直ぐ近くのサンタ・マリーア・ブレッソ・サン・サーティロ聖堂に来る。ここは、サン・ピエトロ寺院などの様式を確立した有名な建築家ブラマンテが初めてミラーノで手がけた建造物で、小ぶりだが内部は広い空間で占められ、透視図法が用いられている。

⑨　再びガッレリーアを通りこしてスカーラ座の北、Manzoni《マンゾーニ》通りに面したポルディ・ペッツォーリ美術館（Museo Poldi Pezzoli）まで来る。ボッティチェルリの〈マドンナ〉、ポルライウォーロ（Piero del Pollaiuolo）の〈女性の肖像〉(Ritratto《リトラット》 di《ディ》 donna《ドンナ》) を見る。左の頬を見せ、髪を後ろに纏めた清楚な婦人像で、リリがしきりにほめる。

「こういう女性が理想なんでしょ？　リリと違って清楚だし、素直そうだし……」

「たしかにリリは彼女から見ると程遠いね」

「悪かったわね！」

そういって威張っている。そこがリリだ。

　さらに、クラナッハ（Lucas der Ältere Cranach）の〈ルーテル夫妻の肖像〉（Ritratto《リトラット》 di《ディ》 Martin《マルティーン》 Lutero《ルーテロ》 e《エ》 sua《スーア》 moglie《モーリエ》）、個人のコレクションとして武器、タペストリー、壁時計などがあり、一階から二階に上る階段周りの噴水のある空間など、ミラーノの上流階級の趣味がうかがわれる。

　館を後にして、Cairoli《カイローリ》広場を抜け、Tivoli《ティヴォリ》 Pontaccio《ポンタッチオ》通りと交差しているVia《ヴィア》 Mercato《メルカート》通りへ向う。夕暮れは早い。西の空が赤く染まりだした。何となく淋しい景色だ。

　今朝リリが予約したリストランテ〈Torre《トッレ》 di《ディ》 Pisa《ピーザ》〉を見つけて入る。外側からは暗い店と見えたが、入ってみると明るすぎるほどの照明で眼がくらむ。奥から二番目のテーブルに案内される。

　リリがメニュを見ながら決めていく。こちらを意に介しない。仔牛の骨付き肉の煮込み（Ossobuco《オッソブッコ》）、サフラン風味のリゾット（Risotto《リゾット》 alla《アッラ》 milanese《ミラネーゼ》）、そして発泡性のワイン（Oltrepó《オルトレーポ》 Pavese《パヴェーゼ》 Pinot《ピノット》 Spumante《スプマンテ》）。二人とも発泡酒を飲んで喉を鳴らし、いい気分になる。

「何だか初めてイタリアの味に出会った感じね」とリリが喜ぶ。

「このホテルは発泡酒がお勧めなんだね。だからみんなうまく感じるんだ」

　隣の四人掛けのテーブルに、観光客らしい三人が愉しそうに話を続けながら、皿からはみ出したカツレツ（Cotoletta《コトレッタ》 alla《アッラ》 Milanese《ミラネーゼ》）を食べている。

「こんなに大きいの食べられないじゃない。これだけで二人分よ」

などと言っている。

リリがウエイトレス（cameriera《カメリエーラ》）に言って食器を下げさせ、この店が自慢のGorgonzola《ゴルゴンゾーラ》チーズを頼む。言われるように美味しい。

ワインが利いたか、少し疲れ気味だった身体も軽くなり、口笛でも吹きたくなる。気分よくホテルに帰って、いよいよ旅の仕上げに明日からの旅程を組む。静かな夜は今日までになるかもしれない。

**〔イタリア第17日　ミラーノ・第3日目〕**

晴。朝食はホテルのリストランテ。例によって簡単にカップッチーノ、特製の生ハムのサンドイッチだけ。コーヒーを飲もうとしたとき、cameriere《カメリエーレ》が「電話です」と呼びに来る。すぐリリが立っていく。暫くして戻ってくると、

「ミケーレから。明日の都合はどうかって言うから〝大丈夫よ、愉しみにしてるから〟って言っておいたわ。いいでしょ？」

「いいよ。彼って、用意がいいね」

「それから、街の中で休むんだったら、Via Monte Napoleone《ヴィア　モンテ　ナポレオーネ》通りに〈COVA《コーヴァ》〉っていうお菓子屋さん（patisceria《パティッシエリーア》）があるから、そこへ行くと美味しいケーキとコーヒーがあるって」

「親切じゃないか。行って見ようよ」

「時間があったらね」

外は風が強くなった。これからの一日が思いやられる。チップを忘れそうになる。

⑩　まずは、サンタ・マリーア・デッレ・グラーツィエ教会（Santa《サンタ》 Maria《マリーア》 delle《デッレ》 Grazie《グラーツィエ》）ホテルからまっすぐノルド駅前のBoccaccio《ボッカッチオ》通りを少し歩いて左折し、Caradosso《カラドッソ》通りに入ると行く手に大きなクーポラが見え、横を走るMagenta《マジェンタ》大通りに面して茶褐色のグラーツィエ教会があった。敷地はイタリアの教会にしては狭いほうだ。レオナルド・ダ・ヴィンチの〈最後の晩餐〉（Ultima《ウルティマ》 Cenacolo《チェナーコロ》 Vinciano《ヴィンチアーノ》）の油絵は、私の知る限り４６０センチ×８８０センチという説と、４２０センチ×９１０センチという説と二つある。場所は、敷地の左側にある旧ドミニコ派の修道院の食堂だ。古い修道院の中は、この絵のほかに何もなく、がらんとしている。絵の主題はもちろん十二使徒との別れの晩餐で、主《しゅ》に対しての裏切り者を指摘する場面だ。

解説によると、十二弟子はキリストを中に左右に別れて塊のように見える。左から、バルトロマイオス、アルファイオスの子ヤコブ、アンドレアス、イスカリオテのユダ、熱心者のシモン・ペテロ、ゼベタイの子ヤコブの兄弟ヨハネ、そしてキリストの右へ、トマス、ゼベダイの子ヤコブ、フィリッポス、徴税人マタイ、タダイオス、シモンと並ぶ。弟子たちは、いま正に裏切り者ユダを指摘されたばかりで皆が動揺している。その中で一人キリストだけが諦めの眼差しで静かにこのひと時を耐えているかに見える。

「ずいぶん静かなのね、ここの教会……」

「教会ではあるけど、もとは修道院の食堂だったんだ」

「それにしても、人が少ないわね」

修道院の中は静まり返り、観光客の引きずる足音だけがよく響く。ミラーノは前の大戦で爆撃を受けたにもかかわらず、この建物は破壊をまぬかれたという。修道院の食堂の北側の壁いっぱいを占めた画面は、口を覆いたくなるほど永年月の湿気とそれによる剝落がひどい。これではそう遠くないうちに鑑賞に耐えなくなるだろう。

画面全体は雨が降ったように暗く、眠ったように曖昧模糊としている。全面に牛乳色の靄がかかり、なんとも哀れな姿だ。テンペラと油彩の技法で長い時間かけて描かれたため、早くから褪色が始まっていたという。そここに黴が生えて匂ってきそうだ。それにしてもこの黴はどうしたのか。これはダ・ヴィンチが哭《な》く。印象的な一点は、キリストの青い衣と丹摺《にず》りのような赤い衣が、背景の明るい窓の前でひとり際立って見えること。

だが、曖昧模糊としたこの絵こそ魅力なのだ。万能の天才レオナルドが、歴史のなかで今もなお存在感を示しているのは、〈モナ・リザ〉より、剝落したこの名画の方だろう。遅かれ早かれ修復されるに違いない。
⑪　つぎにサンタンブロージョ教会（Basilica di S.Ambrogio）へ。グラーツィエ教会に近い。四

世紀に創建され、九〜十二世紀に大改築したロマネスク様式の教会。主祭壇は金と銀に覆われた黄金の祭壇、右手奥の礼拝堂の天井もモザイク装飾で美しい。

リリが、間もなく昼になるので街中へ出て店を探そうという。ともかくドゥオーモの近くへ出れば店はある。十分ほど歩いてVia Albricci《ヴィア アルブリッチ》通りに来る。すぐそばにリストランテ〈Albric《アルブリック》〉があったので入る。そのとき、今晩のミケーレとの食事が気になった。昼は軽く食べておいたほうがいい。通されたテーブルに着いてリリがメニュを見る。

「Dorci《ドルチ》には、セミフレッドのイチジク添え（Fichi Flambée《フィッキ フランベー》）がいいわ。それと、グレープフレーツのグラタンと、ハチミツ風味（Spicchi di Pompelmo e Miele《スピッキ ディ ポンペールモ エ ミエーレ》）、あとはナーポリ風カッサータ（Cassata alla Napoletana《カッサータ アッラ ナポレターナ》）とスポンジケーキ（Zuppa Inglese《ズッパ イングレーゼ》）よ」

「カッサータって何？」

「〈果物入りのアイスクリーム〉だって」

リリは夜の食事などに頓着なく、出された料理を黙々と口に運び、陽気な気分で旅の締めくくりをつけようとしている。私はグレープフレーツのグラタンだけにして、あとエスプレッソを飲む。

荷物を整理するので早めにホテルに戻る。夕方五時にはミケーレがホテルにやってくる。それまで片付けておかなければ明日が困る。二人で荷物や衣服をトランクに詰め、あとは飛行機に乗せるため、ホテルに貨物便を呼ばせて空港へ運ぶように私が手配する。時刻を見るともう四時半だ。今夜は私たちがミケーレを接待することにする。

「何か、日本のものを上げたいけど、ないかしら？」

「今まで考えてこなかったね、悪かったたな」

「いいわ、リリ、何とかするから」

ミケーレは五時きっかりにホテルのロビーに現われた。例の黄色の皮ジャンを着ている。二人でロビーに出ると、手を振って近づいてきて、

「Ciao《チャーオ》！元気そうだね！　旅は愉しかったかい？」と声をかけてきた。リリが、

「Grazie《グラーツィエ》！al《アル》 Cielo《チエーロ》 stiamo《スティアーモ》 bene《ベーネ》！」（お蔭さまで元気で愉しかったわ）と挨拶する。それから、

「Anche《アンケ》 Lei《レイ》, sta《スタ》 bene《ベーネ》？」（あなたもお元気だった？）

「Si《スィ》, sto《スト》 bene《ベーネ》 grazie《グラーツィエ》！」（うん、元気さ、ありがとう！）

リリが、ミケーレのファックスの礼を言うと、

「あれはね、僕が商売で客を接待するときに便利なように、ほら、こうして手帳に張ってあるんだ。ほうぼうから来る客に店の内容を説明するのに便利だから。簡単だろ？」

ミケーレは当然のように話している。

「ずいぶんご親切なのね。だからあたしたち、とても助かったわ。どうも有難う」

「どういたしまして。僕にはアメリカやフランスの客がいるからこれがあると口で説明する手間が省けて助かるんだ」

「それはそうね」

ここまでは通り一遍の挨拶。ロビーのソファに掛けて、今夜のことを話し合う。

「今夜はここに泊ることにしたんだ。だから、ゆっくり話せるよ。今は新イタリア料理っていうのが流行なんだけど、君たちはまだ慣れないから止めておこうね。僕のお奨めは、ドゥオーモから二キロの〈Piazza《ピアッツァ》 5《チンケ》 Giornate《ジョルナーテ》〉から三月二十二日大通り（Corso《コルソ》 XXII《ヴェンティドゥエ》 MARZO《マルツォ》）を南に入ったVia《ヴィア》 Sciesa《シエーザ》 Amatore《アマトーレ》通りにある店で、〈Giannino《ジャンニーノ》〉っていうんだ。僕のメモには載ってないけど、料理はリゾットが実に美味しいんで評判なんだよ。高級店の〈Savini《サヴィーニ》〉を追いぬいてると思うんだけど」

私はリリと顔を見合わせた。そんなことはどうでもいい。

「いいわよ、今夜のお店はミケーレにお任せするわ」

「バスでも行けるけど、遅くなるからタクシーにしよう」

車を呼んで乗り込み、十分もすると、入り組んだ街並みの奥の店の前に来た。窓越しに大勢の客の姿が見え、テーブルに肘を着いて談笑している。通りに面した小綺麗で瀟洒な店構えだ。決して大きくないが、入ると開放的な空間の広がりが気持ちよかった。Cameriere《カメリエーレ》が近づいて、ほとんど店の真ん中の席に案内した。

「ここらでいいかな」

ミケーレが気を遣って場所を探している。

「どこでもいいわよ」

ミケーレがCameriereに合図して、外へ張り出した窓の傍の、鉢植えを置いた窓側のテーブルの席を替えた。

「ここらでいいね。さあ、君たち、何がいい？　今日は僕が奢るからね」

ミケーレが気を遣っている。

「それはだめよ、この前奢ってもらったんだから。今夜はあたしたちよ、ねぇ」

「ミケーレ、そうさせてくれないか」

私もリリに同調する。

「じゃ、注文はミケーレがしてくれる？」

品定めは彼に任せる。それではと言うのでミケーレがメニュを取って眺める。

「この店は、とうもろこしの粉から作るpolenta《ポレンタ》というリゾットが評判なんだ。肉料理と付け合せたり、パンのように食べたり、揚げたり、ラザニア風に調理したりして、ヴァラエティーに富んでるんだよ」

そのうち、リリがもう一枚のメニュを眺めて、

「ここに〈一品料理〉のメニュが書いてあるこれはどう？」。見るとこんなものだ。

1　Gamberi《ガンベーリ》 e《エ》 Carciofi《カルチョーフィ》（海老とアーティチョークのサラダ）
2　Bucatini《ブカティーニ》 alla《アッラ》 Cipolla《チポッラ》 e《エ》 funghi《フングィ》 porcini《ポルチーニ》（ポルティーニ茸と玉葱のブカティーニ）
3　Orata《オラータ》 con《コン》 Profumi《プロフーミ》 Mediteranei《メディテラネイ》（鯛の蒸し焼き・地中海風）
4　Fegato《フェガート》 alla《アッラ》 Veneta《ヴェネータ》（仔牛の肝臓のソテー・ヴェネツィア風）
5　Fichi《フィーキ》 Flambée《フランベー》（セミフレッドのいちじく添え）
6　Crème《クレーム》 Caramel《カラメル》（カスタード・プディング）

これでもいいと私は思った。あとはMontepulciano《モンテプルチアーノ》産の赤ワインが飲みたい。それを頼むかどうか迷う。

「やっぱり、店のお奨めコースがいいんじゃない？　これで」

と言ってBコースを指す。

前菜はbresaola《ブレザオーラ》（牛ひれの乾燥ハム）、一皿目のスープはstracciatella《ストラッチァテッラ》（掻き卵入りのスープ）、

コメ料理はpolenta《ポレンタ》、二皿目はspigola al forno《スピゴーラ アル フォルノ》（鱸のオーブン焼き）と、scaloppine alla griglia《スカロッピーネ アッラ グリグリーア》（仔牛の薄切り肉の網焼き）、リリはmanzo brasato《マンツォ ブラザート》（牛肉のとろ火煮込み）、野菜はbroccoli al burro《ブロッコリ アル ブッロ》（ブロッコリのバター炒め）、ピッツァはpizza alla marinara《ピッツァ アッラ マリナーラ》（オレガノを振りかけたトマトソース掛け）、チーズは柔らかなfontina《フォンティーナ》、果物はfragole《フラゴーレ》（いちご）、それに、profitoeroles《プロフィトロール》（シュークリームのチョコレートかけ）を二つとgelato alla vaniglia《ジェラート アッラ ヴァニーリア》（ヴァニラ・アイスクリーム）、飲み物はvino《ヴィーノ》 valpolicella《ヴァルポリチェッラ》の赤。コーヒーは苦みを利かしたcappuccino《カップッチーノ》。

「そんなところかな。リリの言うとおりにするよ」とミケーレが降りた。

「じゃ、お店のお仕着せだけど、こんなところが無難よね。Bコースにするわ」

　今度はミケーレがメニュを指さして講釈する。

「このポレンタは北イタリア特有の料理だよ、トーモロコシの粉を火にかけたお湯にふるい入れて、すっかり底が焦げ付くまで捏ねに捏ねて作ったパンだよ。肉料理と一緒にソースで食べるんだ。いい匂いだよ」とさっきと同じことを繰り返す。

「小ぶりの粗挽きソーセージの入ったリゾットもあるよ、ほんのりサフランの香りがするミラノ風のリゾットなんだ。ほら、向うで食べてるあれだよ。黄色いだろ。ちょっとお米が生煮えみたいだけど、実は生煮えと煮えすぎの境目で火を止めたお米なんだよ。こいつは難しいんだ」

　料理を褒めたいのか料理法を褒めたいのか判らない。

「ミケーレはそれにしたら？」

「いや、今日は二人のにそろえるよ。同じのを味わった方がいいから」

「それじゃ、頂きましょうか。お料理冷めちゃうから」

　そこでミケーレが、

「君たちの幸運を祈って乾杯！」

　ワイングラスをチンチンとぶつけ合いながら飲みだす。しばらくは黙って食器を操って料理を口に運ぶ。「三人の最後の晩餐」といったところ。

　終わり近くに、チーズのスフレが出てきた。かなり膨らんでいる。それを平らげて、ミケーレが、

「デザートはやっぱりアイスクリームが良いね」

　とヴァニラを舐めながらぎょろりと目を向け、出てきたciliegie《チリエージェ》（サクランボ）を見て、

「ほらね、気が利いてるだろう？　こうやってサーヴィスしてくれるんだ、この店は」

　たしかに料理はおいしかった。これでイタリア最後の食事は満足して終わった。

　ミケーレは何かを話さなければならないという風に、眼をつぶって考えをまとめているらしい。

「あのね、*I Promessi Sposi*《イ プロメッスィ スポーズィ》って小説（*I Promessi Sposi*）があるけど、知ってるかい？」

　それにはさっそくリリが受けて立つ。

「知ってるわよ。ここにある『いいなづけ』でしょ。ジュンが調べてきたの」

いつ仕舞い込んだのか、バッグから例のものを引っ張り出す。

「おや、用意がいいね。こっちじゃダンテの『神曲』と並んで中学や高校で必ずこれを読ませるんだ。著者のアレッサンドロ・マンゾーニ（Alessandro Manzoni）はここで生まれたんだよ。何しろ十七世紀の話で大河ロマンだからね」

私が読んだ記憶では、第十二章のパンの略奪の話のところだ。〈コルシーア・デ・セルヴィ〉（Corsia dei Servi）と呼ばれた通りに、その頃からパン屋があって、今もある。屋号も昔のままで、トスカーナ方言では「松葉杖屋」と言う意味だ〉と。地図でみると、ドゥオーモの東約一キロのところにある。

「マンゾーニは亡くなった翌年の一八七四年の一周忌に、国葬で送られたんだよ。そのときヴェルディの鎮魂ミサ曲〈Messa da rèquiem《メッサダレクイエム》〉が初演されたんだ」

「あのレクイエム、知ってるわ。はじめはロッシーニが一八六八年に死んだので、十三人の作曲家がレクイエムを合作したのよね。その最後の部分をヴェルディが作曲したんでしょう？」

「そう、よく知ってるね、それ、〈Libera me《リベラメ》〉というんだけど、彼にはその時演奏の機会が回って来なかったんだよ。だからマンゾーニの時初めてかれが演奏したんだ」

「そうだったの。ほかに、熱狂的に読まれた本があったでしょ」

「ウンベルト・エーコの『薔薇の名前』だろ。　五年前に出たけど、正統と異端の格闘を見せる現代の聖書なんて言われてね」

「映画になって評判だったって」

「よく知らないけど、調べてみたけど、聖書が土台になった物語で歯が立たなかったな」

「そんなことないよ。エーコは哲学や記号論を専攻したスケールの大きい作家なんだ。物語は十四世紀の話だけど、修道士のウィリアムと弟子のアドソが北イタリアのある修道院で起きた奇怪な事件を糾明するため危険を冒して迷宮のような文書館に籠って次々に古文書の謎を暴いていくんだ。アドソは今は老人だけど、若かりし頃の知的な冒険を振り返って物語る方法で話は進んでいくんだ。兎に角面白いよ。」

「何か内容のわかる話はあるの？」

「あるよ。たとえばこういうのよ」

A giustificare la mia irresponsabile leggerezza di allora dirò oggi, e con le. parole del dottore angelico, che ero indubbiamente preso di amore, che è passione ed è legge cosmica, perché anche la gravità dei corpi è amore naturale. E da questa passione ero naturalmente sedotto, perché in questa passione appetitus tendit in appetibile realiter consequendum ut sit ibi finis motus. Per cui naturalmente amor facit quod ipsae res quae amantur, amanti aliquo modo uniantur et amor est magis cognitivus quam cognitio.

(Umberto Eco ”IL NOME DELLA ROSA” LVII edizione Tascabili Bompiani marzo 2010 p.283)

〔訳〕いまだからこそ言えるのだが、あのとき私は、意志の力を発揮すべき内なる知性の欲望と、人間の情欲に屈服した内なる感覚の欲望とのあいだで、両者の相克に苦しんでいたのだ、じじつ、〈感覚ノ欲望ノ動キハ、肉体ノ変化ヲ伴ッテイル限リ情欲ト呼バレルガ、意志ノ動キハソウデハナイ〉。そして私の欲望の動きはまさに全身の戦きを伴い、肉体の衝動を伴って叫び声をたて、悶えるまでに至った。天使的博士〔アクィーノのトマス〕も言っている、情欲それ自体は悪ではなく、ただ理性に導かれた意志によって制御されねばならない、と。

（河島英昭訳『薔薇の名前』下、四二二頁）

このトマスというのはあの『告白』を書いたトマス・アキナスだけど、エーコは『ヨハネ福音書』の予言に沿って物語を凄絶な破局へと展開されるんだ。そうして聖書の世界の神秘の仮面を剝いでいくんだよ」

「聖書を精しく知っていると、きっと面白いんでしょうね」

「リーなら絶対に読めるよ、日本に帰ったら読んでごらん」

話はそれから次に移って行った。

「ところで君たち、イタリアを回ってきて、どこが面白かった？」

「あたしはヴェネツィアよ、海が見られたんですもの」

リリが初めに口火を切る。それでいいのかと思ったが、余計な口出しはしない。

「ではシニョール柳はどこなんだい？」

「どこって、一概に言えないね。それぞれ特徴があってさ、面白いのもそれぞれだし……」

「イタリアってところを一番印象深くしてるのは、都市と農村がミックスしてる所じゃないかしら？　たとえば……アッシージとか」

「アッシージは都市とは言えないだろ？」

「だって、都市の機能はもってるわ」

ミケーレの質問自体が面白くないことを、彼自身は知らない。

「あのね、都市でも農村でもいいけど、面白さを前提にしたら、どこでも面白いものがあるんだから、答えにならないんだな。なにか一つに絞らないと……」

「僕はそんな難しいことを訊いてるんじゃないよ。ごく平凡な、どんなことがあって、どこが面白かったか、だよ」

「それなら、リリと同じだ。アッシージはちょっと現代を忘れさせてくれたしね」

「それと、少し東邦的なラヴェンナかしら、あのラピス・ラズリ……」

「僕はね、ローマの鳩が汚かったのが印象的だな」と私は率直に言った。

「それ、ローマのどこ？」

「ピンチョの丘だよ。あそこからサン・ピエートロが見えるというのに、群がってこっちに寄ってくる土鳩が汚くてね。それ以外はコロッセーオをはじめとして、さすが世界の中心のローマと言えるね」

「鳩なんかに目を向けてるから何にもわからないのよ。リリはアッシージの次はやっぱりヴェネツィアね。この二つに尽きるわ」

「それが普通誰しもの印象だよ。ごく簡単に言って」と私が口をはさみ、さらに、

「イタリアらしいと言ったらフィレンツェのドゥオーモじゃないかな。あれはイタリアの貴婦人の代表格だな」とやや大げさに言ってみる。

「貴婦人だったら、さっきからここにおいでになるよ」とミケーレがリリの肩を軽く叩く。

「そんなお世辞を言っても、何にも出ないわよ」

「お世辞じゃないよ。そうだ、出来たらダ・ヴィンチ村へ行けばよかったな。フィレンツェから

車で一時間もかからないんだ。あそこは山の中の静かなところで、レオナルドのすべての仕事が展示してあるんだ。面白いんだけどねえ」

「今それを言われても、どうしようもないわ。次の機会があったら連れてってよ」

「今度はいつ来られる？」

「いつかしら？　もう一度同じところを見て歩きたいわ、リリは……」

「それまで、身体もそうだけど頭の方も鍛えておかないとね」

「こういう意地悪を言うのよ、ジュンは」と言ってミケーレを見て、助け舟を出してもらいたそうだ。

「それで、何かいい買い物をした？」

「いろいろ好いのがあって目移りしちゃったわ。でも少しは買ったわ」

「シニョール柳からプレゼントされたんだな」

「あたり！」

「どんなのを買ってもらった？」

「大したものじゃないけど、〈マリアーノ・フォルトゥーニ〉という銘柄でワインレッドの洋服生地をプレゼントしてもらったの。これが買い物の目玉かしら」

「よかったね。ほかにカメオとか、ガラス製品とか、アクセサリーとかも買ったんだろ？」

「ほんの少しね」

「それは記念にできてよかったよ」

「そうね、いい思い出にね。そろそろ行きましょうか、明日の支度もあるし……」

席を立とうとした時、ミケーレが何か思い出したらしく、ちょっと困った顔をして言った。

「そうそう、Jean《ジャン》=Cloude《クロード》から手紙が来てるんだ」

内ポケットから大型の封筒を取り出してリリに渡した。

「あまりいいことは書いてないけど……」

リリが懐かしそうに封を切って読み始めたが、見る見る顔が翳り始め、今にも泣き出しそうになった。

「リリ、そんなに悲しそうな顔をしないで……」

ミケーレが思わず口を切る。

「彼には僕から言っておいたから、そんなに悲しまないでくれよ」

リリを宥めている。何かよくないことらしい。リリは押し黙っている。

「誰にでもあることなんだから」

「いいわ、日本に帰ったら手紙を出すから」

手紙をバッグにしまい、堕天使《サタン》でも払うように髪を振って作り笑いをした。

「あとで見せればよかったけど、早く知らせた方がいいと思って」。ミケーレは悪びれずに言う。リリはすぐ「ありがと」とにっこり笑って答えた。

彼と一緒に私も煙草を取り出して吸い、一服した後、帰り車を拾う。ホテルに戻り、エレヴェーターの前に来た時、ミケーレがリリの肩を抱いて頬にbaiserした。別れづらそうだ。

「じゃ、Jean=Cloudeによろしく言ってね」

ミケーレは、エレヴェーターの前でいつまでも立っていてこちらを見ていたが、やっと右手を挙げて乗り込んで姿を消した。

「あーあ、よかったわ、今夜は彼にご馳走出来て」

部屋に戻って持ち帰る荷物を点検しながら、Jの手紙の中身をリリは洩らした。明日のド・ゴール空港までリリを見送りに行く、行かないで妻と言い争い、妻が、「どうしても行くのなら、家に戻って来なくていい」と言ったと。Jは折れて、行かないことになり、妻に謝ったという。気分が重くなったか、リリはベッドにもぐってなかなかバスに入ろうとしない。

「ね、バスに入ろう。ここで転がってても、何にもならない」

「そうね、少し眠気を覚ましてさっぱりしましょう」

やっと起きだしてバスに入り、シャワー（doccia《ドッチャ》）を浴びる。

「イタリア最後のバスね……」

イタリア最後の夜を過ごすのに、ちょっぴり寂しい心地を味わわせられるのもいい経験ではないか。時計は九時半を回った。この国との別れの淋しさを一抹の感傷なしでは過ごせないことを知った。過ぎてきた流離と禁欲の経験を思い出として心に刻み、手を取り合って眠りに就く。今のこの気持ちを素直に認めて、リリと一緒に帰国しようと思う。この先、何が待っているか知らないが……。

# 第二部　美しき惑いの年——彷徨する無垢なる魂

文学は七つのシチュエーションに基礎を置き、音楽は七つの音で一切を表現し、絵画は七つの色しか持たない。こうした三つの藝術と同様に、おそらくは愛も七つの要素で構成されているのだろう。その探求は次の世紀にゆだねよう。

——オノレ・ド・バルザック『結婚の生理学』
（一九七三年十一月、安士正夫訳・東京創元社刊）

# 第一章　東京銀座のサロンボーイ

その建物は、焼け残りのビルの谷間で瀟洒な白壁を見せ、柔らかな秋の陽を浴びていた。入り口のドアに「店員募集」と墨で書かれた張り紙がある。森川淳は、透き通った硝子越しに観葉植物の鉢があるのを見て、どことなく新鮮な店らしいと感じた。

硝子のドアを押して店に入ったとたん、聞き覚えのある〝感傷的旅行《センチメンタル・ジャーニィ》〟の旋律《メロディー》が、独特の気だるさを漂わせて流れていた。

この店は、尾張町の東側二番目の角の小野ピアノ店を右に入った左側五軒目にある。白壁に続く軒下に、灰色の布地の看板に横書きで赤く「コーヒー店」と書き、下に「ブランスヰック」と大きな墨字が躍っている。

店の中は足音が響くほど静かだ。淳が室内を見回していると、

「マスター、応募の人らしいけど」

と左手奥のカウンター越しに男の声が聞こえた。

「いま、行くよ……」

カウンターの奥からたっぷりしたバリトンの声が響いた。

淳は、初めての仕事探しに気後れしがちな気分を振りはらった。が、さっきから瞼が痙攣してどうしようもない。

大柄な男が、踵のない突っかけ履きのスリッパを引き摺って歩いてきた。

「あっちがいいかな。まだ客は来ないから」

こげ茶のダブルの前ボタンを外したまま、大柄な男は太い指に葉巻を挟んでいる。七、八卓はある店の一番奥の丸テーブルで向かい合った。なかなかの好男子だ。鼻の下に流行りのコールマン髭を蓄え、時折指で擦っている。時刻は二時を過ぎていた。そのときカウンターの男が水を入れたコップを二つ、テーブルに置いた。

「店員で、いいんですね？」

マスターは念を押した。

「はい、やったことはありませんけど」

淳は上着の内ポケットから履歴書を取りだして渡した。マスターは体を屈めてそれに見入ってから、

「これ、君が書いたの？」と淳を見つめてきた。

「はい」

昨夜、裸電球の下で何枚も書き損じて最後に残った一枚だった。

「字がうまいね。君は事務屋のほうが合ってるかもな」

「小学生の時に習字を習ってから筆を持ったことがないので……」

「いや、なかなかなもんだ。……けど、うちはボーイがほしいんだよ。やれますか、君？　食器を洗ったり店を掃除したり。大事なのはお客さんの接待だけど。どう？　やれる？」

「はい。きっとできます……」

「きっと、じゃ困るよ」

マスターに強く言われて淳はびくっとした。返事がまずかったと思う。

「君と同い年の人が一人いてね、あのカウンターの外山君と一緒に私の家に住み込んでもらっているの。これだと……お姉さんと二人暮らしだね。姉さんは二十二で税務署に勤めてるのだね。ところでご両親は？」

「母は十年前に病気で亡くなって、それからおととし疎開先で父が亡くなりました」

「そうか、両親とも居ないんだね？　じゃ寂しいな。この日暮里の家は焼けなかったの？」

「ええ、隣まで火が来たんですけど助かりました」

「それじゃ、住み込みでなく、通いができるね。通いでいいよ」

いつしか男の眼もとに優しげな皺が浮かんでいる。淳はテーブルの隅のメニュウをそっと見た。コーヒー代は一杯二十五円。

「君、失礼だけど、その服は？」

「父の形見です。父は洋服を縫っていました。これ、父が大事にしていたんです」

「カシミアの生地じゃないか。いい光沢だね。普段に着るのはもったいないな」

訊かれたくないことだ。季節に合わないが今はこれしか着るものが無かった。

「君は中学五年でまだ学校が残っているけど、どうするつもり？　先生は君のこと、知っているの？」

「姉が先生と相談して、卒業を延ばしてもらうことにしました」

「あと五カ月で卒業でしょ。なんとか終えた方がいいじゃないか？　働くのはそれからでも遅くないし」

先のことを考えたうえで働き口を探しに来ている。ここは何とか通過するしかない。

「いろいろ考えた末のことです。やらせて下さい。お願いします」

いくつかやり取りのあと、履歴書を胸のポケットにしまった。マスターは去年の暮、ブラジルから帰国したら、念願の銀座でコーヒー専門店を開くのが夢だったと言う。マスターがコップの水を飲んだ。つられて淳も一口飲んだ。

淳はひと月ほど学校から遠ざかっていた。どう工面しても九百七十円の学費が払えない。当座の食費すら不足する日々だ。ボーイの日給が四十五円と決まった。住み込みなら食費は要らない。そのほうが良かったか。それでも淳は雇われて嬉しかった。朝と夕方の仕事は十時から三時半と、三時から八時半の二交代の割り振りになった。

淳は翌日から働きに出た。日暮里から有楽町までの電車の中で、見知った同級生と出会わず安心した。有楽町から店までの通りに街娼が屯していた。アメリカ兵と腕を組んで歩く女もいる。接収された松屋や和光のＰＸの周りに、淳と同年くらいの子供が靴箱を抱えて通りすがりの兵隊に靴を磨かせようと身構えている。彼らは虎視眈々と獲物でもあさる眼で客を探している。銀座の通りのあちこちに白衣を纏って軍帽を被った傷痍軍人が肩から紐を吊ってハーモニカを結び付け、ジュラルミンの鍋を路上に置いて喜捨を待っている。

初めの数日は、マスターが古株の外山をモデルに仕事を説明させた。掌に載せる銀盆と、その運び方から始まり、テーブル・マナーのすべてを実際に細かく練習させられた。モデルの外山は、石膏のメヂチを想わせる白皙の美男子だ。透き通った高い鼻梁が親しめなかったが人当たりは良かった。淳より十日ほど早く店に来た及川も、どこか貴公子然とした風貌がある。育ちがいいのかもしれない。二人に比べて自分は見劣りすると淳は思った。その自分がここに採用されたことに、ある種の違和感を覚えた。

外山は、富山市で焼け出され、母だけが郷里に残って外山の稼ぎを頼りにしていると聞いた。及川も、身寄りのないまま新潟から兄と上京し、東京では別々に暮らしていた。

働き出して二十日もすると、淳は来客をボツボツ覚えだした。著名な人はたいてい梨園の役者だったり銀幕で活躍している俳優だった。なかには大蔵省の役人をしながら小説を書いている人もいた。初めは淳も気がつかなかったが、夕方五時ころになると必ず現れる美しい女性がいた。その人について外山が淳に囁いたことがあったが、小さな声だったのでよく聞き取れなかった。

「明日の晩、よかったら僕たちのところへ泊りにこないか、森川君。一度、三人でゆっくり話したいんだけど、都合はどうだい？」

淳は否応もなく行くと答え、翌日の夕方、彼らの住まいへ向かった。


マスターの家は店から近かった。新橋五丁目の都電通りから少し外れて、細い路地に面した自動車の修理工場があり、一階が独身のマスターの部屋で、二階がボーイたちの部屋だ。工場はマスターの弟が経営している。三十坪ほどの工場の土間から二階へ昇る鉄梯子が掛けられ、昇った突当りの八畳間がボーイたちの住まいだ。外山が用意したのか部屋の壁際にミカン箱の応急の卓袱台《ちゃぶだい》の上の皿に、数個の大福餅が盛られていた。東向きで部屋は明るいが、黄ばんだ壁と色褪せたカレンダーが画鋲で留められ、男所帯の殺風景な佇まいだ。

「ふた皿四十円を値切って三十五円で買ってきたよ。これ、僕の奢りだ。さ、食べよう」

外山はさらりと言ってのけ、三つ違いの兄貴分の貫録を見せた。及川が手慣れた手つきで茶を淹れてくれる。言い合わせたように三人は畳の上にごろりと身体を投げ出し、肘枕を衝いて大福を頬張った。

「僕はね、五月まで進駐軍の軍用品を闇市に卸していたんだ。アメリカの陸地測量部隊が新宿の伊勢丹を本拠に日本全国を三角測量していてね。通りの反対側の建物の五階にある帝都座の額縁ショーを見ていた時、アメリカ兵のジョージ軍曹と知り合って、彼が一緒に儲かる仕事をしないかと誘ってきたんだよ」

伊勢丹の進駐軍が何をしているか淳もうすうす知っていた。米軍の軍用品は闇市で高く売れるのも聴いていた。及川は、この話に何の反応も見せず腕組みをしたまま天井を睨んでいる。淳は今言われた「額縁ショー」という言葉が新鮮に聞こえた。

「軍用品ってどうやって手に入れたの？」

及川が興味ありげに訊いた。

「ジョージが地方へ測量に出張するとき、軍の日用品を扱う『酒保《しゅほ》』の兵隊と共謀《グル》になって品物の員数を誤魔化すんだって。それは伝票でどうにでもなるんだそうだ」

淳は不審に思って訊いた。

「軍隊でそんなことできるのかい？」

「それが仲間とグルだから出来ちゃうそうだよ。伊勢丹の裏口へ行ってみればわかるよ。日本人がウロウロしているから」

「外山さん、どうしてそれを辞めたのですか」

及川が訊ねた。

「問題はＭＰだよ。ミリタリ・ポリスさ。一度捕まれば沖縄行きか営倉にぶち込まれるかのどっちかなんだ。強制労働十年だってさ。実際闇市でやってみれば面白いほど売れるんだ。ズボン一本五百円で十本は売れるよ。でも現場で見つかったら軍に通報されてＭＰが駆けつけて来て一巻の終わりさ！」

「でも、今はサツマ芋一貫が八十円でしょ。大根が十円、卵は一個二十円、コメが一升百八十円、タバコだって四十五円だよ。それで日給が三十円ときたら大根が三本しか買えないしね。外山さん、出来たら続けてやりたかったんじゃないの？」

及川は未練がましく外山を顧みて言った。米軍の物資なら石鹸もチョコレートもタバコも軍服も、そして上着もすべて日本中の闇市で高く売買できると淳も聞き知っていたが、ＭＰの眼が光っていることは初めて知らされた。

屋台のラーメンが届いて三人は湯気の立った蕎麦の汁をすすった。辺りに幸せな匂いが立ちこめた。外山は煙草を吸い続け、ラッキーストライクの喫《の》みさしを灰皿に潰している。及川が話しだしたのは、外が昏《くら》くなり始めたころだった。電灯をつけると部屋中がぱっと明るくなって見た目には小綺麗な部屋が浮かびあがった。

「僕は親父たちが満州に居たんで、新潟の叔母の家で暮らしてたけれど、やっぱり窮屈なんで兄貴と相談して東京に出て来たんだ。最初は中華蕎麦屋で働いたけど、朝が早くて夜遅い仕事でそれが苦手で、この店に入ったんだ」

「兄さんはいま何をしてるんだい？」

と外山が訊く。

「トラックを運転して建築資材を運んでるよ。そうしながら司法試験を受けるって勉強してる」

「偉いね、兄さんは。で、君は学生のころは何をしてた？」

とまた外山が訊いた。

「兄貴と違って僕は地元の商業学校へ通ったんだけど就職口がなくてね。とりあえずここに来たってわけ。学生のころは防空壕を掘ったり村が農繁期のころ手伝ったり、そんなことだよ」

「それなら帳面つけでも簿記でも何でも出来るじゃないか。森川君はどうやってここに入ったの？」

淳はマスターに話した経歴を掻いつまんで話した。

「疎開していたときの暮らしはどうだったの？」

「伯父たちがよくしてくれて、食べるものは困りませんでした。父が死んだ時も、伯父が朝四時に起きて牛の曳く荷車で町の火葬場まで行ったんですが、僕もついていきました。姉が家で待っていて……。その二、三日あとに学徒動員で寄宿舎に入って、霞ヶ浦に近い海軍の航空廠で、破損した零戦《ゼロセン》を修理してました」

「それで君たちはどうやって暮らしてたの？」

「姉がミシンで近所から頼まれる衣服の直しや仕立てをしていました。終戦で東京の家が焼け残ったので去年東京に帰って来たんです。でも中学の月謝が払えなくて四年で中退しました」

及川は深くうなずいて眼を細めた。外山も、

「君も工場で働いていたんだね……」

と改めて淳を顧みた。淳も及川の過去を聞きたくなったが、それを言い出す前に及川が話し始めた。

「僕は富山で落下傘を縫う工場で働いたけど、縫う布がなくなってね。それで三つ上の兄は名古屋の飛行機工場で爆撃に遭って即死さ。だから戦争なんて俺たちのような下の者ばかり殺されて、上にいる奴らはノホホンと生きてるんだよ」

この及川の慨嘆は、淳には予想も出来なかった。

「そうだよ、あの戦争は何のためだったのかさっぱり判らないな」

外山も深く頷いている。淳は彼らの告白めいた話から、ある夏の日のことを想いだしたが今は言わないでおいた。

工場の外は夜の帳が降りていた。淳が話そうと思った矢先に、外山が先ほどの話題を続けて話し出した。

「君たちは知らないだろうけど、『りべらる』という雑誌にいろいろ書いてあるんだ。さっきの額縁ショーっていうのは、舞台の真ん中に太い木枠をこしらえて、枠の中に裸の女がすっぽり入って体をくねらせたり乳房を揺らしたりして観客の欲情をそそるんだ。枠の中でじーっと動かないのもある。それが絵というわけ。枠の女は入れ替わり立ち替わり何人も姿態を変え音楽に合わせて体を捩《よじ》る。それがに二、三分続いたあとドタバタ劇を見せて四十円も取られる。あんなの初めて見たよ」

淳は聞くうち少しも興味が沸かなかった。むしろ汚らしいと思った。すると、及川が、

「じゃ、森川君は戦時中、どこにいたんだい？　その頃の事、聞かせてくれよ」

と言って淳の顔を見つめてきた。淳は仕方なくその大概を話し始めた。

＊

太平洋戦争は末期に近づいていた。淳が疎開した村は父の郷里に近く、草葺屋根の質素な田舎屋敷だった。転校した中学三年の淳は、家を出て私鉄駅に向かう二里の道は長かった。途中、村道が切れて県道に入るところに大きな二本松があった。そこを過ぎるとき、気になる女学生がいるかいないかで気分が変わった。彼女を追い越したときの気分は爽快だったが、追い越されると、なにくそと思う気分に支配された。村から通学する生徒は淳とその女学生の二人で共に青春の入り口に立っていた。私鉄駅からディーゼル車に十五分ほど乗って県立土浦中学に通った。

中学のある町から平たい筑波山が見えた。冬などはくっきりと紫紺の姿を見せて、『古事記』に載っている歌謡を想わせた。山肌は季節ごとに色を変えた。中学では、郷土の誇る勤皇の志士が尊ばれ、海軍兵学校や陸軍士官学校へ行く生徒が輩出した。淳も海兵を目指していた。クラスの疎開者は淳のほかに三人いた。淳は剣道部に入れられて揉まれた。

軍事教練は三八銃を担いでグラウンドを匍匐した。肋木をアメリカ兵に見立てて突撃訓練をした。失敗すると配属将校の鬼教官がサーベルを鳴らして飛んできて鉄拳を張った。生徒は怯えた。夏休みの宿題は《軍人勅諭》の全文を諳誦し、墨筆で臨書することだった。

敗戦の年の一月、五十四歳の父が結核で逝き、淳は学徒動員で家から職場までは通えず、霞ヶ浦に近い海軍の寄宿舎に入り、一人の姉はミシンを踏んで賃仕事を始めた。淳は霞ヶ浦海軍航空隊（通称霞空《がすくう》）に属する航空廠の銅工班に配属された。

寄宿舎は平屋の二棟建で一棟が十六室、一室十二畳の部屋に五人が押し込まれた。朝夕の点呼は厳しい。舎監は右翼の大東塾生H海軍中尉で、点呼に一人でも欠けると怒鳴りつけてビンタを喰らう。渡り廊下を挟んで広い食堂がつながり、朝夕の食事は焚きあがった白米が大きなバケツに盛られて数杯並び、当番生は大盛りのバケツ目がけて突進した。惣菜は野菜の煮つけや焼き魚、それに味噌汁が付いた。

淳が動員された航空廠に、百人を超す中学生が蒲鉾型の格納庫の中で働いていた。淳は銅工班に配属され、零式艦上戦闘機（零戦《ゼロセン》）や、水上飛行機の破損したフロート（水上機の下に取りつけた浮き舟）を修理した。班には男子工員三人、女子二人がいた。赫ら顔の技術将校が毎日巡回に来た。フロートは中にやっと一人が入れる空間しかなく作業がしづらかった。作業とは、フロートの外側から破損した箇所をジュラルミンであてがい、それに穴をあけてビスをフロートの中へ差し込み、中にいる淳は入ってきたビスの頭を鉄板で潰した。

昼は仕事休めのサイレンが鳴り、台車に積まれた木の弁当箱を女工員が取りに行く。弁当箱には野菜の煮っころがしやたくあん漬けが並んでいた。

春浅い一日、いつものように格納庫一帯に正午のサイレンが響き渡った。淳はフロートから降りて弁当を取りに出ようとすると、女工員のIが「オレが取って来《く》べえよ」と走って行き、戻ったとき弁当箱を三つ抱えている。「これさ喰えや」と淳に二つを手渡してフロートを攀じ登り、太り肉《じし》の尻を斜めに入ってきた。

「腹減ったっぺ。さ、食えや。いいから食え」

天井の低い窮屈なフロートでは膝頭がぶつかる。だから体を寄せて食べた。初めてのことだ。今日に限ってIがなぜ入ってきたのか？　淳はなぜか羞恥を覚えた。二箱目を食べ終わろうとしたとき、Iがモンペの下から袱紗《ふくさ》のような布に包まれた冊子を淳の弁当箱に置いた。

「オメエ、こーたの（こういうのを）見たことあっぺ？」

Iは紅く熟れたリンゴのような頬を膨らませて笑いながら、水筒の口から音立てて水を飲んでいる。その仕種はまだ子供から抜けきれない。

「何してんだ！　ほれ、手さ取って見ろヤ」

無口と思っていたIは豹変して姉御を気取っている。布を抜き、中のものを手にした時、「夜雁之声」の四文字が目に飛び込んできた。その字の下に、金糸と銀糸で織り込んだ鮮やかな襦袢の裾が畳に流れ、男が眼を瞑って女を抱いている。

淳は脚を縮めた。Iの動作は敏速だ。淳を後ろに倒し、右手で淳をまさぐり続け、間も置かず事を運んでしまった。

四日後の午後、警戒警報が鳴り響き、鹿島灘から飛来する敵のグラマン艦上攻撃機の空襲に見舞われた。淳は工具を抱えて逃げるIたちとは別の、飛行機を格納する掩体壕《えんたいごう》へ走った。滑走路に並ぶ海軍攻撃機が幾つか破壊され、機銃掃射の直撃を食らった動員学徒が一人死に、それにI工員も巻き添えを食って死んだ。その後何度も空襲を受け、その度に、飛行場に並ぶ航空機を掩体壕に運んだ。機体を運ぶ途中、早くもグラマンが飛来して機銃掃射で工員の何人かが命を落とした。


五月に八人の中学生が選抜され、艦上攻撃機〈雷電〉の電波探知機を取り付けに千葉の香取航空隊へ十日ほど派遣された。そこで淳は十七歳の福久海軍兵長と知り合い、義兄弟を契った。敗戦後、福久兵長の故郷山口県厚狭《あさ》に来いと呼ばれたが行けなかった。福久兵長との交情は彼の死まで数十年続いた。派遣から戻った淳に、学徒兵のM少尉との新たな出会いが待っていた。

M少尉は白皙の青年で女工員に持てた。Mは霞空の神風特別攻撃隊（特攻）萬朶《ばんだ》隊に属していた。昼休み、赤い吹流しが翻る飛行場の〈雷電〉や〈紫電〉が並ぶ先で、淳は特攻隊員の旋回訓練を眺めた。Mはリベラリストで、人間の未来は不可知だと言った。淳は海軍兵学校予科を受験するため宿舎で三人の学友と勉強した。そのためMから多くの知識を叩き込まれて力づけられた。その頃、東京の空が空襲で赤く焼ける夜景をしばしば見た。

ある日、訓練を終えたMが淳の格納庫に来た。「今夜、俺のハンモックに来てくれ」と誘い、飛行服のポケットから「これ、食ってみろ！」と外国製のチョコレートをそっと渡された。以来、淳を弟のように遇してくれた。訪ねた夜、宿舎のハンモックの下で消灯時間までMと話し込んだ。Mは岩波文庫の一つ星を読めと奨め、伊藤左千夫の『野菊の墓』のストーリーを話した。帰りのポケットは菓子で膨らんだ。そのうちMの姿を見かけなくなった。半月もして、沖縄戦で特攻隊の菊水作戦に出撃して戦死したと知った。このころ上級生Sから執拗に右翼の大東塾に勧誘された。影山正治率いる塾生は、天皇に緩急あれば市内真鍋の佐久良東雄の菩提寺・善応寺で割腹自殺を血盟していた。淳は入塾を拒否した。当時、中学の先輩Kの懇請で、家宝の備前長船清光の刀一振りを、出征するI少尉に米一俵と換えて提供した。


淳たちは一番北の格納庫兼修理工場で働いていた。工場の内部は機密保持で、漏らしたものは学徒でも軍法会議に回される。前年十月、レイテ沖海戦で米艦に体当たり爆撃をした海軍特別攻撃隊はこの霞ヶ浦航空隊から出撃したのだった。淳は、これまで数回、出撃を見送ってきた。

季節は夏へと移り始めていた。ある日の午後、三時の休憩のラッパが響き、工場の中は機械音がやみ、代わってあちこちで人声が聞こえてきた。南格納庫の端に、紅い吹き流しが翻っていた。

広々とした滑走路の上に夏空が広がっていた。雲の群れがゆったりと浮かんでいる。遠くに紺碧の山肌を見せる筑波山が、万葉時代から続く悠久の姿態を見せている。飛行場の一郭に三棟の格納庫があり、その前に夏草が生い茂ってその先はコンクリートが敷きつめられている。

淳はそこを目がけてかけ出し、息を切らせて奔っていると、向こうに軍装を整えた搭乗寸前の飛行兵たちが二十人ほど円陣を組んで何かを唱う声が風に乗って流れてきた。淳は脚を止め、もう近づけなくなった。飛行兵たちは、そのまま地上から飛び立つ瞬間を今や遅しと待機する中で歌っている。その時だった。

「おーい！　中学生！　旨いものがあるぞ、食わんか！」

すると円陣が割れ、一人の飛行兵が大きく手を振って淳を呼んでいる。淳もそれに引きずられるように駆け出して行った。真っ黒に日焼けした飛行兵が笑いながら、

「どうだ、珍しいだろう！　食ってみろ」

脂ぎった彼の手のひらにカステラとチョコレートが三枚握られていた。淳はそれを手に取ったが口にもってゆけず、おずおずしていると、

「食ってみろよ！」

と呶鳴られて思わずチョコを口に入れた。忽ちとろけて初めて味わういい香りが口中に広がった。この世にこんな甘い菓子があったのか。味わいながらふと見ると、紅い吹き流しの竿に、

「海軍特別攻撃隊・萬朶隊」と墨書した布が巻きつけてあった。

「どうだ、飛行機に乗りたいか！　え？　おい、学生！」

「はい……」

　円陣を組みなおした兵士たちは一斉に笑った。

「お前は工場で何をしてるんだ？」

「動員でフロートを修理してます」

「予科練に来い！　予科練は楽しいぞ！」

「はい、仲間と海軍兵学校を受けます。いま、その勉強をしてます」

「兵学校？　よせよせ！　予科練に来い！　真一文字に敵に当たる予科練に来いよ！　仲間にそう言っておけ！　判ったか！　判ったらこれを食うんだ！」

　菓子の一袋を渡された。

「俺たちはな、今夜鹿屋に発《た》つ。霞ヶ浦ともお別れよ。次はお前たちが来る番だぞ！　いいな！　頑張って来い！」

　あとは飛行兵たちの笑声に包まれた。蒸し暑い風が滑走路を吹き抜ける……。淳は今、何を言ったらいいのか、言葉を知らなかった。やがて彼らは縦隊を組んで滑走路の方へ駆け去った。淳は一団が小さな塊となるまで見つづけてその場から動けなかった。

六月半ば、誰言うとなく戦争は八月の半ばに日本が敗戦して終るらしい、と秘かに囁かれ始めた。海軍兵学校も陸軍士官学校も、すでに受験の対象ではなくなりつつあった。軍関係の上級学校はすべて閉鎖されるという風聞が流れ始めていた。進学できない学生の、為にする嫉妬心を吹聴するに過ぎない、という者もいた。しかしやがてそれが事実となった。

淳はあの特攻兵たちが、海の中で何を思って死んでいったか、想像できなかった。

＊

話を聞き終えた外山と及川は、しばらく目をつぶっていたが、

「すごい体験だったんだね。そうだったのか、軍隊ね……」

うち黙って聞いていたが、外山は、

「話題を替えようや、なあ」

と言って、今度はマスターについて話し始めた。その話を裏付ける事実が数日後に淳に降りかかってきたのは、偶然とはいえ信じられなかった。

新橋の家にマスターが泊る日は週二日か三日だった。後はどこにいるのか判らなかった。その理由は、後に判ると外山は言うが、それは簡単に淳にも知れた。

師走が近くなった或る夕方、珍しくマスターが暖かそうな手編みのセーターを着て店に現われ

た。

「森川君、ちょっと。これね、三越の隣の〈美松〉の受付に渡してきてください」

見るとそれは茶封筒に入った便箋の紙だった。

その時、七、八人の客がテーブルに凭れてコーヒーを飲んでいた。この店の通路の付近では急ごしらえの店舗が建ち始めて、通行人が増えてきたとマスターは喜んでいる。

淳は〈美松〉と聞いて、銀座で人気の高いキャバレーであることを知っていた。もしかすると、この店の客の中にも、そこで踊ったり飲んだりする人もいるだろうと思った。

尾張町の晴海通りを三越側の北側に渡って東隣の〈美松〉の入り口から入り、店の中を掃除している男に聞くと受付は左手奥にあった。「受付」と下手な筆で書いた木札がかかった壁の下で、色白の娘が立っていた。白い丸襟の紺のワンピースを着てこちらを見ていた。彼女を認めた瞬間、淳は立ちすくんだ。紺のワンピースが眩しかった。近づくと、彼女は待ち受けていたかのように近寄ってきて、まじまじと淳を見つめた。

「これ、深田さんから預かってきました。お願いします」

そう言うと淳は逃げるようにして〈美松〉を出た。

コーヒー店は長続きせず、淳は仕事を転々と変えざるを得なかった。同じ銀座の肉の「スヱヒロ」、新宿駅南口の中華料理店「陽華楼」、再び銀座の「日本電報通信社（後の電通）」、神田鍛冶町の「島三商会」など。「島三」で初めて会計係として事務を知った。そのうち大学入学検定試験を受けて合格し、W大学の仏文科に入ることができた。

# 第二章　ミューズ（Muse）の神に魅せられて

## 音　楽〈Musique〉

大雪を気にしながら森川淳は上野へ行く。文化会館は雪の中だ。アシュケナージのピアノ演奏会。入場券に、「未来のホロヴィッツ待望の再登場」と書いてある。暴風雨警報まで出て、会場まで行くのが大変だ。演目はベートーヴェン「ハンマークラフィア」とショパンの「前奏曲」。

久しぶりだ。上野の街はいつ来ても何となく温かい。下町の風情たっぷりで気取りがなくて賑やかだ。演奏は新進のピアニストだけに勢いがいい。金鎚でキーを叩いている感じで耳ががんがんしてくる。後のショパンで漸くそれも穏やかに戻った。

帰りに新宿に出て駅ビルの居酒屋に入る。さっき、音楽会の幕が下りてみな立ち上がり、帰り支度を始めたとき、隣の席の人が交わした会話を思い出した。

「クラシックがお好きって伺ったのでお誘いしたけど、今夜のはどうでした？」

「とても良かったよ」

「ああよかった！　じゃお好きなピアニストはだれ？」

「そうね、やっぱりサンソン・フランソワかな。特にショパンが好いね。横浜の百人ほどの小さなホールでレコードコンサートを聴いたけど、その時はショパンのコンチェルト一番。あれが戦後初めて聴いた音楽だよ」

その時淳は、あの混乱した頃に、よく聞いたものだと感心した。

あの曲は、第二楽章の導入部がロマンティックで、浪漫派好きだった淳はことにショパンが好きだった。

あのワグナーの破壊的な情熱と陶酔からずっと遠く、モーツァルトのピアノの透明な歓びとも違い、身近な打ち明け話みたいに親密さを包み込んでる曲だ。言葉では言いにくいが、心理的な起伏に富んで、期待から焦燥へ、躊躇いから甘美な憧れへと、きらきらと輝く束の間の歓び、そこへ移っていく過程で揺れ動いたり、動いてまもなく消え去っていこうとする、そういう感情が全面に流れている。

戦後まもなく、淳は日本交響楽団で尾高尚忠の指揮で巖本真理の独奏を聞いたことがあった。

そのころ安川加壽子《かずこ》は日本語よりフランス語が得意で、日本に居るときはフランスへ留学したんじゃなくて日本へ留学に来たとか聞いたことがあった。彼女はドビュッシーが好きらしく、

〈子供の領分〉などをよく弾いていた。それにフランスの詩人マラルメなどに造詣が深かったと聞いた。

帰りの車内で淳は昔の音楽会を思い出した。初めて尾高の指揮を聴いたのは三月の園田高弘の演奏で、巖本は五月だった。

帰宅して十八歳当時の日記が出てきた。そこに書いてあるものを、ここに写してみる。

＊昭和二十四年（一九四九年）
一月二十四日午後五時・日比谷公会堂。日本交響楽団・指揮尾高尚忠《ひさただ》、独奏安川加壽子。ブラームス　交響曲第2番、ラヴェル　左手のためのピアノ協奏曲、シュトラウス　オイレンシュピーゲルの愉快ないたずら。

二月十四日午後五時・日比谷。日響・指揮山田一雄、独奏梶原完。ベートーベン　交響曲第5番、リストのピアノ協奏曲第1番、ショスタコーヴィチの交響曲第5番。

三月二十二日午後五時・日比谷。日響・指揮尾高尚忠、独奏園田高弘。シューマンの交響曲1番、ラフマニノフのピアノ協奏曲2番、ストラビンスキーの火の鳥。

五月十日午後五時・日比谷。日響・指揮尾高尚忠、独奏巖本真理。モーツァルトの交響曲第39番、ベートーヴェンのヴァイオリン協奏曲第2番。

（五月十日～六月二十一日、御茶ノ水の東京音楽学校分教場でピアノを実習してバイエルを上げる。分教場は音楽学校生徒の寄宿舎兼教室）
五月十一日午後五時・毎日ホール。永井進門下生第1回ピアノ演奏会
五月十三日午後三時・（場所不明）・鈴木良一ピアノ独奏会
五月二十一日午後二時・商大兼松講堂。原智恵子ピアノ独奏会
六月七日・日比谷公会堂。日本交響楽団・指揮山田一雄。合唱国立音楽学校、独唱三宅春恵・四谷文子・木下保・中山悌一。ベートーヴェンのエグモンド序曲、交響曲第9番。
八月六日午後七時・鎌倉市民座。鎌倉交響楽団・指揮尾高尚忠。ヨハン・シュトラウスの蝙蝠序曲、藝術家の生涯、ウィーンの森の物語、無窮動。そのあと映画「たそがれの維納《ウィーン》」（料金一〇〇円）。尾高尚忠氏は昭和二十六年、四十歳で死去。
八月二十五日・後楽園。日響「たそがれコンサート」。田園、ハンガリア狂詩曲、美しく蒼《あお》きドナウ、ピアノ独奏園田高弘　ショパン・コンチェルト第2番。砂原美智子「ああそは彼の人か」ほか五曲。
十月九日午後三時・日比谷公会堂。ショパン没後100年祭。ピアノ独奏レオニード・クロイツァー。奏鳴曲、エチュード12曲、夜想曲、舟唄、ポロネーズ変イ長調。
十月十七日午後四時・日比谷。ショパン100年祭。独奏安川加壽子。夜想曲、即興曲、

舟唄、ポロネーズ変イ長調ほか。

十一月八日午後六時・日比谷。東宝交響楽団・指揮近衛秀麿。フィガロの結婚序曲、運命。ピアノ独奏原智恵子　ショパン・コンチェルト第1番。

十二月八日午後六時・日比谷。日響・指揮山田一雄、独唱柴田喜代子・中山悌一他、合唱国立音楽学校、マーラー　交響曲第8番。

十二月十八日午後六時・日比谷。ヘンデル・オラトリオ「メサイア」。

十二月三十一日午後六時・日比谷。日響特別演奏会。指揮レオニード・クロイツァー。国立音楽学校　独唱中山悌一・木下保他。ベートーヴェン　第九交響曲。
＊昭和二十五年（一九五〇年）
一月十二日午後六時・日比谷。東京交響楽団・指揮近衛秀麿。ベートーヴェン交響楽第1番・第2番、独奏安川加壽子　ピアノ協奏曲第1番。

八月七日、日比谷。日響。オペラ・トスカ、独唱三宅春恵。

十月二十八日午後六時・日比谷。ラザール・レヴィー・ピアノ独奏会。ベートーヴェン「熱情」ほか。

十一月二十三日午後六時・日比谷。日響定期。楽劇道化師、薔薇の騎士。

十二月十七日（場所不明）オペラ・ファウスト、独唱石津憲一ほか。

十二月二十一日午後六時・日比谷。日響。ヘンデル・オラトリオ「メサイア」。

十二月二十九日午後六時・日比谷。日響。ベートーヴェン第九。

昭和二十五年の数は少ない。音楽会はそのころ知り合った中原純子と一緒だった。覚えているのは、指揮者のレオニード・クロイツァー、尾高尚忠、高田信一、山田一雄、マンフレート・グルリット、ジョセフ・ローゼンストック、クルト・ウェス。バイオリンの井上園子、諏訪根自子、岩淵龍太郎など。ついでに書くと、尾高尚忠の兄は法哲学者の尾高朝雄《おだかともお》で、当時出版されて淳も読んだ『法の窮極にあるもの』はいい本だった。それと並んで、哲学者出隆《いでたかし》の『灰にするが可』『哲学以前』などを読んでいた。

# モーツァルト頌

## 「悲しみの疾走」の根拠

### I

森川淳は当時、次のような長文のメモを取っていた。

文芸評論家の小林秀雄がモーツァルトの四十番ト短調シンフォニーをどう聞いたか、昭和二十一年の暮れに出た雑誌『創元』に載っていた。献辞で「母上」とあるが、母上はこの年五月に死去している。その文章を少し引用しておこう。

僕は、その頃、モオツァルトの未完成の肖像畫の写真を一枚持つてゐて、大事にしてゐた。それは、巧みな繪ではないが、美しい女の様な顔で、何か恐ろしく不幸な感情が現れてゐる奇妙な繪であつた。……大きな眼を一杯に見開いて、少しうつ向きになつてゐた。人間は、人前で、こんな顔が出来るものではない。……世界はとうに消えてゐる。ある巨きな悩みがあり、彼の心は、それで一杯になつてゐる。眼も口も何んの用もなさぬ。彼は一切を耳に賭けて待つてゐる。耳は動物の耳の様に動いてゐるかも知れぬ。が、頭髪に隠れて見えぬ。ト短調シンフォニーは、時々こんな顔をしなければならない人物から生れたものに間違ひはない、僕はさう信じた。何んといふ澤山な悩みが、何んといふ単純極まる形式を発見してゐるか。内容と形式との見事な一致といふ様な尋常な言葉では、言ひ現し難いものがある。全く相異る二つの精神状態の殆ど奇蹟の様な合一が行はれてゐる様に見える。名付け難い災厄や不幸や苦痛の動きが、そのまゝ同時に、どうしてこんな正確な単純な美しさを現す事が出来るのだらうか。それが即ちモオツァルトといふ天才が追ひ求めた対象の深さとか純粋さとかいふものなのだらうか。ほんたうに悲しい音楽とは、かういふものであらうと僕は思つた。その悲しさは、透明な冷い水の様に、僕の乾いた喉をうるほし、僕を鼓舞する、そんな事を思つた。

……（大阪の街で起ったことを）思ひ出してゐるのではない。モオツァルトの音楽を思ひ出すといふ様な事は出来ない。それは、いつも生れた許りの姿で現れ、その時々の僕の思想や感情には全く無頓着に、何んといふか、絶対的な新鮮性とでも言ふべきもので、僕を驚かす。人間は彼の優しさに馴れ合ふ事は出来ない。波は切れ味のいゝ鋼鉄の様に撓やかだ。

（小林秀雄『モオツァルト』2）

## II

小林が聞いたト短調シンフォニーは、フルトベングラーの指揮だろう。次のような評論もある。

演奏時間三十一分四十秒。一七八八年に出来たこの交響曲は、情熱的であり、又は情緒に溢れた楽想を有している。悲劇的であると共に病的に迄昂奮せしめられ陰欝さを持っている。この様な内容性はモオツァルトにとって確かに珍らしいことである。

モオツァルトにとってト短調という調子が特殊な感情を持っていると屢々言われているが、兎に角この曲が当時の絶対音楽の行き方を一歩前進させたものであることに誤りは無い。彼の楽曲としては感情が濃く、抒情的であり、情熱的である点に特徴を見出す。第一楽章（七分二十秒）には「人間の苦悩から迸り出た慰めの心」が現わされているとも言われている。

アレグロ・アッサイ、ソナタ形式、ト短調・二分の二拍子の第四楽章（六分）に聴かれるものは、病的に迄昂奮せしめられた熱情の嵐である。然も重苦しいわだかまりがその中に含まれている。冒頭から激しい第一主題が始まる。

（『名曲解説事典』Ⅰ・交響曲。解説・田辺秀雄）

あとの方の〈tristesse allante〉（悲しみの疾走）の根拠を探すと、一七八七年春、モーツァルトが仕事にとりかかろうとしたとき、ザルツブルクから父の病気を知らせる一通の憂慮すべき手紙を受けとる。その返事の手紙が（アンリ・）ゲオンの『モーツァルトとの散歩』にある。

親愛なお父さん！――

……たったいま、ひどく打ちのめされるような知らせを聞きました。――最近のお手紙で、あなたが幸いとても元気になられたと思えただけにショックを受けています。――でも、いま、あなたが本当に病気だと知りました！　あなた御自身から快方に向かっているという安心の手紙をぼくがどれほど切望しているか、お伝えするまでもないでしょう。そして、事実また、そう願っています――常にぼくはあらゆることに最悪を想定することに慣れてはいるのですが。――死は（厳密に言えば）ぼくらの人生の真の最終目標ですから、ぼくはこの数年来、この人間の真の最上の友とすっかり慣れ親しんでしまいました。その結果、死の姿はいつのまにかぼくには少しも恐ろしくなくなったばかりか、大いに心を安め、慰めてくれるものとなりました！　そして、死こそぼくらの真の幸福の鍵だと知る機会を与えてくれたことを（ぼくの言う意味はお分かりですね）神に感謝しています。――ぼくは（まだ若いとはいえ）ひょっとしたらあすはもうこの世にはいないかもしれないと考えずに床につくことはありません。——でも、ぼくを知っている人はだれひとり、付き合っていて、ぼくが不機嫌だとか悲しげだとか言えないでしょう。——そして、この仕合わせを毎日ぼくは創造主に感謝し、隣人のひとりひとりにもそれが与えられるよう心から祈っています。（中略）ぼくがこの手紙を書いている間にも、あなたが快方に向かわれるよう願い望んでいます。でも、あらゆる期待に反して快復されないときは、どうか……《（結社？）》にかけて、事実を隠さないでください。事実をありのまま書くか、書かせるかしてください。人間わざで可能なかぎり速く、あなたの腕に抱かれに駆けつけます。このことは——ぼくらにとって聖なるものすべてにかけてお願いします。——それにしても、まもなく、あなたからほっとするような手紙をいただけると思っています。そして、このうれしい希望を抱いて、妻やカールとも、あなたの手に一〇〇〇回のキスを贈ります。そして、永遠にこの上なく忠実な息子

W・A・モーツァルト

ヴィーン、一七八七年四月四日

（『モーツァルト書簡全集』VI・高橋英郎訳）

驚くべき、貴重な手紙である。これはわれわれが予感していた秘密をあますところなく伝えている。これを無視しては、モーツァルトを、ことにモーツァルトの藝術を根底から把握することはできないだろう。これは彼の存在の中心にあって、彼の内部を明らかにしている

のである。

いかなる藝術家といえどもこれほど生き生きと、情熱的に生きたものはないし、またこれほど藝術のなかに惜しみなく生命を注いだものもなかった。

（アンリ・ゲオン『モーツァルトとの散歩』第九章「無償の傑作」2・高橋英郎訳）

## III

アンリ・ゲオンはこの文章に「死の五重奏曲」の見出しを掲げている。一七八七年五月十六日、ト短調クィンテットが完成して間もなくの二十八日、父レオポルトが息を引き取る。ゲオンはこのあとさらに、曲の構成を丹念に追って、重要と思われる楽譜の一部を掲載して書いている。

われわれはこの死の傑作にふさわしい敬意をこめて近づこう。不出来に珍らしい傑作、という意味は、初めほど良く出来ていないということである。その原因をこれから尋ねてみよう。構成は初めから終わりまで堂堂としているが、それぞれの部分が同じ重みでもなければ、同じ独創性を示しているわけでもない。もっと正確に言えば、第一楽章では、展開のしかたや、色彩や、表現内容や、むせび泣きの点であのように独創的だったので、われわれの感動や、讃美や、驚嘆はそこで汲みつくされてしまう。少なくとも私の場合そうである。

……私は単にこのアレグロを他人によって凌駕されがたいと思うばかりでなく、モーツァルト自身によっても再び書かれることのない、唯一無比のものだと思う。音楽がこれと同じくらいに美しく、深遠なものを生みだすことは、なきにしもあらずだろう……。だが、これとそっくりのものは二度と生まれがたいのである。これは抒情的な効果や、美点からいって、このジャンルの最高峰として残るだろう。このクィンテットの規則だった分析をするには、終わりから始めて逆に聴き進めるようおすすめしたいのはそのためである。

（アンリ・ゲオン『モーツァルトとの散歩』第九章「無償の傑作」2・高橋英郎訳）

一方、小林秀雄は、『モーツァルトとの散歩』から〈tristesse allante〉を読み取った。それは次の原文からだろう。

魂を満たすきわめて赤裸な、いとも純粋な音、……しかしながら、同じような例にわれわれはしばしばめぐりあうだろう……。いくつかの音符の繰りかえしを際限なく活用する、驚くべき活力をもった最後のロンドに私は触れまい……それよりも、音階と、その組み合わせと、それらの対置された動きからなる第一楽章（アレグロ）は、一七八七年の無二の傑作『弦楽五重奏曲ト短調』（K五一六）の冒頭部アレグロの最高の力感のうちに見出される新しい音を時として響かせている。それはある種の表現しがたい苦悩で、駆けめぐる悲しさ（tristesse allante）、言い換えれば、陽気な悲しさ（allègre tristesse）とも言える《テンポ》の速さと対照をなしている。この晴れやかな陰翳という点からすれば、それはモーツァルトにしか存在せず、思うに、彼のアダージオやアンダンテなど……のうちのいくつかをよぎる透明な告白よりもずっと特殊なものである。

（アンリ・ゲオン『モーツァルトとの散歩』第五章2・高橋英郎訳）

## IV

これについて音楽評論家木村重雄は、次のように記している。

ト短調K五一六は、ハ長調（K五一五）と並んで——丁度《ジュピター（ハ長調　K五五一）》とト短調交響曲（四十番）とが対比されるように——弦楽五重奏曲中の代表作とされているが、内容の充実していることからみると、ハ長調に一籌《いっちゅう》を輸《ゆ》するものがある。しかし、「ト短調」という——ベートーヴェンに於ける「ハ短調」のように——モーツァルトにとって宿命的とも云われる調性と、それによって醸し出される一種独特の悲愴美にあふれた楽想、特に第一楽章第一主題の異様な美しさによって、ユニークな地位を占めている。

（『名曲解説事典』6〈室内楽曲〉）

さらに、小林秀雄は『モオツァルト』で次のように書く。

スタンダアルは、モオツァルトの音楽の根柢は tristesse（かなしさ）といふものだ、と言った。定義としてはうまくないが、無論定義ではない。正直な耳にはよくわかる感じである。浪漫派音楽が tristesse を濫用して以来、スタンダアルの言葉は忘れられた。tristesse を味ふ為に涙を流す必要がある人々には、モオツァルトの tristesse は縁がない様である。それは、凡そ次の様な音を立てる、アレグロで。

（ト短調クインテット、K.516）

（原文はここで次の第一楽章冒頭五小節の楽譜を掲げる）

ゲオンがこれを tristesse allante と呼んでゐるのを、読んだ時、僕は自分の感じを一と言で

言はれた様に思ひ驚いた（Henri Ghéon, Promenades avec Mozart.）。確かに、モオツァルトのかなしさは疾走する。涙は追ひつけない。涙の裡に玩弄するには美しすぎる。空の青さや海の匂ひの様に、萬葉の歌人が、その使用法をよく知つてゐた「かなし」といふ言葉の様にかなしい。こんなアレグロを書いた音楽家は、モオツァルトの後にも先きにもない。まるで歌声の様に、低音部のない彼の短い生涯を駈け抜ける。彼はあせつてもゐないし急いでもゐない。彼の足どりは正確で健康である。

彼は手ぶらで、裸で、余計な重荷を引摺つてゐないだけだ。彼は悲しんではゐない。たゞ孤独なだけだ。孤独は、至極当り前な、ありのまゝの命であり、でっち上げた孤独に伴ふ嘲笑や皮肉の影さへない。

（小林秀雄『モオツァルト』9）

## V

淳は短調の音楽のなかで、特にニ短調が一番激しい感情を映せる楽曲だと思う。たとえばショパンの二十四の前奏曲の最終楽章のように。やっぱり徹底して聴かなければだめだ。『モオツァルト』の最終章は、小林秀雄がモオツァルトの音楽を、批評の領域から魂の領域へと透視した言葉が刻印されている。

「二年来、死は人間達の最上の真実な友だといふ考へにすつかり慣れてをります……」これは、「ドン・ジョヴァンニ」を構想する前に、父親に送つた手紙の一節である。／何故、死は最上の友なのか。死が一切の終りである生を抜け出て、彼は、死が生を照し出すもう一つの世界からものを言ふ。こゝで語つてゐるのは、もはやモオツァルトといふ人間ではなく、寧ろ音楽といふ霊ではあるまいか。（中略）／……死は、多年、彼の最上の友であつた。彼は、毎晩、床につく度に死んでゐた筈である。彼の作品は、その都度、彼の鎮魂曲であり、彼は、その都度、決意を新たにして来た。最上の友が、今更、使者となつて現れる筈はあるまい。では、使者は何処からやつて来たか。これが、モオツァルトを見舞つた最大の偶然であつた。／彼は、作曲の完成まで生きてゐられなかつた。作曲は弟子のジュッスマイヤアが完成した。だが、確実に彼の手になる最初の部分を聞いた人には、音楽が音楽に袂別《べいべつ》する異様な辛い音を聞き分けるであらう。そして、それが壊滅して行くモオツァルトの肉体を模倣してゐる様をまざまざとみるであらう。

（小林秀雄『モオツァルト』11）

長く引用したが、音楽を通しただけで小林秀雄が判ったとはいえない。一人の作家を自分にひきつけて理解するためには、彼の人格の裏側を見抜かなければならない。人間の持つ人格は八面体だが、その裏側に回って確かめ算をしなければ全人格など判るはずがない。

## 音楽会〈Concert〉

戦後まもなく再開された我が国の各種芸術的催しは、まったく無知だった森川淳の感性をある程度目覚めさせた。その中のいくつかを記憶をたどって書いてみたものがある。当時、海外から来日した演奏家たちの中で、淳が記憶している音楽家のうち、とりわけピアノ曲の演奏が気に入っていた。例えばフランスのラザール・レヴィーがいる。彼のショパンは気品に富み、憂愁の気風を帯びていた。名前を挙げてみると、サンソム・フランソワ、ヴァイオリンのヤッシャー・ハイフェッツ、そしてわが国では安川加壽子、辻久子らは淳の幼い脳裡にも焼き付けられた。以後、数々の作曲家たちがいた。その中で淳が最も好きになった作曲家はモーツアルトだった。彼ら天才たちの音楽を聴くたびに、淳は新たな心境を根付かせられた。

先日は巖本真理弦楽四重奏団の第三十二回定期演奏会を聴いた。会場は上野の文化会館小ホール。第一回。二月も同じだった。この演奏が早くから始められていたとは迂闊にも知らなかった。演奏はヴァイオリン巖本真理・友田啓明、ヴィオラ菅沼準二、チェロ黒沼俊夫、2ndチェロ藤田隆雄。

Ⅰ　ハイドン弦楽四重奏曲　ニ短調〔五度〕作品76―2（一七九七年）
Ⅱ　モーツァルト弦楽四重奏曲　ニ長調　K575〔プロイセン王セット第一番〕（一七八九年）
Ⅲ　シューベルト弦楽五重奏曲　ハ長調　作品163（一八二八年）
ホールに立つ巖本真理は、一見して鋭い感性の持ち主と見えた。尖った頤、白い頬、憂いを湛える鋭い眼光、背中まで垂れる神秘な黒髪、そして彫りの深い顔立ちと黒づくめの装い……。彼女はあらゆる女性の中で屹立していた。私は一目で彼女に惚れた。

このうち、ハイドンは弦楽四重奏曲の最高傑作で、通称「五度」という。シューベルトのは正に没年の作品だ。モーツァルトも良かったが、季節のせいかシューベルトがなお良かった。第一楽章はロマンチックな気分、第二楽章は夢幻的な情趣、第三楽章は軽快なスケルツォで進み、第四楽章はやや冗漫な経過をたどる。全体として、主題と変奏が各楽章ともまとまって聴きよかった。

昨夜は巖本真理弦楽四重奏団の第三十三回定期演奏会で、ベートーヴェンの弦楽四重奏曲全曲演奏のプログラムには「定期開始5周年記念」と書いてある。演奏は巖本・友田・菅沼・黒沼。

Ⅰ　弦楽四重奏曲　ヘ長調　作品14―1（ピアノ・ソナタ ホ長調からの編曲・一八〇二年）

Ⅱ　弦楽四重奏曲　第一番　ヘ長調　作品18－1（一八〇〇年）
Ⅲ　弦楽四重奏曲　第十二番　変ホ長調　作品127（一八二五年）

巖本真理弦楽四重奏団の第三十四回定期、ベートーヴェン弦楽四重奏曲全曲演奏の第二回。文化会館小ホール。演奏は前と同じ巖本・友田・菅沼・黒沼。

Ⅰ　弦楽四重奏曲　第二番　ト長調　作品18－2（一八〇〇年）
Ⅱ　弦楽四重奏曲　第七番　ヘ長調　作品59－1（一八〇六年）
Ⅲ　弦楽四重奏曲　第十三番　変ロ長調　作品130（一八二五年）

いつもと違って聴衆が少ない。それに影響されたわけでもなかろうが、何となく精気を欠いた演奏に聞えた。記憶に残ったのは第十三番だけだ。これはいつ聴いてもいい。

上野の森は晩夏の日脚も空しく煙雨の中だ。文化会館小ホールで第三十五回巖本真理弦楽四重奏団のベートーヴェン連続演奏を聴く。

Ⅰ　弦楽四重奏曲　第三番　ニ長調　作品18－3（一七九八年）
Ⅱ　弦楽四重奏曲　第八番　ホ短調　作品59－2（ラズモフスキー第二番・一八〇六年）
Ⅲ　弦楽四重奏曲　第十四番　嬰ハ短調　作品131（一八二六年）

ホールは満席。八番と十四番は昔、「ジュリアード盤」で聴いた。曲想は重厚な感性に包まれて、幾色かのスペクトルに分けられた多重の音域が流れる。高揚する意志の羽ばたき。五線譜上に書き込む作曲家の一筆一筆を、四人の演奏が美しくも悲しい音色を立ち上げる。聴く者はその旋律に引きこまれるが、それも暫しの歓喜でしかなく、人生のようにやがてそれらの美々しい音の世界とも訣別しなければならない。

秋霖前線が停滞して寒々とした上野の森だ。会社の私の隣の席にいる横山恵津子と文化会館へ。第三十六回巖本真理弦楽四重奏団のベートーヴェン弦楽四重奏曲・連続演奏第四回。やはり満席。演奏は四人。今日も素晴らしい巖本だった。

Ⅰ　弦楽四重奏曲　第四番　ハ短調　作品18－4（一八〇〇年）
Ⅱ　弦楽四重奏曲　第九番　ハ長調　作品59－3（ラズモフスキー第三番・一八〇六年）
Ⅲ　弦楽四重奏曲　第十五番　イ短調　作品132（一八二五年）

このうち十五番は五楽章あり、その第三楽章はリディア旋法というグレゴリオ聖歌にのっとった〈モルト・アダージョ〉の旋律が流れて、「病より癒えたる者の神への聖なる感謝の歌」の副題のつく、優しく清澄な音律が奏でられる。これにはしみじみとした感情を掻き立てられた。

一八二五年四月、ベートーヴェンが第二楽章まで書いてきたとき持病の腸疾患が悪化して筆が取れなくなった。しかし翌月には軽減し、六月から作曲が再開できて八月には完成した。これによって第三楽章をそのように呼ぶそうだ。これは昔、コロンビア盤でバルヒュットのものを聴いた。楽想は忘れてしまったが。第四楽章は行進曲風、そのあとは雄渾で潑溂として元気に満ちている。

公演は第三十六回まで続けられたらしい。

先日、モーツァルトの「トルコ行進曲」ばかりのCD八枚を友人から借りて、聴き比べた。その感想がこれだ。

〈ピアノ・ソナタ第11番、イ長調（トルコ行進曲付き）K331、一七八三年作曲〉

1　ダニエル・バレンボイム〔Barenboim, Daniel〕

第一楽章　14分02秒、第二楽章　5分53秒、第三楽章　3分17秒

概評＝全体に緩序弾奏で、的確、明瞭、喜遊、澄明で若々しい。採点は77点。

2　グレン・グールド〔Gould, Glenn〕

第一楽章　7分56秒、第二楽章　6分36秒、第三楽章　4分3秒

概評＝全体に左手の伴奏が控えめ。オーソドックスでなく個性的で楽しい。的確、明

瞭、喜遊、澄明で若々しい。音質がよく、悠揚迫らず。第三楽章のスタッカートはバッハ調。79点。

3　アルフレッド・ブレンデル〔Brende, Alfred〕
第一楽章　10分28秒、第二楽章　5分46秒、第三楽章　2分49秒
概評＝力弱し。情調不十分。中学の上級生的で、全体に女性的。色彩で言えば黄色か。78点。

4　アンドラーシュ・シフ〔Schiff, András〕
各楽章を通じて音が重い。高音が内側に籠もる。べたつき気味なところがある。75点。

5　マレイ・ペライア〔Perahia, Murray〕
第一楽章　13分47秒、第二楽章　5分58秒、第三楽章　3分24秒
概評＝第二、第三楽章はテンポが速いが綺麗で強い。77点。

6　リリー・クラウス〔Klaus, Lili〕
第一楽章　11分57秒、第二楽章　5分37秒、第三楽章　3分12秒
概評＝全体に感情的で、突き上げる情熱を感じさせ、男性的で少し乱暴。それだけにメリハリは明確で力強いが、聞きずらい。74点。

7　マリア・ジョアン・ピリス〔Pirès, Maria Joãn〕

第一楽章　14分13秒、第二楽章　5分46秒、第三楽章　3分41秒
概評＝好みとしてこれが随一。強弱音の弁別が知的で明確。音域によっては曲想の奥の深さを想像させる。第一楽章は荘重で、入り方がよい。第二楽章は軽快でしかも品格を保つ。第三楽章は収束へ向かっての息遣いが伝わる。80点。

8

内田光子
第一楽章　13分49秒、第二楽章　6分38秒、第三楽章　3分31秒
概評＝録音宜しからず。平凡。おとなしい。情感まったく伝わらず。覇気なし。楽しくなく、情緒希薄。全体に優等生的で、譜面どおりの忠実な演奏。76点。

## 演　劇〈Théâtre〉

戦前昭和十八年、森川淳は東京の府立五中、後の小石川高校に入学した。彼は上級生から誘われて、演劇研究部に入り、講堂の隅で照明係を務めさせられた。そのうち、認められて演出の役が回ってきて、ノルウエイの昔話を作家の久保田万太郎が翻案した『北風の呉れたテーブル掛け』に端役で出演した。その折に劇作家木下順二氏を本郷の私邸に訪ね、初歩的な演出法などの教えを受けた。

後に、淳は六本木の俳優座演劇研究所附属俳優養成所の研究生に応募した。その募集要項の記録があり、長文だが歴史的に面白いので抜粋する。

1、俳優養成要綱＝修業年限3年、生徒定員1学年五十名、本年一九五二年は三十五名。入

所資格は男女十五歳より二十二歳まで。新制中学卒業以上の学力者。

2、教育科目＝第一学年は文化史、美術史、声楽など十三学科。第二学年は演劇論など十四学科。第三学年は演技実習など十科目。

3、教師陣＝菅原卓（戯曲研究）、内村直也（戯曲研究）、青山杉作（演技実習）、千田是也（演技実習・演劇概論）、杉山誠（演技史・戯曲研究・演技実習）、加藤衛（演技史）、田中千禾夫・東野栄治郎・小沢栄（演技実習）、伊藤熹朔（舞台美術論）、北川勇（舞台美術論）、加茂儀一（文化史）、小林秀夫（言語美学）、南博（心理学）、栖原六郎（生理学）、林義雄（音声生理・音声学）、園部三郎（音楽史・音楽鑑賞）、田中實一（美術史・美術鑑賞）、吉田精一（日本文学）、中村光夫・吉田健一（外国文学）、湯澤芳子（近代戯曲研究）、三神勳（英語・古典戯曲研究）、鈴木力衛（仏語・古典戯曲研究）、平原壽恵子・小森千慧子（声楽）、真木龍子（舞踊）、三橋喜久雄（体操）。

4、授業日数＝一ケ年四十週。週二十五時間。

5、授業料＝一ケ年九千六百円、八百円分割分納可。

6、募集規定＝入学願書に所定の履歴書、最近の手札型写真一葉、受験料七百円。三月十日から四月二十日まで納入の事。

7、詮衡試験＝朗読、パントマイム、作文、口頭試問、メンタルテスト、音感、リズム感、身体検査。
8、試験期日＝第一次四月二十五・六日、第二次同二十六・七日、合格発表同二十九日。
9、入所手続＝五月六日まで入所金1千円と授業料を納付。
10、卒業＝各人の希望で各劇団、映画会社などに推薦乃至斡旋する。
第一次試験＝朗読。

お父さん、話の途中だけどね、僕はこの機会に是非聞いて貰ひたいことがあるんだ。……それはねえ、何といったらいいかなア……、お父さんが今いったことね、それはみんな本當だと思ふなア……。だけどね、もしお父さんが、僕が、いや僕らが学校を出てから、ただぼんやり遊んでゐたやうに考へられると……それはあんたの誤解だと思ふんだよ……さう見られちゃ、辛いなア？


第二次試験＝パントマイム。

「甲が楽しさうに唄を口ずさみながら入って来る。帽子と上着を取って出て行かうとしてふと忘れ物に気づく。上気嫌は去り、例えば芝居の切符をどこに置いたかしらと考へ出す。方々探してみても見つからないので、癇癪を起こす。突然切符をポケットにしまっておいたことに気づく。それをポケットから引き出す。上気嫌がまたもどって来る。そして嬉しさうに出て行く。」

淳は、フランスの劇作家サミュエル・ベケットの『ゴドーを待ちながら』を、来日した劇団「コメディー・フランセーズ」の公演で観て芝居が好きになった。それで、次に来たジャン・ジロドーの『シャイヨー宮の女』を観て、演劇の世界へ関心を深めていった。そのとき手にした公演のチラシに、マルセル・プルーストの箴言が載っていて、「人間は表面にどんどん建て増し出来るような建築物ではない。幹や葉の茂りが内部の樹液であるような樹木なのだ」との言葉に心が動かされた。それから読書の面白さを知り、続けてペルシャの詩人・科学者オマル・ハイヤームの四行詩集『ルバイヤート』を小川亮作訳で読み、そこに、そこはかとない中にも人生の儚《はかな》さを覚えた。その一例をここに書く。

「われらの後にも世は永遠に続くよ、ああー。われらは影も形もなく消えるよ、ああー。来なかったとて何の不足があろう？　行くからとて何の変わりもないよ、ああー」。

「美しき惑いの年」が今まさに幕が開けられたことを、淳はこの時まだ知らなかった。

# 第三章　時の過ぎ行くままに（As Time Goes By）

すべてのものは過ぎ去る。私が記憶の渦中から拾いだした言葉たちをここに置いてみる。それぞれの時のめぐりあわせに従って、随意に拾い読みをしたものだ。（順不同）

＊「アウグスティヌスがそのことを書いている。神が天地を創造したとするなら、創造する前に神は何をしていたのか。そして、〈時間はいつ生れたのか。天地の存在する以前には時間も存在しなかったとすると、「そのときあなたは何をしていたか」などと、どうしてたずねられるか。時間がなかったところには、「そのとき」などもなかった。あなたは時間に先立ちますが、時間において時間に先だつのではありません。（山田晶訳）

まさに時間そのものを神はお造りになったのだから、時間を造る前に時間が過ぎさるなどということ。

＊私はモーツァルトの『藝術的な犬』という詩の「犬呈詩《アイン・ゲディヒト》」を読んで見た。その中に、こんな言葉がある。

母親ゼミールはこの世に誕生した、
コロンブスが初めて発見した大陸で。
彼女は年の頃およそ十六歳で
すでに世界を一周していた。

氷よりも爽やかで
雪よりも清らかな生粋の。
ぼくは誓って請け合うが、
男の一物ををどこに入れるべきか。

そこに一匹のオス犬が現れ、彼女に接近する。

泥んこまみれ糞まみれ——身を助けようとしたが、
——空しく——彼女は倒れ——
全裸となって、彼に花の芯をさらけ出した。
（この光景を一目見たら誰しもただただ震えおののいたに違いない。）

……………………………………………………
……………………………………………………

およそ読者よ、乙女についての博識などなくても、
容易に想像できるだろう。彼女が倒れたとき、しかも
こんな非常事態で、彼女にできたことは
せめて気絶したふりをすることだった。

眼を開くや、突然彼女は飛び上がり、
激怒に駆られ、彼へ向けて突進し、
彼の髪の毛を摑んで——投げ倒し、髪かきむしり、
ばちばちと顔を平手打ちした。

男はそれに耐えていると、やがて少女は彼の思い通りになる。
そしてまだ燃える彼の尻に果てしなくキスした。
すると彼は平手打ちを喰らったことなどすぐにけろりと忘れた。
こうして彼女は寛大にも彼に敬意を表したのだ、
そして堪えることで自分を鍛えることを彼に教えた。

彼はそこですっかり恍惚として彼女の手と顔にキスし、
やがて膝の上に坐らせて語った。
「世にも美しい人よ！――お願いだ、赦してくれ、
さっきの罪を。後悔しているのだから」

「心からあの行為を。ああ！　でもそれは私の罪ではない。
まさにあなたのお尻があまりにも美しいからだ！――
そこで、美しい人よ、あなたはあなた自身を責めなくてはいけない。
こんな魅力に出遭えば、誰だって思いきった行為に出るだろうさ！」

（『モーツァルト書簡全集』V海老沢敏・高橋英夫編訳）

＊先日、『ジイドの日記』を読んでみた。そこにはこういう記述があった。

一九二一年五月十四日

昨夕、プルーストと一時間ばかり話す。もう四日前から、毎夕自動車を迎えによこしてくれるのだが、いつも私はいなかった。ところで、昨日は、多分暇があるまいと前以て言っておいたので、私が行った時には、外で会う約束があるとかで、外出の用意をしているところだった。彼はもう随分寝たきりだったと言う。私を迎え入れた部屋は、息がつまるほど暑かったが、彼はぶるぶる顫えていた。ここよりもっとずっと暑い部屋で汗びっしょりかいていて、今そこから出てきたところなのだった。彼は、自分の生はもはや緩慢な断末魔の苦しみでしかないと歎く。そして、私が訪れるなり、男色のことを話しはじめていたが、途中で話をやめて、福音書の教訓について何か教えて頂けないだろうかと言う。この点については私が特別うまく話が出来るということを誰かが彼に言ったのだ。彼はそこに、自分の不幸——彼は長い間それを怖しいものとして私に語った——に対する何らかの支持と慰藉を求めたいと思っているのだ。彼は肥っている。というよりはむしろ、むくんでいる。ちょっとジャン・ロランを想わせる。彼に『コリドン』を持って行く。このことは誰にも話さないと彼は約束する。そして私が『思い出の記』について少しばかり話すと、彼は叫ぶように言った。

「そいつは全部物語る事が出来ますよ。但し、決して《私《ジュ》》と言わない条件でね。」ところが私にはそんなことは出来ない。

彼は自分の男色を否定したり、隠したりするどころではなく、それを露出する。それを自慢にしている、とも言えそうな気がする。自分は女性は精神的にしか愛したことがないし、男性相手の性愛しか経験したことがないと言う。絶えず挿話が間にはいってくる彼の会話は脈絡もなく続く。彼は、ボードレールは男色家であったという確信を語る。「レスボスについての彼の語り方、それに、それを語りたい要求、これだけで、私にそれを信じさせるに十分でしょう。」と言う。そこで私が、

「とにかく、男色家であったとしても、殆んど自分では気がつかなかったでしょう。彼が男色を実行したと考えることは出来ないでしょう……」と異議を唱えると、

「なんですって！」と彼は叫んだ。「僕はあなたとは逆を信じています。どうしてあなたは、彼がそれを実行したことを疑えるのでしょう？　彼が、ボードレールが！」

彼の声の調子には、私がそれを疑うのはボードレールに対する冒瀆だという気持が含まれ

ているようだった。だが、彼の言うことが正しいと信じたい。そして男色家ははじめ私が考えていたよりも少し多いことを信じたい。いずれにせよ、プルーストがこれまで徹底的な男色家であろうとは思っていなかった。

水曜日
昨夜、まさに寝ようとしている時に呼鈴がなった。それはプルーストの運転手――セレストの亭主――だった。五月十三日にプルーストに貸した『コリドン』を返しに来、一緒にいらして頂けないかと言う。プルーストは少しは調子がいいので、もしも御迷惑でなかったら、お迎え出来るということを彼に言わせたのだった。彼の言った文句は、私がここに述べたよりもずっと長く、ずっとこみ入っていた。彼は道々これを暗誦してきたのにちがいない。なぜと言って、はじめ私が話を遮ると、始めからまた言い直して一気に喋ったから。セレストも、同じように、いつぞやの晩私を迎えて、旦那様がいつもジイド様のことを考えている旨を述べたのち、こう附け加えた。「旦那様は、旦那様がいつもジイド様のことを考えていることを、ジイド様が信じて下さいますように願っておいでになります。」(私はこの文句をすぐに書きとめて置いたのだ。)
長い間私は、プルーストは自分の仕事を守るためにいくらか病気を装っているのではないかと考えていた。（それは私には至極正当なことに思えた。）ところが、昨日、いや既にいつか、彼が本当に非常に苦しんでいるのを確かめることが出来た。彼は、頭を動かすことも出来ずに幾時間もじっとしていると言っていた。彼は一日中、いや幾日間も寝たままでいた。時々、異様に硬ばった指と指との間が開いている、まるで死んだような手の縁《ふち》で小鼻をさすっていた。動物か狂人の科《しぐさ》のような、こうした気ち（ママ）がいじみた無器用な科ほど印象的なものはない。

昨夜も、私達は殆んど男色のことしか語らなかった。彼は、彼の作品の異性愛の部分に糧を与えるために、彼の同性愛の思い出が提供する、あらゆる優美なもの、愛情深いもの、魅惑的なものを《若き乙女達の影に》置き換えさした《不決断》を後悔していると言った。お蔭で、『ソドムとゴモラ』のためには、もはやグロテスクなものと惨めなものしか残っていないというのだった。だが、あなたは男色に悪名を着せようと欲したかのように見えると言うと、彼はひどく悲しい顔つきになった。そしてそれに異議を申し立てた。そこで私は、私達がけがらわしいと思っているもの、嘲笑や嫌悪の対象となっているものも、彼にとってはそんなに厭わしいものでないことを遂に理解したのだった。

私が、あのエロスを若くて美しい姿で表現するつもりはないのかときくと、彼は答えた。先ず第一に、自分を惹きつけるものは殆んど常に美でない、自分は美は慾望とは殆んど関係がないと思っている、——それから青春なるものは最も容易に置換出来るものである、（これは最も置換に適したものである、）と。　（新庄嘉章訳『ジイドの日記』）

これはプルーストが亡くなる一年前の話だ。二人の交情が、手に取るようにわかる。二人とも同性愛者だから気心が合ったのだろうか。

＊『旧約聖書』から見つけた言葉をここにひいてみる。

〈文語文の旧約聖書〉
汝《なんじ》往《ゆき》てをもて汝《なんじ》のパン《ぱん》を食《くら》ひ
楽《たのし》き心をもて汝の酒を飲め
其《そ》は神《かみ》久しく汝《なんじ》の行為《わざ》を嘉納《よみし》たまへばなり
汝の衣服《ころも》を常に白からしめよ
汝の頭《かしら》に膏《あぶら》を絶《たえ》しむるなかれ
日《ひ》の下に汝が賜はるこの汝の空《くう》なる生命《いのち》の
日《ひ》の間《あいだ》

〈新共同訳の旧約聖書〉
さあ、喜んであなたのパンを食べ、
気持ちよくあなたの酒を呑むがよい。
あなたの業を神は受け入れていてくださる。
どのようなときも純白の衣を着て
頭には香油を絶やすな。
太陽の下、与えられた空しい人生の日々、

汝その愛する妻とともに喜びて度生《くら》せ
汝の空《くう》なる生命《いのち》の日《ひ》の間《あいだ》しかせよ
是《これ》はが世《せい》にありて受《うく》る分《ぶん》
汝が日の下に働ける労苦によりて得《う》る者なり
凡《すべ》て汝《なんじ》の手《て》に堪《たふ》ることは力をつくして
これを為《な》せ
其《そ》は汝のんところの陰府《よみ》には
工作《わざ》も計謀《はかりごと》も知識も智慧もあることなければなり

愛する妻と共に楽しく生きるがよい。
それが、太陽の下で労苦するあなたへの
人生と労苦の報いなのだ。
何によらず手をつけたことは熱心にするがよい。
いつかは行かなければならないあの陰府には
仕事も企ても、知恵も知識も、もうないのだ。

（『伝道の書』九章七－一〇）

これに近い箴言は、紀元前六十五年に生れた古代ローマの詩人ホラティウスの言葉、「この日を楽しめ！（この日を摘め！）」だ。原語は「DIEM《ディエム》」という。叙情詩集『Carmina《カルミーナ》』一章の十一にある。「この日を楽しめ！」とは人間の智慧だ。そうして今日を明日へ繋いでいく。

＊クリスマスの夕べ。横浜の山を登り、フェリスの前に出て、山手教会に来た。六時、入り、聖堂の最後列につく。

六時半、開催。司祭の挨拶、聖歌隊の合唱、バッハの曲でヴァイオリンとフルートの演奏、休憩のあと混声合唱でモーツァルトの「神の母、聖マリア《サンクタ・マリーア・マーテル・ディ》」の演奏。テノールのソロが素晴らしい。司祭は聖書の朗読でルカ福音書の「オリーブ山の祈り」の箇所を読み上げた。

イエスは出て、いつものようにオリーブに行《い》かれると、弟子たちも従って行った。いつもの場所に着いてから、彼らに言われた、「誘惑に陥らないように祈りなさい」。そしてご自分は、石を投げてとどくほど離れたところへ退《しりぞ》き、ひざまずいて、祈って言われた、「父よ、みこころならば、どうぞ、この杯《さかずき》をわたしから取りのけてください。しかし、わたしの思いではなく、みこころが成るようにしてください」。そのとき、御使《みつかい》が天からあらわれてイエスを力づけた。イエスは苦しみもだえて、ますます切に祈られた。そして、その汗が血のしたたりのように地に落ちた。祈を終えて立ちあがり、弟子たちのところへ行かれると、彼らが悲しみのはて寝入っているのをごらんになって、言われた、「なぜ眠っているのか。誘惑に陥らないように、起きて祈っていなさい」

（ルカ・22章39〜46）

＊小林秀雄氏宅に寄る。S役員から託された次のレコードを届ける。
バッハ・トッカータ・ハ短調＝BWV　911（一七一〇年）
〃　　　　　　　　ホ短調＝　〃　914（一七〇八年）
〃　　　　　　　　ト短調＝　〃　915（一七〇八年以前）
〃　　　　　　　　ト長調＝　〃　916（一七一〇年）

＊原稿を戴くため扇が谷の中村光夫氏宅寄り。里見弴氏宅を過ぎる辺りから道に迷い、やっとのことで家を探す。中村氏は思っていたより偉丈夫だ。昭和二十四年、丹羽文雄との論争から、翌年、氏が四十歳のとき『風俗小説論―近代リアリズム批判―』を書いた。その本は、リアリズムを発生と展開、そして変質と崩壊という四つの軸で丹羽の『哭壁』などを鋭く裁断した。その冒頭はこれだ。

今日の我国の小説の基礎をなしてゐる所謂リアリズムの技法をここで批判してみたいのですが、その実体を明かにし、それが多くの作家の信ずるやうに唯一の文学的方法または「小説道」であるかどうかをはつきりさせるためには、まづその発生の歴史を振りかへつてみなければなりません。

ここから筆者は小栗風葉と藤村と花袋を批判し、終わりに、リアリズムの崩壊の章で新感覚派と私小説の問題を取り上げ、それらは単に「新時代」の表面的な世相を感覚的に再現したに過ぎず、それを「新しい」と錯覚したのだと極めつける。さらにマルクス主義文学やプロレタリア文学が戦前の観念的な共産主義運動と、私小説の伝統との奇妙な混血児として説明するのが妥当だという。この考えに沿って横光、武田、丹羽と批判の矢を向ける。

新感覚派から出た横光、マルクス主義文学に育つた武田が、ともに風俗作家に転身しながら、その改革者としての熱情に小説通俗化の徹底を阻まれて終わつたのに反して、私小説から出発した丹羽文雄が、これを徹底的になしとげたのは、興味ある現象で、おそらくこれは偶然ではありません。……丹羽の登場は、昭和十年前後の流派も運動も蔭をひそめた文壇で、そのために理論や野望に捕へられず、文学俗化の傾斜を辿ればよかつたという外面的な幸運も手伝つている。それより本質的なのは、彼のリアリズムが出発当初から「風化」していたことで、私小説の理想がまつたく解体した後からその技術だけを身につけて出発したということが大切です。

そして、「志賀文学によつて小説を書く道を教わつた」丹羽は、「小説を書く道」は「現実」を、すなはち他人を描く技術を修練することであり、この技術の修練は、かれの個性の他人への受動的な従属なしには不可能であつた、と鋭い批判で締めくくる。

＊加島祥造氏は、エリオット、ヘミングウェイ、フォークナー、露伴、ラジネーシ、これらが文学上の思想の恩人と言えるといった。シソーラスなど、同義語、類語を辞典で勉強しろと。また、パーシバル・ローエル著『日本の北辺・能登』という本が面白いという。

また、加島から蘇東坡の詩「到処相遇是偶然」の出所が判らないから探してくれと頼まれる。調べてみたがわからない。

今日は涼しい。モーツァルトの合唱曲のテープを聴く。四曲ある中の「われらは幸せに生き」(felici)《フェリーチ》 Ｋ６１５。綺麗なソプラノ、アルト、テノール、バスの構成。山野楽器で求めた譜面を眼で追うが追いつかない。曲想は判る。モーツァルトの最晩年、一七九一年の作曲。これは、サルティ (Giuseppe Sarti)《ジュゼッペ サルティ》 の歌劇「粗野な嫉妬」のフィナーレの合唱。

モーツァルトは、一七八七年に作曲した「ドン・ジョヴァンニ、または罰を受けた道楽者」（Il Don Giovanni, ossia Il dissoluto punito）の終曲で、サルティの歌劇のアリアを借用しているという。今年は仕事で夏休みが少なく、自分のことが殆どできない。加島氏の〈晩霽館《ばんせいかん》〉で三回目の談論に出る。月一回の「メダンの夕べ」のようなものだ。「メダンの夕べ」は一八八〇年頃、エミール・ゾラのメダンの別荘に、青年作家が集まり、共同して編集した『メダンの夕べ』を発刊し、そこからモーパッサンの『脂肪の塊』が出て一躍有名になったことでその存在が知られた。

今日の話のポイントは三つ。

一つは、創作は、具体的なイメージを、しっかりと短いフレーズで書くこと。

二つは、男女の愛は、どちらかの求愛によって始まるということはなく、本来双方の間で無意志的に、花が咲くように起こるハプニングだ。

＊開いた楽譜の写真に自筆譜が載っていた。「バーデン、一七九一年六月十七日」の日付と作品目録がある。わずか四ページの楽譜。

『アヴェ・ヴェルム・コルプス　ニ長調』（K618）

声楽声部、ソプラノ、アルト、テノール、バス。
ヴァイオリン2、ヴィオラ、オルガン・バス。
「混声四部。ラテン語は判らないが、これは終末観の旋律のようだ。

＊ある夜の謡で、「砧《きぬた》」を習った。京に単身赴任した夫が三年絶っても帰らず、不審に思う九州の妻が、京からの使いの夕霧から、今年も帰らないと知らされ、どこからか聞えてきた砧を打つ音にまぎれて、妻もそれに和して歎きの砧を打ち、遂に歎き死ぬ。そのときの詞章が聞える。

文月七日《ふづきなぬか》の暁《あかつき》や、八月《はちゲツ》 九月《キウゲツ》、げにに 長き、千声《せんせい》 萬声《ばんせい》の、きを人に 知らせばや、月の
色 風《かぜ》の色、影《かげ》に置《お》く 霜《しも》までも、凄《すご》き 折節《おりふし》に、の音《おと》 夜《よ》嵐《あらし》、悲しみの 虫《むし》の音《ね》、交《まじ》りて落つ
る 露涙《つゆなみだ》、ほろほろ はらはらはらと、いづれ−砧《きぬた》の音《おと》やらん。（いかに申し候、殿はこの秋
もおん下りあるまじきにて候）恨めしや せめては年《とし》の暮《く》れをこそ、偽《いつわ》りながら待ちつる
に、さてはや まことに変はり果てふ《オ》ぞや。……声《こえ》も枯《か》れ野《の》の 虫《むし》のの、乱《みだ》るる草の 花《はな》
心《ごころ》、狂《きよお》じたる ここちして、の床《ゆか》に 伏《ふ》し沈み、に空《むな》しく なりにけり、に空《むな》しく なりにけり。

＊H書房へ行き、セレスト・アルバレの『ムッシュー・プルースト』の原書を拝借。出光美術館で〈ルオー展〉見る。〈ミゼレーレ〉と〈パッシオン〉が良い。キリストの聖骸布と受難の顔にルオーの信仰の影が透いて見える。どの画も、黒と藍と赤と白の凄まじいまでの角逐、そして葛藤。キリストの全霊を、ルオー自身が体現したようなものばかりだ。戦後第一回のルオー展は昭和二十八年だったと思う。まだ学生で、二時間近く上野で並んだのを記憶している。

＊仕事は『今昔物語』第三巻の初校。注釈者の赤字多く、三校では校了に出来ない。満月の夜、「フランス心理主義文学における人間の研究」を推敲し、これをコピーして再度校正本する作業に回す。

＊昨夜、流れ星を見た。昔から「婚星《よばいぼし》と言いふるされてきた。日本で一番古い流れ星の呼び方だ。『枕草子』に、〈星は、昴《すばる》。牽牛星《ひこぼし》。太白星《ゆふづつ》。よばひ星、すこしをかし。尾だになからましかば、まいて。〉とあった。昴はプレイアデス星団だという。牽牛星は七夕の織女、太白星は宵の明星だ。尾っぽさえ無かったらもっと好かった。だから、夜這い星とはよく言ったものだ。男が女の所へ行く〈通い婚〉を流れる星に見たてたわけだろう。清少納言はすごい。〈すこしをかし〉なんて言っている。

＊永井荷風の偏奇館が焼けた日ではなかったか。『断腸亭日乗』を拾い読みするとこの記事に出会った。なかなか名文だ。この年荷風は六十六歳。

三月九日、天気快晴、夜半空襲あり、翌暁四時わが偏奇館焼亡す、火は初長垂坂中程より起り西北の風にあふられ忽市兵衛町二丁目表通りに延焼す、余は枕元の窓火光を受けてあかるくなり鄰人の叫ぶ声のたゞならぬに驚き日誌及草稿を入れたる手革包を提げて庭に出でたり、谷町辺にも火の手の上るを見る、又遠く北方の空にも火光の反映するあり、火星は烈風に舞ひ紛々として庭上に落つ、余は四方を顧望し到底禍を免るゝこと能はざるべきを思ひ、早くも立迷ふ烟の中を表通に走出で、木戸氏が三田聖坂の邸に行かむと角の交番にて我善坊より飯倉へ出る道の通行し得べきや否やを問ふに、仙石山神谷町辺焼けつゝあれば行くこと難かるべしと言ふ、道を転じて永坂に到らむとするも途中火ありて行きがたき様子なり、時に七八歳なる女の子老人の手を引き道に迷へるを見、余はその人々を導き、住友邸の傍より道源寺坂を下り谷町電車通に出で西班牙公使館側の空地に憩ふ、下弦の繊月凄然として愛宕山の方に昇るを見る、荷物を背負ひて逃来る人々の中に平生顔を見知りたる近鄰の人も多く打まぢりたり、余は風の方向と火の手とを身計り逃ぐべき路の方角をも稍知ることを得たれば麻布の地を去るに臨み、二十六年住馴れし偏奇館の焼倒るるさまを心の行くがきり眺め飽かさむものと、再び田中氏邸の門前に歩み戻りぬ、巡査兵卒宮家の門を警しめ道行く者を遮り止むる故、余は電信柱または立木の幹に身をかくし、小径のはづれに立ちわが家の方を眺る時、鄰家のフロイドルスペルゲル氏褞袍《どてら》にスリッパをはき帽子もかぶらず逃げ来るに逢ふ、崖下より飛来りし火にあふられ其家今まさに焼けつゝあり、君の家も類焼を免れまじと言ふ中、わが門前の田島氏そのとなりの植木屋もつゞいて来り先生のところへ火がうつりし故もう駄目だと思ひ各その住家を捨てゝ逃来りし由を告ぐ、余は五六歩横町に進入りしが洋人の家の樫の木と余が庭の椎の大木炎々として燃上り黒烟風に渦巻き吹つけ来るに辟易し、近づきて家屋の焼け倒るゝを見定ること能はず、唯火焰の更に一段烈しく空に上るを見たるのみ、是偏奇館楼上少からぬ蔵書の一時に燃るがためと知られたり、火は次第にこの勢に乗じ表通へ焼抜け、住友田中両氏の邸宅も危く見えしが兵卒出動し宮様門内の家屋を守り防火につとめたり、蒸汽ポンプ二三台来りしは漸くこの時にて発火の時より三時間程を経たり、消防夫路傍の防火用水道口を開きしが水切にて水出でず、火は表通曲角まで燃えひろがり人家なきためこゝにて鎮まりし時は空既に明く夜は明け放れたり、

五月、荷風は住んでいた東中野のアパートが罹災し、翌月二日、罹災者専用列車に乗って明石

に行き、知人の菩提寺に十日ほど宿泊し、そこから岡山に赴き、ホテルに三泊して宿替えし、弓の町の松月旅館に落ち着いた。だが、そこも月末の空襲で焼け出され、七月には再び同じ市内で宿替えをしている。そのころの『日乗』に、この記述がある。

　七月二十七日、晴、午前岡山駅に赴き谷崎君勝山より送られし小包を受取る、帰り来りて開き見るに、鋏、小刀、印肉、半紙千余枚、浴衣一枚、角帯一本、其他あり、感涙禁じがたし、晩間理髪、

これをみても荷風と谷崎の交情がどれほど細やかであったかが判る。

さらに荷風は、八月十三日に勝山の谷崎潤一郎を訪ね、十五日、岡山に戻って敗戦を知る。下旬、吉備郡総社町の以呂波旅館に引き移り、三十日に貨物列車や汽車を乗り継ぎ、東京に帰る。翌九月一日、熱海の和田浜に疎開中の杵屋五叟宅に落ち着く。

その年の暮の『日乗』に、次のような記述がある。

十二月十日、晴、昨来風あり、寒気漸く厳し、北足立郡余野町藤沢と云ふ人より鉄道便にて林檎一箱を送らる、又岡山の西郊三門町より余が出発の際残置きたる夜具蒲団、谷崎君所贈の硯一個、因州半紙一千枚、鉄道荷物にて無事にとゞきたり、本年七八月比の事思出で感慨浅からず、

＊或る会話。

「昨日、トーマス・マンの『トーニオ・クレーゲル』を読んだよ。トーニオが〈藝術にちょっかいを出す人生ほど痛ましいものはない〉と言って、〈われわれ藝術家はそのディレッタントを軽蔑する〉って言うと、リザヴェータから、〈あなたは道を踏み迷った俗人よ〉って言われるんだ。

「それ、そんな単純じゃないよ。マンが書いているのは、藝術というものを生の側に置いて、精神や認識と対立させているんだ。マンの筆法だ。それが。生まれつきの性格でもあるしね。マンは、律儀と官能だったかな、そういう精神的な二項対立を両親から受け継いでいるんだ。それで『トーニオ』やほかの作品にも、藝術家と市民という二つの概念を立てて、小説を構成しているんだよ」

「そう言い切れるかな？」

「言い切るとかじゃなくて、そうなんだ」

「つまり、道に迷った俗物を作っているんだろう、作品で。今の作家って、自分では藝術家だと思っていても案外俗物が多いよ」

「そうとも片付けられない場合もあるさ」

「どっちでもいいや」

「俗物同士の子供が生まれなくてよかったね」

「そういうこと！」

「人間同士の感情の齟齬というやつを修復する方法はないさ。そのまま放置しておくのが一番だ。最近、経験的にそれがわかった」

＊フリードリヒは十八世紀ドイツ・ロマン派の代表だ。同じドイツ・ロマン派のシュレーゲル兄弟の弟のフリードリヒ・シュレーゲルの代表作は『ルツィンデ』という面白い小説だ。あまり知られていないらしいが。赤い符箋の貼ってあるページを開いてみた。

「彼は、苦々しい思いをかみしめながらも、その目標にそれ以上、接近できなかったことを、みずから認めざるをえなかった。……よろこんで彼女は、幾許かの愛撫に身をゆだね、おずおずとした欲情の表現によって、それに応えもした。……それにもかかわらず、彼は、ひとりの娘を誘惑するのに希望をかけ、観察して、倦むことがなかった。彼女がほとんど予期していないときを見計らって、不意打ちを食わせたりした。彼女は、もう久しい以前から孤独の身だった、そして、みずからの紡ぎだす幻想と何かとらえどころのない憧れに、人並み以上に身を任せてしまう傾きがあるようだった。このことを感じ取ったとき、彼は、おそらくは二度と再びやってこない好機を、軽率にも逸してしまうようなことはすまい、と思った、そして、唐突に訪れた希望そのものによって、熱狂的な陶酔に陥っていくのだった。懇願と追従と、そして詭弁の奔流が、いま彼の唇をこえて流れでた。彼は、愛撫でそれらを覆い隠した、そして、ちょうど満開の花が重さに耐えかねて、みずからの茎にこうべをたれるように、彼女が愛らしい小さな頭を、とうとう彼の胸にもたせ掛けたとき、彼は、陶然として、忘我の境にあった。慎みも忘れて、しなやかな肢体は、彼にまとわりつき、絹糸のような金髪の巻き毛は、彼の手のうえに流れるようにかかり、優しい憧れの思いをこめて、美しい唇の萼はひらき、敬虔な藍色の眼からは、常ならぬ炎が輝きでて、焦がれるように燃えさかるのだった。彼女は、たいそう大胆な愛撫にたいして、ただもう弱々しい抵抗しかしなかった。まもなくこの抵抗もおさまり、彼女が、突然、両腕を力なく垂らすと、すべては彼の思いのままになっていた、こわれそうなほど華奢な処女の肢体も、若々しく実った胸のふくらみも。しかし、まさにその瞬間に、彼女の両眼からは、涙が滂沱《ぼうだ》としてほとばしり、このうえなくつらい絶望が、彼女の顔を醜くゆがめた。ユーリウスは、ひどく驚いた、その涙にというわけでもなかったが。しかし、彼は、いまや突然のことながら、すっかり分別をとりもどした。彼は、来し方におこったすべてのこと、行く末にひきつづいておこるであろうすべてのことに、あらためて思いをいたした。彼の眼前に横たわっている生け贄に、そして、人間たちのあわれな運命に。そのとき、彼の全身を冷たい戦慄がはしり、胸の奥深くから、かすかな歎息が口をついて洩れた。彼は、みずからの感情の高みにたって、自身を見下し、斥けた、そして、普遍的な共感にみちた思惟のなかに沈潜するうちに、現在も、おのが意図すらも、忘れてしまった。

彼は、時機を逸してしまっていた。彼は、ただひたすら、その気だてのよい娘を慰め、なだめようとした、そして、自分が図にのって、無垢の花環をひきちぎろうとした、その現場を、嫌悪の念を感じつつ、急ぎ足でたち去った。」（『ドイツ・ロマン派全集』第12巻　平野嘉彦訳）

＊三月一日午前一時四十分、小林秀雄先生逝去。巨星落つ。新聞は朝刊一面に五段抜きで伝えている。

ランボオの詩の翻訳以来、私は、文学の感性とを、偏在する領域から正常な在り処《か》へ導かれたいため、小林先生の発言に注目してきた。その批評精神は今、断たれてしまった。あの『宣長』は、どこへ行ったのか。先生のような批評家は二度と出ない。

小林先生は、評論の『モオツァルト』で四十番のト短調シンフォニーの第四楽章の旋律について批評された。また晩年、評伝の『本居宣長』を書きながら、これはブラームスのヴァリエーションの作曲法と同じように、ヴァリエーションの評伝だとも言われた。それはブラームスの第四番ト短調シンフォニーのことだ。モーツァルトもブラームスもパセティックな曲で、凡庸な私でもその音は沁みてくる。このように先生はだれも用いられなかった独特の批評の流儀を遺されて逝かれた。

いまの私には追悼あるのみ。モーツァルトとブラームス二人のト短調シンフォニーが聞きたい。それが、どうしてかラフマニノフのピアノの「音の絵」が聞こえる。水流の上を蝶が飛びわたっていく……その様子が見えるようだ。蝶は小林先生の変り身のように思える……。こんな感傷に陥っている場合ではないのだが。

新聞は多くの紙面を使って小林先生を追懐している。いくつかを拾って抜粋する。

小林秀雄氏の魅力―精神の劇を純粋描写

小林秀雄氏は死んだのだろうか。否！　彼の肉体は死んだが、彼の声は私の内部で生きている。私は、実際に小林氏にお会いしたことはないが、頭の中で長い間、いくたびも対話を繰り返してきた――小林氏よ、あなたは、精神の劇の存在を、あれらの天才達の裡で見事に証明して見せた。そして、実はわれわれは、あなたが見せてくれた劇が、眼の前の道を行くどんな平凡な一人の内部にも存在するはずだ、と思って、それを証明しようとあせっているところなのだ……。

（文藝評論家・秋山駿）

好悪の感情を批評へ高める

全集を読み返して三つのことを感じた。第一は、絶望的な暗いところと途方もなく明るいところが同居していて、その幅はほぼ人間に等しい。間口が広く包容力が大きな人。第二に、好悪の感情を批評の道具にまで高めた人。伝統を踏まえ、大衆が無意識に使うことばを通して、大衆に代わって考えた人。第三に、その著作を読むことでことばに対する信頼感がよみがえってくる文学者だった

（作家・井上ひさし）

自ら台座確立回転しつづけ

パスカルについて、小林秀雄さんは、あまりに速く回っているコマは静止しているように見える、といったことがある。その言葉は小林さん自身にあてはまるように思う。死に至るまで迅速に回転しつづけ、しかもあくまで静止しているように見えたコマ。私はむしろ、速く回っているコマが他のコマに衝突して移動したり、自らの遠心力で台座からとび出てしま

うような姿を思い浮かべるが、小林さんにはそういうことがなかった。（評論家・柄谷行人）

先入観ぬきに本質見つめる

小林さんは、光源を発見する人だった。ゴッホの絵でもドストエフスキーの作品でも音楽でも、先入観を交えずに、じっと穴のあくほど本質を見つめていくうちに思想ができ上がっていく。本居宣長でも、宣長の精神の奥に光源をみつけたのだろう。（作家・司馬遼太郎）

小林秀雄先生の死

私は江戸っ子の先生とは正反対で、こんなにお近づきになれるとは思いもしなかった小僧っ子だが、どういうわけか若狭出身の私に虫が好いたとみえて、仕事のこともだけれど、生活のごたごたまで何かと話し、やさしい忠告を頂戴してきた。だから何か馬鹿なことをしでかしても、どこかで先生に見すえられている気がしていた。このような人はほかになかった。

職人がお好きだった。大工や左官や細工人の、手の藝についての話を好まれた。画家の話が出ればその人のふとい指の話だった。私が大工の子だったからやさしくしていただいたかと、いまあらためて思う。二十年の師恩をかみしめる。

先生という人はあの痩身のなかに言葉の井戸をお持ちで、いくら汲んでも水の切れないようなお方だったという思いを強くする。文学の話でも食い物の話でも人の話でも、みな達道の藝につながり、すべて小林というつるべから差し出された気がする。その水は私のようなものの頭にも、からっぽにしていると一つ一つ心にしみたのである。

これから私は先生からいただいたたくさんの言葉のメモを取り出して、一つ一つこやしにしていこうと合掌するばかりである。

先生、私はきのうから在所の村の原発ドームに近接している釋宗演生誕の漁家をのぞいたあと、地球の顔をめくるような地響きをたてて建設中の高浜三号、四号炉の突貫工事の現場を歩いてきました。そしていま京都へタクシーで帰りつき、ご訃報を受けてうろたえています。去年暮れは先生のお父君の在所、但馬出石《いずし》に一人で行き一泊してきましたが、それらのことも、ご全快なさればまた湯河原でお話しせねばと胸にためてきたのです。残念です。

先生、出石は静かでした。きれいな山と川の町でした。先生が幼いころ泳いだことがあるとおっしゃった円山川もきれいでした。

先生、安らかにおやすみください。

（京都ホテルにて、三月一日記　水上勉）

寒し。依然としてリリの連絡がない。何かを進めているに違いないが、私に関係がないといわんばかりの無視だ。無視というより寄り付かせないというか、不遜と権高と横柄さがない交ぜの、一番嫌いな性格が剥き出しになった感じだ。様子を見るしかない。

宮内寒彌氏の葬儀に出席。神奈川県二宮の藤巻寺。七十一歳の氏が遺した作品は、『七里ガ浜』だろうか。文士に連なる気骨の士がまた一人去った。式場で故八木義徳夫人と再会。夜、グレン・グールドのピアノを諸井誠氏が語る。やはり超一流のピアニストらしい。

＊小林秀雄先生追悼。

小林秀雄先生宅弔問。加島祥造氏から電話。小町の喫茶店「M」に本を置いてきたから取りに行ってくれとのこと。

I

小林先生の死を悼むうち、ランボオの「地獄の季節」の詩を思い出した。ここでその詩を書いておくのも無意味ではなかろう。あのとき、尾崎や福村とテキストのページを開いて誰が早く覚えられるかを競ったものだ。語呂がいいので、新庄嘉章教授は堀口大學のより小林先生の訳を奨められた。それがこれだ。リリと小林先生のことを話し合えたら、また違った見方が聴けたかも知れない。

「DELIRES 2 Faim」

O saisons, ô châteaux !
Quelle âme est sans défauts ?

J’ai fait la magiqus étude
Du bonheur, qu’acun n’élude.

Salut à lui chaque fois
Que chante le coq gaulois.

Ah ! je n’aurai plus d’envie :
Il s’est chargé de ma vie.
Ce charme a pris âme et corps
Et dispersé les efforts.

「錯乱II　飢」

あゝ、季節よ、城よ、
無疵なこゝろが何処にある。

俺の手懸けた幸福の
魔法を誰が逃れよう。

ゴオルの鶏の鳴くごとに、
幸福にはお辞儀しろ。

俺はもう何事も希ふまい、
命は幸福を食ひ過ぎた。
身も魂も奪はれて、
何をする根もなくなつた。

O saisons, ô châteaux !

L'heure de sa fuite, hélas !
Sera l'heure du trépas.

O saisons, ô châteaux !

Cela s'est passé. Je sais aujourd'hui saluer la beauté.

あゝ、季節よ、城よ。

この幸福が行く時は、
あゝ、おさらばの時だらう。

季節よ、城よ。

過ぎ去つた事だ。今、俺は美を前にして御辞儀の仕方を心得てゐる。

（ランボオ詩集「地獄の季節」から。小林秀雄訳）

## II

S誌の「小林秀雄追悼記念号」から大学生向けの講演として採録された未発表講演と、阿蘇での質疑応答を抜粋する。

「信ずることと知ること」

＊

柳田さんの話になったので、ついでにもう一つ話しましょう。柳田さんに『山の人生』という本があります。山の中に生活する人の、いろんな不思議な話を書いている。その序文に、今では記憶している者が私のほかに一人もあるまい、という言葉があります。それは美濃国の或る囚人の話です。その人は牢に入る前は炭焼きだったのです。深い山で炭を焼いて、里に持って行って売っていた。おかみさんは早く死んで、十三になる男の子がいた。それから、どういう事情か知らないが、同じ年頃の女の子を一人貰っていた。三人で暮していたのですが、大体里に下るとお米一合にはなっていたのに、炭が全然売れなくなった。ある日、炭を持って里に下るのですが、やはり売れない。手ぶらで帰って来る。そうすると、もうひもじがっている子供の顔を見るのが恐しく、余りに子供がかわいそうで、こそこそ自分の部屋に入って、ころんと昼寝をしてしまうんです。ふっと目がさめると何か音がする。のぞいて見ると、男の子がなたを研いでいるのです。女の子はしゃがんで見ている。夕日が小屋の入口に一面に当っていた。男の子は、そのなたを持って夕日の当っている入口の丸太の上にころんと寝た。女の子もころんと寝た。そして「おとう、俺たちを殺してくれ」といった。その時、その炭焼きが、くらくらと目まいがして、何か分らないが殺してしまうのです。なたで子供の首を打ち落してしまうのです。自分も死のうと思うのですが、うまくゆかないで里でうろうろしているところを警察につかまったという話なのです。それを序文に書いている。その時、柳田という人は何を考えていたのでしょうか。

……子供を二人殺してしまった囚人の単純な話は、大変悲惨な話ですが、装いを知らぬ健全な話ではないでしょうか。子供は、おとっつあんがかわいそうでたまらなかったのです。ひもじかったには違いないけれども、俺たちが死ねば、少しはおとっつあんも助かるだろうと、そういう気持でいっぱいなんじゃないか。そういう精神の力で、平気でなたを研いだんでしょう。そういうものを見ますと、何と言っていいか、言葉というものにとらわれない、と言うのは心理学なんかにとらわれない、本当の人間の魂が感じられます。僕がそういう話に感動すれば、そういう子供の魂はきっとどこかにいる筈です。そういうところまで、今のインテリゲンチャは下りてみなければ駄目なのです。それでなければ、この思い上った精神の荒廃というものは、おさまることはないと、僕は思うのです。余りに言葉が多すぎるのです。人類をどうしたらいいかというような空疎なおしゃべりが多過ぎますね。

僕は信ずるということと、知るということについて、諸君に言いたいことがあります。信ずるということは、諸君が諸君流に信ずることです。知るということは、万人の如く知ることです。人間にはこの二つの道があるのです。知るということは、いつでも学問的に知ることです。僕は知っても、諸君は知らない、そんな知り方をしてはいけない。しかし、信ずるのは僕が信ずるのであって、諸君の信ずるところとは違うのです。現代は非常に無責任な時代だといわれます。今日のインテリというのは実に無責任です。韓国のある青年を救えという。責任を取るのですか。取りゃしない。責任など取れないようなことばかり人は言っているのです。信ずるということは、責任を取ることです。僕は間違って信ずるかもしれませんよ。万人の如く考えないのだから。僕は僕流に考えるんですから、勿論間違うこともあります。しかし、責任は取ります。それが信ずることなのです。信ずるという力を失うと、人間は責任を取らなくなるのです。そうすると人間は集団的になるのです。自分流に信じないから、集団的なイデオロギーというものが幅をきかせるのです。だから、イデオロギーは常に匿名です。責任を取りません。責任を持たない大衆、集団の力は恐しいものです。集団は責任を取りませんから、自分が正しいといって、どこにでも押しかけます。そういうときの人間は恐しい。恐しいものが、集団的になった時に表に現れる。僕は本居宣長を読んでいると、彼は「物知り人」というものを実に嫌っている。嫌い抜いています。彼の言う「物知り人」とは、今日の言葉でいうとインテリです。僕もインテリというものが嫌いです。ジャーナリズムというものは、インテリの言葉しか載っていないんです。あんなところに日本の文化があると思ってはいけませんよ。左翼だとか、右翼だとか、保守だとか、革新だとか、日本を愛するのなら、どうしてあんなに徒党を組むのですか。日本を愛する会なんて、すぐこさえたがる。無意味です。何故かというと、日本というのは僕の心の中にある。諸君の心の中にみんなあるんです。会を作っても、それが育つわけはないからです。こんな古い歴史を持った国民が、自分の魂の中に日本を持ってない筈がないのです。インテリはそれを知らない。それに気がつかない人です。自分に都合のいいことだけ考えるのがインテリというものなのです。インテリには反省がないのです。反省がないということは、信ずる心、信ずる能力を失ったということなのです。

（未発表講演「信ずることと知ること」・「柳田國男を読みたまえ」〉より抜粋）

## III

「感想―本居宣長をめぐって―」質疑応答　〈昭和53年夏　熊本県阿蘇合宿〉

問　先生のご研究は、ご出身のフランス文学をはじめ、近代文学、古典、音楽、絵画、美術など、広い範囲にわたっていると思いますが、その究極において宣長という人間に出会わざるを得なかった、その経緯についてお伺いしたいと思います。

答　それは簡単なことです。ぼくは一生ふりかえってみて、大体計画の立たない男です。その場その場に解決して行ったのです。ぼくには一つの感動とか直覚とか、そんなものがいつでも先にあるのです。はじめに、明瞭な感動があるのです。これになんとかもっと明瞭な、自覚的なフォームを与えなければいけないと思う。そういう感動がまず来るのです。つぎつぎにそういうものに出会ってここまでやって来た、それが僕の人生です。だから全く計画がないのです。

問　計画がないとおっしゃる中にも、ふり返ってみて、一筋通っている道というものを意識していらっしゃるのではないでしょうか。

答　それはむずかしい問題ですね。ぼくもよく考えますが、やはりゆきあたりばったりがぼくの人生のようです。もっとも、ずっと一生を通じて計画的に生きてゆく人は多い。しかしぼくみたいな生き方の方が普通ではないでしょうか。よくぼくはぼくのやってきたことを書けと言われるんです。そうすると困ってしまうのです。あんまり無計画にやってきましたからね。だけど自分の一生をふりかえってみて、ぼくは自分しか出していませんね。ぼくはいつでも感動からはじめた。感動というものはいつでも統一したものです。分裂した感動などというものはありません。感動している時には世界はなくなるものです。感動した時にはいつも自分自身になる、どんな馬鹿でも。これは天与の知恵だね。感動しなければ人間はいつでも分裂していますよ。しかし感動している時には世界はなくなって、自分自身になる。それは一つのパーフェクトなものです。完全なものです。つまりそこで感動しているものは個性というものです。このように僕の書くものはいつでも感動から始めたから、自然、そこには僕というものがいるんでしょう。僕はその感動を書こうとしたのであって、自分を語ろうとしたのではないのです。感動はどこからやって来た、それを語っただけです。だからご質問のように、なぜこうなったかという筋道をたどることはできないのです。

（『日本への回帰』第十四集）

「感想—本居宣長をめぐって—」質疑応答　〈昭和53年夏　熊本県阿蘇合宿〉

問　先生のご研究は、ご出身のフランス文学をはじめ、近代文学、古典、音楽、絵画、美術など、広い範囲にわたっていると思いますが、その究極において宣長という人間に出会わざるを得なかった、その経緯についてお伺いしたいと思います。

答　それは簡単なことです。ぼくは一生ふりかえってみて、大体計画の立たない男です。その場その場に解決して行ったのです。ぼくには一つの感動とか直覚とか、そんなものがいつでも先にあるのです。はじめに、明瞭な感動があるのです。これになんとかもっと明瞭な、自覚的なフォームを与えなければいけないと思う。そういう感動がまず来るのです。つぎつぎにそういうものに出会ってここまでやって来た、それが僕の人生です。だから全く計画がないのです。

問　計画がないとおっしゃる中にも、ふり返ってみて、一筋通っている道というものを意識していらっしゃるのではないでしょうか。

答　それはむずかしい問題ですね。ぼくもよく考えますが、やはりゆきあたりばったりがぼくの人生のようです。もっとも、ずっと一生を通じて計画的に生きてゆく人は多い。しかしぼくみたいな生き方の方が普通ではないでしょうか。よくぼくはぼくのやってきたことを書けと言われるんです。そうすると困ってしまうのです。あんまり無計画にやってきましたからね。だけど自分の一生をふりかえってみて、ぼくは自分しか出していませんね。ぼくはいつでも感動からはじめた。感動というものはいつでも統一したものです。分裂した感動などというものはありません。感動している時には世界はなくなるものです。感動した時にはいつも自分自身になる、どんな馬鹿でも。これは天与の知恵だね。感動しなければ人間はいつでも分裂していますよ。しかし感動している時には世界はなくなって、自分自身になる。それは一つのパーフェクトなものです。完全なものです。つまりそこで感動しているものは個性というものです。このように僕の書くものはいつでも感動から始めたから、自然、そこには僕というものがいるんでしょう。僕はその感動を書こうとしたのであって、自分を語ろうとしたのではないのです。感動はどこからかやって来た、それを語っただけです。だからご質問のように、なぜこうなったかという筋道をたどることはできないのです。

（『日本への回帰』第十四集）

## IV

「音楽のドラマ」（粟津則雄）

小林秀雄にとって、音楽は、少年の頃からごく親しい存在だったようだ。彼は『蓄音機』という文章のなかで、父親がアメリカから買って来た蠟管蓄音機に聞き惚れた少年期の思い出について語っている。蠟管蓄音機は、彼が語るところでは、縁日や公園などで金をとって聞かせていて、「機械をガラス箱の中に入れ、そこからゴム管を何本も出し、それを医者の聴診器の様に耳にはさんで、懐手なぞをして、黙然と聞入つてゐる人々がみられたものである」ということだ。彼は蠟管を六つ持っていて、そのなかでも特に「低いラッパが絶えず鳴つてゐる物悲しい様な一曲」を好んでいたが、のちにレコードでこの曲に出会ったときの反応について次のように述べている。

……後年、モオツァルトのファゴットのコンチェルトを、レコードで聴いてゐた時、あゝ、これは、あれだつたに違ひないと思ひ、ひどく感動した。私は、往時の旋律を再認したのではない。むしろ、忘却の底に沈んでゐたタイプライターの様な機械の歯車の組合せやアルミニュームのラッパや、当時の自分には実に貴重に思はれた蠟管の艶や重みを、思ひも掛けず再認したと言つた方がいゝ。ファゴットの旋律は、懐手をして、黙りこくった縁日の青年が、耳にはさんだ聴診器から聞えて来る様であった。音楽は、不思議なことをする。

彼は「往時の旋律を再認したのではない」と言っているが、この文章のなかには、「低いラッパが絶えず鳴つてゐる物悲しい様な一曲」が響いているようだ。文章もまた不思議なことをすると言っていい。そしてまた、この文章は、少年時代の小林にとって、音楽が、単に耳や頭の上っつらを刺激するものではなく、その生を奥深いところから染めあげるものであることを、おのずから示しているようだ。

小林秀雄は、『ゴッホの手紙』の序で、『モオツァルト』を書く機縁となった経験について、次のように語っている。

……あれを書く四年前のある五月の朝、僕は友人の家で、独りでレコードをかけ、D調クインテット（K593）を聞いてゐた。夜来の豪雨は上つてゐたが、空には黒い雲が走り、灰色の海は一面に三角波を作つて泡立つてゐた。新緑に覆れた半島は、昨夜の雨滴を満載し、大きく呼吸してゐる様に見え、海の方から間断なくやつて来る白い雲の断片に肌を撫でられ、海に向つて徐々に動く様に見えた。僕は、その時、モオツァルトの音楽の精巧明晳な形式で一杯になつた精神で、この殆ど無定形な自然を見詰めてゐたに相違ない。突然、感動が来た。もはや音楽はレコードからやつて来るのではなかつた。海の方から、山の方からやつて来た。そして其処に、音楽史的時間とは何んの関係もない、聴覚的宇宙が実存するのをまざまざと見る様に感じ、同時に凡そ音楽美学といふものの観念上の限界が突破された様に感じた。

そして彼は、「このどうしても偶然とは思はれない心理的経験が、モオツァルトに関する客観的知識の蒐集と整理とのうちに保証される事を烈しく希つた」という点に、『モオツァルト』執筆の動機を見ているのだが、何かに対する全身的な感動と書く行為とのこのような端的な結びつきは、『モオツァルト』の場合だけに限られたものではない。

（栗津氏抜粋　了）

＊床の中でプルーストを読み継いでいるうち、このような記事に出会った。この文章があろう

とは思いもよらなかった。生に対するプルーストの新鮮な眼差しが見える。こういう文章を、研究者はいち早く見出すべきであった。ここには、生活者としての藝術家が、どのように自分の光を獲得するか、その方法と心がけを説いている。プルーストらしい分析が、高度の知性の裏打ちと共に読者の前に展開されている。例えば、いわゆる「レンブラント光線」を暗示する〈光の源〉という指摘もすでにここにはある。

《LA VRAIE VIE》

La grandeur de l'art véritable, au contraire, de celui que M. de Norpois eût appelé un jeu de dilettante, c'était de retrouver, de ressaisir, de nous faire connaître cette réalité loin de laquelle nous vivons, de laquelle nous nous écartons de plus en plus au fur et à mesure que prend plus d'épaisseur et d'imperméabilité la connaissance conventionnelle que nous lui substituons, cette réalité que nous risquerions fort de mourir sans avoir connue, et qui est tout simplement notre vie, la vraie vie, la vie enfin découverte et éclaircie, la seule vie par conséquent réellement vécue, cette vie qui en un sens, habite à chaque instant chez tous les hommes aussi bien que chez l'artiste. Mais ils ne la voient pas, parce qu'ils ne cherchent pas à l'éclaircir. Et ainsi leur passé est encombré d'innombrables clichés qui restent inutiles parce que l'intelligence ne les a pas 《développés》. Ressaisir notre vie ; et aussi la vie des autres ; car le style pour l'écrivain aussi bien que pour le peintre est une question non de technique, mais de vision. Il est la révélation, qui serait impossible par des moyens directs et conscients de la différence qualitative qu'il y a dans la façon dont nous apparaît le monde, différence qui s'il n'y avait pas l'art, resterait le secret éternel de chacun. Par l'art seulement, nous pouvons sortir de nous, savoir ce que voit un autre de cet universe qui n'est pas le même que le nôtre et dont les paysages nous seraient restés aussi inconnus que ceux qu'il peut y avoir dans la lune. Grâce à l'art au lieu de voir un seul monde, le nôtre, nous le voyons se multiplier et autant qu'il y a des artistes originaux, autant nous avons de moudes à notre disposition, plus différents les uns des autres que ceux qui roulent dans l'infini, et qui bien des siècles après qu'est éteint le foyer dont ils émanaient, qu'il s'appelât Rembrandt ou Ver Meer, nous envoient leur rayon spécial.

(A la recherche du temps perdu, ' Le temps retrouvé'. Bibliothéque de la Pléiade, tome 3 , pp.895-896)

『真実の生』

〔訳〕真の藝術、ノルポワ氏にかかるとディレッタントの遊戯とも呼ばれたであろう真の藝術、の偉大さは、現実をふたたび見出し、現実をふたたびとらえ、現実をわれわれに認識させることなのであった、われわれはふだんその現実から遊離して生きている、そしてその現実を習慣的な知識に置きかえ、そんな知識の濃度と不浸透性とが増すにつれて、われわれはますます現実から遠ざかるのだ。われわれは現実を認識することなしに死ぬ危険さえ大いにあるだろう、そのような現実こそ、とりもなおさず、われわれの生活である、という一語につきる。それこそ真の生活、ついに発見され、ついにあかるみに出された生活、したがって現実に体験された唯一の生活であり、それこそが文学なのである。そのような生活は、ある意味では、どの瞬間にも、藝術家のなかにも普通のすべての人たちのなかにも、おなじように宿っているのだ。しかし、普通の人たちにはそれが見えない、彼らはそれをあかるみに出そうとしないからである。そのようにして、彼らの過去は、役に立たないままに残された無数のネガ写真の原板でいっぱいになっている。なぜなら、理知はそれらを「現像し」なかったからだ。われわれ自身の生活もそのようなものだし、その他の人々の生活も同様である、それが役に立たないというのも、現像されないからで、現像力、すなわち作家にとっての文体《スタイル》は、画家にとっての色彩と同様に、技術《テクニック》の問題ではなくて、視像《ヴィジョン》の問題なのである。文体とは、この世界がわれわれ各人にいかに見えるかというその見えかたの質的相違を啓示すること、藝術が存在しなければ各人の永遠の秘密におわってしまうであろうその相違を啓示することなのである、しかし、直接的、意識的方法をもってすれば、その啓示は不可能となるであろう。藝術によってのみわれわれは自分自身から出ることができる、そして他人がこの宇宙をどう見ているかを知ることができる。その宇宙は、われわれの宇宙とはおなじものではなく、その風景も、月世界にありうる風景のように、われわれには未知のままであるだろう。藝術のおかげで、われわれが見るのは、ただ一つの世界、われわれだけの世界ではなくて、多数化された世界であって、われわれは独創的な藝術家が存在するだけそれだけ多くの世界を意のままにもつことができる。それらの世界は、無限のなかを回転する多くの星の世界よりももっと相互に異なる世界であり、そこから発せられていた光の源、たとえそれがレンブラントと呼ばれるにせよ、フェルメールと呼ばれるにせよ、その光の源が消えてしまってから何世紀ののちまでも、なおそれらの世界は、その特殊の光線をわれわれのもとに送ってくるのである。

（マルセル・プルースト『失われた時を求めて』「見出された時」・井上究一郎訳）

＊雑念を追っている間に、一つの詩が聞えてきた。詩は、ヘッセとアイヒェンドルフのもので、リヒァルト・シュトラウスが曲をつけて「四つの最後の歌」として歌われたものだ。一九四八年、シュトラウス八十三歳の最晩年の作曲で、いうなれば彼の「白鳥の歌」といっていい。主題は、どれも生の疲労と死の予感を漂わせるもので、翌年に亡くなるシュトラウスの、予感に満ちた告別の歌でもあるようだ。レコードはソプラノのエリーザベト・シュワルツコップが歌っている。原詩と拙い私の訳をつけてみた。

FOUR LAST SONGS

1 Frühling

In dämmrigen Grüften
Träumte ich lang
Von deinen Bäumen und blauen Lüften,
Von deinem Duft und Vogelgesang.

Nun liegst du erschlossen
In Gleiss und Zier
Von Licht übergossen
Wie ein Wunder vor mir.

Du kennst mich wieder,
Du lockest mich zart,
Es zittert durch all meine Glieder

「四つの最後の歌」

第1曲　春

薄暗い洞穴の中で
長い間夢を見ていた
お前の樹々と、青い空を
お前の香りと、鳥の歌声を

いま、お前は輝きの中
光を浴びて現われる
私の目の前に奇蹟のように
お前は再び私に気づき

そして優しくいざなう
私は全身を打ち震わせ
お前がそこにいるという

Deine selige Gegenwart.

2 September
Der Garten trauert,
Kühl sinkt in die Blumen der Regen.
Der Sommer schauert
Still seinem Ende entgegen.

Golden tropft Blatt um Blatt
Nieder vom hohen Akazienbaum.
Sommer lächelt erstaunt und matt
In den sterbenden Gartentraum.

Lange noch bei den Rosen
Bleibt er tehen,sehnt sich nach Ruh.

無上の光栄に
——Hermann Hesse（ヘルマン・ヘッセ）

第2曲　九月
庭園は悲しみに沈み
花は冷たい雨に打たれる
夏は震えながら
その終わりをじっと待っている

アカシアの木から
金色の葉が舞い降りてくる
夏は戸惑いながら微笑む
消え行く庭園の夢の中で

夏はなお暫く
薔薇のそばにたたずむ

Langsam tut er die（grossen）,
Müdegewordenen Augen zu.

3 Beim Schlafengehen

Nun der Tag mich müd gemacht,
Soll mein sehnliches Verlangen
Freundlich die gestirnte Nacht
Wie ein müdes Kind empfangen.

Hände lasst von allem Tun,
Stirn vergiss du alles Denken,
Alle meine Sinne nun
Wollen sich in Schlummer senken.

Und die Seele unbewacht

安らぎを求めながら
ゆっくりと疲れた眼を閉じる
——Hermann Hesse（ヘルマン・ヘッセ）

第3曲　眠りの前に

私は一日の営みに疲れ果てた
私の願いは星の煌めく夜を
喜びと共に迎え入れること
疲れた幼子のように

この手よ、あらゆる仕事を止めるのだ
この額よ、あらゆる考えを忘れるのだ
いま私の感覚は総て
まどろみの中に沈もうとしている

そして魂は、見張りから解かれ

Will in freien Flügein schweben,
Um im Zauberkreis der Nacht
Tief und tausendfach zu leben.

4 Im Abendrot

Wir sind durch Not und Freude
Gegangen Hand in Hand.
Vom Wandern ruhn wir（beide）
Nun überm stillen Land.

Rings sich die Täler neigen,
Es dunkelt schon die Luft,
Zwei Lerchen nur noch steigen
Nachträumend in den Duft.

自由に羽ばたき漂う
夜の魔法の世界で
深く深く、何千倍も生きるために
——Hermann Hesse（ヘルマン・ヘッセ）

第4曲　夕映えに

私たちは苦しみにつけ歓びにつけ
手と手を取って歩んできた
そして今、さすらうのをやめ
静かな田園を見晴るかす丘で休んでいる

周りの谷は低くなり
空は早くも暮れかかってきた
二羽のヒバリだけが夢を追いつつ
夕もやの中を舞っている

Tritt her und lass sie schwirren,
Bald ist es Schlafenszeit,
Dass wir uns nicht verirren
In dieser Einsamkeit.

O weiter, stiller Friede!
So tief im Abendrot.
Wie sind wir wandermüde—
Ist dies etwa der Tod?

こっちへおいで、ヒバリは飛ぶに任せて
もうすぐ眠る時間だ
二人きりの寂しさのなか
迷わないように

ああ、広々とした静かな安らぎよ
こんなにも深い夕映えに包まれ
歩み疲れた私たちがいる――
これがもしかすると死なのだろうか？

――Joseph von Eichendorff（ヨセフ・フォン・アイヒェンドルフ）

＊「或る人への手紙」

いつかもお話したと思うのですが、『テレーズ・デスケルー』（Thérèse Desqueyroux）のテレーズは、神を信じていない人間でした。それは、日本で言う〈信じていない〉というのと違って、洗礼を受けていながら信じていない人間としてです。そして、小説の主題でもある、なぜ夫を殺そうとしたのか、というおおそれた問題の前に、自分の中にもう一人の自分がいることに気がつくのです。それは彼女の魂の問題でした。

ちょうどイエス・キリストがユダに向かって、「汝、生まれざりしならばよかりしものを」と言われたように、私もそのように言われた気がしていました。そして、「人その友のために己の命を捨つる。これより大なる愛は無し」という言葉も忘れられないのです。

それからチエホフに『大学生』(Студент)という短篇があります。聖書のペテロのつまずきを素材とした話です。帰省した大学生イワンがヤマシギ打ちの帰りに、〈後家の菜園〉で後家の老婆と寡婦の女とで焚き火しているところを通りかかって一緒に火に当ります。そして、ペテロも寒い冬の夜に、焚き火に当たったことを思い出して話します。


聖書では、ユダの裏切りでイエスがつかまり、祭司長の庭で拷問を受けます。ペテロはひとり最後までついてきたのですが、庭の焚き火の周りにいた人たちが、お前も一味じゃないのかと疑うと、どぎまぎして、私はあの人を知らないと否定します。もう一人が、お前が彼と一緒にいるのを見たぞと責めると、三度目に知らないといった途端、鶏が鳴きます。そこでペテロはイエスの言葉を思い出して、焚き火から離れて庭の外の暗闇の中ですすり泣くのです。

イワンがそこまで話したとき、聞いていた老婆と娘ははらはらと涙を流し始めました。そこを離れたイワンは家路を急ぐ傍ら、千九百年前の出来事があの母娘に、いや僕自身にも関係があるのだと気がつきます。そしてチエホフは書くのです。

「ふいに喜びが学生の心に波うってきた。彼は息をつくために、わざわざ一分ほど足を止めた。過去は、――と彼は考えた――一つまた一つと流れ出すぶっつづきの事件の鎖によって、現在と結びついているのだ。そして彼は、たった今じぶんがこの鎖の両端を見たような気がした。――一方の端に触れたら、もう一方の端がぴくりとふるえたような気がした。」

（チエホフ『大学生』全集9、池田健太郎訳）

イワンは、それから渡し舟で川を亙って山へ登ると、自分の村や、おりから西の空に寒々とした真紅の夕映えが細いひと条《すじ》の帯となって輝いているのを眺めます。チエホフは最後に締めくくります。

「むかしあの庭や祭司長の中庭で人間の生活をみちびいた真実と美が、そのままとぎれずに今日までつづき、いつの世にも、人間の生活の、いや、この地上すべての最も重要なものを構成しているにちがいないと考えた。すると、若さや健康や力の感じと、――彼はようやく二十二歳になったばかりだった——幸福の、眼に見えぬ神秘的な幸福の、言い知れぬ甘い期待とが、だんだんと彼の心を捕え、この人生が魅惑的な、奇蹟的な、——崇高な意義に満ちあふれたものに思われてきた。」

（チエホフ『大学生』文末）

今、あなたに私が何を言いたいのか不審に思われるでしょう。それは当然です。結論から申せば、私の中に、もう一人の私がいることを、この小説を借りてお伝えしたかったのです。イワンの言う鎖の両端が、私にも見えていることと一緒に。

『テレーズ・デスケルー』のテレーズは、自分の中のもう一人のテレーズのために、夫を殺そうとしました。このもう一人のテレーズは、自分の可能性を実現することが出来ないために、いつも窒息をこらえていました。その理由は、世間一般の価値が、自分とは折り合わず、それが壁となってもう一人のテレーズを阻んでいました。その壁のもっとも厚い部分である夫を殺しさえすれば、壁の外に出られるだろうと考えました。そしてテレーズは殺人に通ずる行為を犯します。それを夫に告白しようとして、サン・クレールに程近いアルジュルーズから帰る夜汽車の中で内省します。そして、自分の告白を聞いた夫が、「許しているんだ（Sois pardonnée）」とか「安心しなさい」（Va en pai）と口にするのを空想します。この言葉は、フランスの教会で信徒の告白を聴いた神父が、告解の終わりに信徒に応える言葉だそうです。

私は、テレーズのように悩みました。でも他人を殺すのではなく、自分をでした。そして失敗しました。そのとき私は神さまに呼ばれたらしいのです。こちらから近づいたのではなく、神さまが私をお選びになったのです。もっと言えば、柳さんとの出会いを用意してくださったのは神さまだと理解しました。そうだったのです。これまでの柳さんとのすべては、みな神さまの計らいだったと。

もうお分かりでしょう。はっきり言えば、愛欲の世界に陥った者は、結局は無意識で神さまと関係していたのです。知らず識らずのうちに、愛欲を通して神と触れ合っていたのです。愛欲の関係と神との関係は重なり合うのです。このことは心の奥底から理解できます。

ただ一つ、私のために、あなたがどれだけご自分を痛めつけて来られたか、このことこそ、いくらお詫びしてもお詫びし切れません。

「この世界のどこかに自分を理解してくれ、ひょっとすると自分を讃美し愛してくれる人がいて、そのなかで自分を育てていくことができる——そんなことを信じていたときもあったのだ。だが、癩者に爛《ただ》れた腫れものがつきものである以上に、この孤独は自分に結びついている。『だれもわたしのために何一つできないし、だれもわたしを傷つけることもできない』」

（フランソワ・モーリヤック『テレーズ・デスケルー』IX。遠藤周作訳）

これはほとんど私自身のことであることを、ご理解されると思います。愛というのはむずかしいものだと思います。この歳になるまで、私には、解ったとは言えませんが、ただ一つ言えることは、「愛される」ということは、決して見かけほどは、よくはないのではないかということです。十代のころには、「愛される」というのは、どんなにすばらしいものかと思いました。今になって見ると、リルケの「愛されることは燃え尽きること。愛することは、永い夜に灯された明かるい灯だ。愛されることは消えること、愛することは長い持続だ」という言葉がより身近になった気がします。十代のころから「私は、自分を愛せるようにならなければ、人も愛することはできないと思う」と言っておりましたが、この言葉と全く同じ言葉をヨガの沖先生が言っておられたのにはおどろきました。

今の私は、「愛される」ことよりも、「愛する」ことを学びたいと思っていますし、自分以外の他者に何事かをして差し上げられるような自分にならなければ、生きて行く資格はないと思っています。それにはやはり、神さまの眼差しを戴かなければならないだろうと思います。

そのような私になり変わるために、この頃の毎日毎日は、闘いの連続でしかあり得ないでしょう。（一昨年までの私がそうであったように）そして、身体の痛みが去るという奇跡が私にもし与えられましたら、そのことをまず第一にお知らせしたいのは、あなたにです。
どうぞ毎日毎日が晴朗で、さわやかでいらっしゃいますように。おしあわせでいらっしゃいますように心からお祈りいたしております。

＊心優しい人との出逢い、魂魄宙宇をさまよい始めたその時、四半世紀が過ぎた作家の作品との出会いを含めて、この時、アルストン嬢として目の前に現れて心動かされたその時が、作品『失われた時を求めて』の「見出された時」に描かれた場面だ。
それは、昼食会に、歳月によって見分けのつかないほどに変わり果てた昔の知人たちが集い、同じように年とった主人公が、その部屋で十六歳になる美しい少女に成長したサン＝ルー嬢と出会う場面だ。主人公は、「時」がもたらしたすべてのものを目の当たりにして感動に打ち震える。この情感を今の私に重ねることは牽強だろうか。いや、そうは思わない。過去の「時」はいつも自分に還り、自分に遶《めぐ》ってくるのだから。

Je vis Gilberte s’avancer. Moi pour qui le mariage de Saint-Loup, les pensées qui m’occupaient alors et qui étaient les mêmes ce matin, étaient d’hier, je fus étonné de voir à côté d’elle une jeune fille d'environ seize ans, dont la taille élevée mesurait cette distance que je n'avais pas voulu voir. Le temps incolore et insaisissable s'était, pour que pour ainsi dire je puisse le voir et le toucher, matérialisé en elle, il l'avait pétrie comme un chef-d'œuvre, tandis que parallèlement sur moi, hélas ! il n'avait fait que son œuvre. Cependant Mlle de Saint-Loup était devant moi. Elle avait les yeux profondément forés et perçants, et aussi son nez charmant légèrement avancé en forme de bec et courbé, non point peut-être comme celui de Swann, mais comme celui de Saint-Loup. L'âme de ce Guermantes s'était évanouie, mais la charmante tête aux yeux perçants de l'oiseau envolé était venue se poser sur les épaules de Mlle de Saint-Loup, ce qui faisait longuement rêver ceux qui avaient connu son père. Je la trouvais bien belle : pleine encore d'espérances, riante, perdues, elle ressemblait à ma Jeunesse.

(A la recherche du temps perdu, Bibliothèque de la Pléiade, tome 3 , pp.1031–32)

〔和訳〕私はジルベルトが私に歩み寄るのを見た。私にとって、サン＝ルーの結婚、そのときに私を捉え、今朝もそのときのままに変わっていなかった思い、それらはまるで昨日のことのようであった。そんな私は、いまジルベルトの傍らに、十六歳ぐらいの少女を見て、びっくりした。その少女の伸びた背丈は、私が見ようとはしなかったあの時の隔たりを示しているのだった。無色で、捉えがたい時は、いわば、私がその時を目に見、手で触ることが出来るように、少女となって肉体化したのだった、時は彼女を一つの優れた作品として造形化したのだった。一方それと平行して、時は、私に対しては、哀しいことに、ただ時の働きをしたに過ぎなかった！　そうするうちに、サン＝ルー嬢は私の前に来ていた。彼女は深く穿たれた、突き刺すような目をしていた。また、鳥の嘴の形に軽く突きだ出して曲がった可愛い鼻をしていたが、それはスワンの鼻には恐らく似ていなくて、サン＝ルーのそれのようだった。あの特異なゲルマント族の魂は消え去っていたが、飛び立つ鳥の突き刺すような目を持った可愛い顔は、舞い戻ってきて、サン＝ルー嬢の肩の上に止まっていた、それが彼女の父を親しく知った人々を長く夢見させるのであった。これは確かに美人だ、と私は思うのだった、まだこれからの数々の希望に満ちて、にこやかで、私が失ってしまった年月そのもののから形づくられている、――彼女は私の青春に似ていた。

（井上究一郎訳）

＊昭和天皇とアンドレ・マルロー

晴。光明寺脇の竹山道雄氏宅寄り。随想原稿戴く。アンドレ・マルローの死に因んで、六時半から二時間、日仏学院で村松剛氏が仏語で「マルロオ」を講じた。リリと一緒に聴く。主として日本の美術に関するマルローの見解を、『反回想録』から引用して通読した。リリはノートを取った。途中でリリが知人と出会ったので学院内で別れる。残念。明日、勝俣と聖イグナチオ教会に行き、クリスマスを祝う。

マルローは一昨年五月、三週間ほど来日して那智の瀧や伊勢神宮などを訪れた。その前は一九六五年二月、三十年ぶりに来日し、九日間に亙って日仏学院の開館式に臨んだり、奈良を再訪したり、龍安寺の枯山水を鑑賞したあと天皇に謁見した。その模様が『反回想録』の第五部第二章に「日本の挑戦」として記述されている。くどくどと印象を書くのでなく、「白一色の世界に情念を抽象化した筆法」と訳者が讃嘆するように、内容は事実に基づいたフィクションで、龍安寺では僧侶らしい〈坊さん〉を仕立てて、彼を相手に巧まざる日本人論を展開している。こんな記事もある。

坊さん　初期のイタリア人たちが〈自然〉と言ったとき、その意味するものはイリュージョンだということです。私どもにとって自然とは、草木の、山水の秘密ということなんです。

マルロー　人間意外のものでは、星辰だろうと草の葉だろうと蟋蟀だろうと、恐らく死を無視するうえの強力な一手段足りうるのでしょう。

坊さん　なにゆえ死なるものが重要性を持ちうるのか。死が我々の興味を掻き立てるということはない。まさか天皇までが切腹したというわけではないけれども、将官ならたくさんいます。陛下にお会いになりましたか？
マルロー　ええ、日本を再訪した機会に。
拝謁が許されたのは慣例によって到着後、四十八時間してからだった。謁見前にフランス大使と奈良へ行き、無疵に近いこの都を再見する巡り合わせとなった。翌日、天皇賜謁の日。モーニングコートにシルクハットといった装いの、両国の通弁役大使たち。拝謁場所は、宮殿が爆撃で破壊されてしまったところから、旧侍従館がこれに当てられた。質素な長椅子に腰を下ろして、どこか憂愁のチャップリンといった面影の万乗の君は、いったん上げた視線を、また絨毯のおもてに伏せてしまわれた。
陛下　奈良に行ってこられたそうですね？
マルロー　さようでございます、陛下。
陛下　それはいいことをなさいました。なぜ、いにしえの日本に興味をお持ちですか？
マルロー　武士道を興した民族が、騎士道を興した民族にとって、どうして無意味のはずがございましょうか？
陛下　ああ、そう……、あなたがこの国に来られてまだ間もないということもあるでしょうけれど。しかしあなたは、日本に来られてから、武士道のことを考えさせるようなものを一つでも見たことがありますか？　たった一つでも？

質問は、この縉紳《しんしん》の広間の中に、あたかも古池に投じられた小石の広げるような波紋を、絶望的な形で押し広げていった。石庭の、条痕を刻んだ白砂のおもてに伸びる物影に似て、ゆっくりと繰り広がるところの波紋を。

坊さん……あなた方が通常ハラキリと呼ぶ行為を、自殺と解釈されている。しかし切腹の行為は自殺ではありません。一個の亀鑑と呼ばれて良いものです。なぜヨーロッパは死に対して意義あることを欲するのか。私どもは巷間、〈大丈夫、死して鬼神と化す〉と語られています。……あなたがたのキリスト教藝術では、死は、堂々たる病いとしか見えません。人間の内的な生とはそもそも静謐《セレニテ》の追求です。あなた方の古代藝術を私が理解できるのもそうした理由からです。要するにそれは装飾藝術だと思うのです。我々の眼で見て、充分納得がいくのです。

マルロー　しかし裸体画はどうですか？

坊さん　あなた方の西暦一〇〇〇年頃は、日本は大女流作家の輩出した時代でした。女の裸は大変見苦しいと、彼女たちは書き残しています。黒髪だけは例外としての話ですが。

マルロー　その引用文なら私も知っています。裸の女は甲殻《から》を脱いだ蝦蟹《えびかに》の如し、とね。

坊さん　……ヴィーナス像にしたって、本当は裸じゃありませんよ、見ようによっては甲殻を身に纏っているとも言えます。女性上位を鳴り物入りで騒いで回る、なんとも気がかりな当世ですが、ヴィーナスたちはアメリカ人がキズと呼ぶあの悪徳とは、有難いことに無縁でいるんですよ。

マルロー　キズって、つまり接吻《ベーゼ》のことですか。

坊さん　はい、キズです。女の裸なんていうのものは、元来ここでは危絵《あぶなえ》のなかにしか存在しなかったということを、どうかお忘れなきよう。それにしたところで、たいした数が作られたわけでもありません。女は着物に飾られてこそ本来あるべきなのです。藝者の場合を考えてもごらんなさい……。（中略）一体どこで、そもそも女というものが服従したことがあるというのですか？　性はまさに邪《よこしま》なり、ですよ、女というものは。

（アンドレ・マルロー『反回想録』下・第二章「日本の挑戦」竹本忠雄訳）

＊

このあと、藝者論議やサムライ、切腹など、日本の美意識に関する性差や人種論に亙っていく。この本は、今年の出版物の大きな収穫と言ってよい。

# 第三部　随想　嬉遊曲――耽美と叡智の泉

人間を創造するアルル女神が創った英雄エンキドゥは、荒野の奥で、神殿付き娼婦シャムハトと出会う。「あれが彼（エンキドゥ）だ、シャムハト。かいなを解き、奥処を開け、彼にお前の秘処（ひめと）を捕えさせよ。ためらわず、彼の息を捕らえよ（接吻せよ）。彼はお前を見て近づいて来よう。彼がお前の上に横たわるように、着物を脱ぎ広げるがよい。かの未開の男（エンキドゥ）に女の業を行え。彼のもとで育ったその動物たちは、彼によそよそしくなるだろう。彼の愛の行為がお前に降り注がれよう。」

——紀元前十二世紀成立・アッカド語『ギルガメシュ叙事詩』
（一九九六年一月。月本昭男訳・岩波書店刊）

# 第一章　見出された時

## 1　海と電車と松並木

晩秋の落暉《らっき》を見に、私は由比ガ浜に来た。風が海面を白い皺で刻み、空が西からの光を浴びて不思議な絵のように色づいて輝き出した。見たこともない澄んだ水色の空に、刷毛で刷いたような大きな雲が茜色に透き徹った光を発して輝いている。普通の雲のイメージと違い、光の筋、空の華、金のレースのように軽快に音楽的に空を走っている。この光景に魅せられた私は砂浜に釘づけとなった。

眺めるうち、暮れなずむ入り日は遥かな半島の山際を真紅に染め、真っ黒な山々のシルエットと対照を際立たせ、空の一角で炎のように燃えている。一瞬しか現前しない妖しい時の魔術。薄暮から闇に落ちた海は照り映える光彩によって紅く萌え、数羽の鳶が歓ぶように弧を描く。海は今、寸刻の間に用意された大自然の舞台装置だ。

やがて砂浜は茫洋とした闇に落ち、海面を灰色の幕が覆った。その時波間の向うに、懐かしいセピア色の映像が浮かんでは消え消えては浮かび、遂に眼前に髣髴と蘇った……。

八月の陽は高い。炎天下、赤帽に赤褌《アカフン》の少年は、浮き輪を抱えて松林の中の坂道を登っていた。途中、松に囲まれて水平線が見え、白い雲を浮かべた海が、カクテル・グラスに注がれたエメラルド・ブルーのカクテルのように、逆三角の姿を現した。登りきると、白々とした砂浜と真っ青な海が広がっていた。少年は、ワァーイと歓声を挙げて裸足で砂浜を走り出した。足の裏が焼けそうだ。跳ぶように浜を駆け降り、波打ち際に足を突っ込む。冷たい水と海風を浴びて全身に快感が伝わった、と思うと足元から砂に埋まった。

身体を起してやっと足を抜いたとき、ふと見ると、松林から小さな紅い玉が転がるように降りてきた。紅い玉は砂を蹴って近づいてくる。帽子と揃いの赤地に白い水玉の水着を着た少女だ。浮き輪を持っていない。

少女は近寄ってきて少年をじっと見ると、白い歯を覗かせて笑いかけ、透き通った声で、「その浮き輪、貸してくれない？　ね、いいでしょ？」と手を伸ばした。パッチリした大きな眼に、一瞬少年は威圧されて身をすくめた。が、有無を言わせぬその口調に気圧《けお》されて、手渡すしかなかった。少女は「ありがと」と笑って受け取ると、浅瀬を歩き、寄せてくる波へ向って行った。

少年は遠ざかる紅い水玉を呆然と見ていた。

少女の声に聞き覚えがあった。近所の豊かな家の子だ。半ば横取りされたのに口惜しさを感じない。ただ、受け止めようもない愕きと、初めて出逢った綺麗な子に蠱惑されて気が動顚していた。間もなく二人は友達になり、近くの滑川《なめりがわ》の淵瀬で遊んだ。遊んでいても、少年は言葉にならぬ躊躇いと物悲しさを感じた。四年前に母親を亡くした。

翌年の夏、彼は少女と浜に出かけた。「納涼映画の夕」と書かれた幟が浜風にはためき、黄昏の海面《うなも》は白さを増していた。砂浜にスクリーンが張られ、チャールズ・チャップリンの映画がかかるので人が集まっていた。映画は、浮浪者らしい男が犬を連れて出てきて、二匹の犬が喧嘩をしたのを覚えている。タイトルは、「犬の生活」かもしれない。三十分も砂に座っていたので尻が冷たくなった。

あれは日支事変が始まったころのことだった。松林と海と白い雲、そして紅い水玉と黄昏の浜辺……、少年は、あの夏の日の状景が目に焼きついて、いつまでも思いだされた。

チャップリンといえば、B社にいたとき、ロンドンのBodley Head社が出した『自伝』の版権が取れず、口惜しい思いをした。昭和四十一年、中野好夫訳で新潮社から出たのを読んだ。中にこんな言葉を見つけて励まされた。

「富と名声とがわたしに教えてくれたことは、物事を正しい遠近法の中でみることだ。……もともと人間の運、不運は、空行く雲と同じで、結局は風次第のものにすぎない。そう思えばこそ、わたしは、不幸にもそうひどいショックは受けなかったし、幸運にはむしろすなおに驚くのを常とした。わたしには、人生の設計もなければ哲学もない――賢者だろうと愚者だろうと、人間みんな苦しんで生きるよりほかないのだ。」

あれ以来、少女の消息は判らない。長じて中学三年になった少年は、土浦に近い疎開先で結核の父を失い、敗戦を迎えて霞ヶ浦の海軍航空廠の動員は解除された。

鎌倉の海は、数々の歴史の波濤をくぐってきた。この国も大きく舞台を回し、町も敗戦直後は戦禍の余燼を蒙り、米軍の家族が住み着いて〝異人さん〟が珍しがられた。今はそんなことも忘れ去られ、托鉢僧も少なくなり、時折り寺の講堂で禅僧が「無常」を説く。

海も人も変貌した。入江に沿って生えた松林は、伐られて国道134号に変わり、地下に大駐車場ができた。艦砲射撃に怯えた海も、平成の夏は百万人を越す賑わいをみせる。

明治三十六年版の『鎌倉大観』はグラビアに写真を載せ、「戸数千七百、人口一萬。そのうち別荘と称すべきものが四百」とある。鎌倉を保養地として人が集まったのは明治末だろう。さらに、「明治二十二年汽車通じてより、別荘、年一年よりも多く、四時の遊覧者の夥しきが上に、三伏《さんぷく》の候海水浴に来る紳士淑女幾千人といふ有様」と書き、続いて、「鎌倉の価値は、遊覧地たるにあり、その遊覧地たる価値は歴史的回顧的であるからである」と結ぶ。町の富裕層が社会奉仕の noblesse oblige を果たすのはずっと後のことだ。

大正五年の秋、日夏耿之介が喘息治療で鎌倉に転地してきた。その時の詩がある。当時、萩原朔太郎もここに滞在して海を詠っている。

「抒情即興」

あたたかい日　あかるい日
この晴れた秋空高い由比ケ浜
沙《いさご》の上に臥しまろぶ
身は熱に口かわき
心は遥《とほ》き神《もの》の伊吹《いぶ》きに口かわく
あたたかき沙のやはらかさ　こまやかさ
天恵《めぐみ》ふかき太陽は

大海《たいかい》にぴかぴか光る宝玉をばら撒いて
空に眩しい銀網《ぎんもう》をいっぱいに張りつめ
波にくちつけ　沙にまろぶ
あまりに暗い肉身《にくしん》と病める心と

（日夏耿之介『転身の頌』）

＊

東京に通勤していた頃、帰りの下り電車が北鎌倉を過ぎ、トンネルを抜けて町に入ると疲れが遠のいて私はホッとした。この感じは私だけではなさそうだ。スイスを旅した人から、シンプロンのトンネルを出てイタリアに入ってくる感じとよく似ていると聞いた。規模は比べものにならないが、周りの自然の佇まいが似ているのだろう。

昭和二十年代の横須賀線は七両編成で、私は上り電車の二両目に乗った。十七、八の頃、銀座で喫茶店のボーイや「スヱヒロ」のコック見習いなどをして働いた。ある朝の電車に、映画俳優に似たカップルが乗ってきた。背広にネクタイの男は、表紙絵に鍔《つば》広の帽子を被る女性を描いた『風は知らない』と題された本を読んでいた。「第三の男」の主演アリダ・ヴァリに似た美人の方は男に寄り添い、空きそうな席を探している。二人の周りに明るい空気が流れていた。こんな綺麗な女性と一度話してみたいと思った。美しい女性と出会うには遠距離通勤がいいと、誰かから聞いた。

帰りは最後尾の車両に乗った。ある夜、終電電車が新橋に滑り込むと、銀座や新橋の〝夜の蝶〟と一緒に、どっと酔客が乗り込んできた。車内はたちまち酒気が充満され異様な匂いに包まれた。〝夜の蝶〟たちが黄色い声を張り上げて喧嘩する一と幕もあった。

別の日の終電で、新橋から一と塊《かたまり》の酔客が乗ってきた。そのうちの二人が、連結器を跨いで唾を飛ばしながら言い合い始めた。鎌倉に着くと、みんな降りた。後から聞いたが、この酔客たちを「ラストクラブ」と呼んだらしい。メンバーは大佛次郎、小林秀雄、林房雄、中山義秀、横山隆一、那須良輔の各氏。持ち込んだウイスキーのポケット瓶を小さなコップで回し飲みをしたという。

「鎌倉文庫」が出来たころ、町の三羽烏と謳《うた》われる美人の娘さんが評判になった。噂では、今日出海、潮田慶大塾長、永井龍男の各氏のお嬢さんたちだ。

敗戦の翌年、材木座の光明寺で開いた「寺子屋大學」は、二年後大船に移って「鎌倉アカデミア」と改称し、昭和二十五年に廃校となった。そこで知り合った神川康彦氏と伊藤成彦氏と私とで、文藝批評の雑誌を出そうと計画した。島森書店の脇の喫茶店で何度か打ち合わせたが、経済的に無理と判って中止した。青年の稚い野心が仄見える。後《のち》に二人は高名な政治学者となった。

昭和五十八年四月十四日の毎日新聞に、「鎌倉・文人の愛する町」という記事が載った。夕刊一ページを使い、ここに住んだ百六人の名前と生没年を紹介し、大佛次郎氏など十八人の顔写真と、文士がよく通う店「茅木家、奈可川、つるや」を写真で載せた。記事のリードは、「東京と一線画した文学拠点・一人二人とこの世を去って、最近寂しくなりました」と哀愁を匂わせる。このうち存命者は吉田秀和、三木卓の二氏。今同じ特集を組むとしたら誰が載るだろう。ここ十数年、この町に移り住む若い物書きが多くなった。

のどかな時代もあった。若宮大路に面する「生涯学習センター」は、昔市役所だった。その前に江ノ島鎌倉観光電鉄（通称「江ノ電」）の駅があった。明治三十五年、藤澤始発で三・四キロを開業した。全線開通は四十三年、鎌倉が終点となる。一世紀を経た今、テレビなどの頽廃文化を浴びて走っている。人力車は二十数台、雨の日、ずぶ濡れの車夫が観光客を乗せて直走《ひた》る。

関東大震災でわが家は芝の御成門から大町の妙本寺門前に引っ越した。私が生まれた満州事変の頃、町は人口二万六千人、車も少なく、幌を掛けた驢馬が走り、医者はそれで往診した。私が元旦生まれで産婆がかち合い、父は降る雪の中、海と八幡宮を往復した。昔、この辺りは職人が住み、「鎌倉と聞いて極楽居て地獄」などと恨み節が流行った。

海から始まる若宮大路は八幡宮まで松並木が続き、土壇のように土が盛られた段葛に砂塵が舞った。今は桜並木と替わり、春秋の大祭に色を添える。大路の両側に櫛比《しっぴ》する商店も、昭和四十年代を境に変貌を繰り返す。骨董の八萬堂と松岡旅館は健在だが、川端康成氏が愛好した「幽玄画廊」は疾《と》うに消え、戦前の店は五指に足りない。古書店も一軒を除いて新参だ。老舗の鰻屋と肉屋も健在だが、割烹料理屋は少数を除き店を畳んだ。

下り電車で駅の表《おもて》改札を出ると、左手に小町通りが始まる。幅員五メートルで人が溢れるが、通りの店は一と月も経たずに替わる。週ごとに交代する店まで出てきた。観光地に金が落ちない証拠だ。通りの喫茶店「門」は素通しの硝子で感じのいい雰囲気を見せ、駅に近い「イワタ」も開放的で、ともに坪庭がある。長谷の「邪宗門」が消えたのは惜しい。

八幡宮と長谷の大佛は、二階建てバスで来る外人客や、修学旅行の生徒がさんざめく。市内の案内板にハングルと中国語が加わり、「観光マップ」も英、独、仏語が用意された。

大船の鎌倉藝術館は、演劇や音楽会などの興行に力を入れ、八幡宮横の近代美術館は眺めのいい葉山へ移って客を喜ばせている。雪ノ下の大佛次郎邸と長谷の吉屋信子記念館が公開されると、文学老嬢が押しかける。旧前田邸の鎌倉文学館も種々の企画展や講演会で人を集め、町の作家や郷土史家は「鎌倉ペンクラブ」を作って頑張っている。

子供の頃、八幡宮の石段で鉋《かんな》の刃の形の窪みを見つけ、そこに足を置いた。十数年経っても窪みは消えず、石段に来るたび足を置く。すると昔の感覚が蘇った。後年、石段の窪みはマルセル・プルーストの『失われた時を求めて』の〝プチット・マドレーヌ〟の話と重なり、私をプルーストに近づけた。

# 第二章　森羅万象に抱かれて

## 1

冬の陽は今、西の竹叢《たかむら》の端にかかり、刻一刻沈みつつある。その耀きが空一面を凄まじいまで茜に染め出し、ゆったりと船団を組んで流れる雲の縁を、金色のレースで彩って照り映えている。数羽の鳶が翼を広げ、竹林の上の上昇気流に乗って帆翔する。落暉《らっき》が演ずる一瞬の妖しい時の魔術……。

四季の織りなす自然の営みは、陽光の軌跡を通して季節の表情を偽りなく遠近《おちこち》の谷戸《やと》に展開される。神韻縹渺としたこの情景を、これまで小さな部屋の窓から眺めてきた。

私の鳩居は鎌倉の東の山裾にあり、釈迦堂に近い。『方丈記』の顰《ひそみ》に倣えば、都の辰巳「日野山」ならぬ衣張山《きぬばりやま》というところだ。半世紀も前は、鬱蒼とした針葉樹林が一帯を占め、けものみちが走る野趣豊かな谷戸だった。谷戸とは、鎌倉独特の低い山並みの間にせせこましく横たわる盆地状の平地を謂い、そこに集落がある。今では、山も宅地造成の波に削り取られ、谷戸は広がり、観光客が肩を擦り合わせて小径を行く。

人家の垣根から、時折鼻を衝いて芳香が流れてくる。それは金木犀であり沈丁花である。人々は喜ぶ。小径の先は跡絶《とだ》え、奥には社寺が息を潜めて逼塞《ひっそく》する。そこに咲く花、春は海棠《かいどう》に桜、牡丹に射干《しゃが》、夏は躑躅《つつじ》に芍薬《しゃくやく》、紫陽花に花菖蒲、秋は萩に曼珠沙華、そして冬は梅。

南に海を控えた鎌倉の山並みは、東と西、そして北側にそれぞれ屏風を立て、町をコの字形に三方から囲む。往年のけものみちも、いつしかハイキングコースと替った。標高百メートル前後の手ごろな散歩道として、人の絶え間もない。コースから降りればそこは谷戸だ。谷戸の名は、扇ヶ《おうぎが》谷《やつ》、月影《つきかげ》ヶ谷、笹目《ささめ》ヶ谷、馬場《ばんば》ヶ谷、桑ヶ谷、亀ヶ谷、犬懸《いぬかけ》ヶ谷、釈迦堂《しゃかどう》ヶ谷など。

谷戸の入口として、幕府が設定した進入と退出の道がある。それを「鎌倉七口」と謂い、小都を取り囲む山間の要衝だった。今も「切通し」と呼ばれ、西から極楽寺坂《ごくらくじざか》、大佛《だいぶつ》坂、化粧《けわい》坂、亀ヶ谷《かめがや》坂、巨福呂《こぶくろ》坂、朝比奈《あさひな》、名越《なごえ》坂の七つとなる。序でに『萬葉集』に歌われた鎌倉の相聞歌を挙げよう。

薪伐《たきぎこ》る鎌倉山の木垂《こた》る木を松と汝《な》が言はば恋ひつつやあらむ（三四三三番）

（薪を伐る鎌、その鎌倉山の、枝が垂れるばかりに茂った木、この木の松＝待つとさえ

お前が言ってくれたら、こんなに恋い焦がれてばかりいるものか）

今年戴いた賀状の中に次の一首があった。

南天の雨にさやけき朝寒むに朱の帯締めて人に逢いたし

歌の趣向は、『萬葉集』に通じるものがあろう。この「人」は、抽象的な人物と受け取ろう。数年前、一人の女性と知り合った。名をR子という。婉嬋《えんせん》な人妻で、いま能楽の稽古に余念がない。R子は大学の卒論で『源氏物語論』を書いた。その中で「若紫」に始まる「紫の上」を好み、それが嵩じて自分を「紫の上」と称んで憚らない。二人の娘の母だが、いまもその可憐さを保っている。最近離婚したらしい。

晩秋の一日、R子は私を水道橋の能楽堂へ誘った。街中で会った彼女は、紺無地の紬に朱の帯を締めて凜々しかった。当日の交歓から気を好くし、数日後、秋色を深める鎌倉を共に散策し、足を伸ばして由比ヶ浜の波音を聞き、さらに谷戸の小径を北に入り、幽暗の山懐にたたずむ瑞泉寺に蝋梅を訪ねた。

## 2

瑞泉寺は紅葉《もみじが》ヶ谷《やつ》の奥にある。四季の花を錦襴の屏風のように巡らすので、錦屏山の山号を持つ。一三二七年夢窓国師が創建した。紅白の梅が数十株あり、樹齢二百年の黄梅と冬桜が有名だ。裏山の池泉庭園は、矢倉を映す貯清池《ちょせいち》が古色をとどめて侘しい。

時は流れ、春酣《たけなわ》となれば、山々は花霞に染まる。枝を離れた花びらが、谷戸の奥に彷徨う。中腹に自生する山桜は、さながら楚々たる手弱女《たおやめ》の風情だ。春が行き、夏の初めには静謐《しずか》な空気を切り裂いて鶯の谷渡りがけざやかに谺《こだま》する。

穏やかな春の一日、私はR子と花の寺を歩いた。その日R子は、淡黄のブラウスに薄茶のスカートで北鎌倉駅に降り立った。まず、円覚寺の舎利殿、建長寺の仏殿と柏槇《びゃくしん》、そして浄光明寺の阿弥陀堂と廻り、八幡宮へ来て、源平池は満開の染井吉野が枝垂《しだ》れていた。どの寺も花に気圧されてその陰に佇んでいる。長谷の光則寺に来た時、薄紅の花の雲のような海棠の前でR子は眼を瞠った。「でも、花はやっぱり白いのが好きよ」と呟いた。気分を換えようと海へ向かった。砂浜を歩くうち、脳裏に刻まれた花々の残影が、海面に揺らぐ光に融けて波の間に散っていく。汀を行くR子の足もとに波しぶきがかかる。そのたびにスカートをたくし上げる姿が綺麗なシルエットを点綴《てんてい》する。その情景は、絵を見るようにいつまでも忘れられなかった。

青嵐が谷戸を吹きぬけて木々の葉裏を白く翻していた。陽は高く、色を増す緑の若葉が噎《む》せるような香りを放つ。報國寺と安養院の躑躅は、満身笑みを湛えて路に零《こぼ》れ、濃紫の小さな紫蘭が滑川《なめりがわ》の堤に揺れている。

梅雨は、鎌倉が苦手な敵娼《あいかた》である。

寿福寺と妙法寺の苔、花より人が群れる明月院の紫陽花、曼荼羅堂の岩たばこ、総ては陰湿な水成岩が放散する湿気の中で咲く。見上げると、豊麗な山百合に蝶が戯れ、漸くほっとして眼を休める。衣張《きぬばり》山の裾を流れる逆川《さかさがわ》で、夕闇の中、源氏螢が神秘の遊戯を遊ぶ。数年前、幽玄の光を珍重してテレビが放映した。

長梅雨の明けて大きな月ありぬ　　虚子

漆黒の絵を描き続けた梅雨空も、次第にその表情をアレグロに変え始める。寺々や谷戸の木立の隠処《かくれが》から、冥界の使者でもあるかのように、ひときわさやかに蜩《ひぐらし》が哀調の響きを奏でる。

今よりは秋づきぬらしあしひきの山松蔭にひぐらし鳴きぬ
（萬葉集三六五五番）

夏、赫灼《かくしゃく》とした陽光が頭上にあれば、人々は駅に近い妙本寺に向かう。静寂な寺域を占める樹林の奥に、雄大な祖師堂が建つ。瓦屋根の優美な勾配を眺めると、バッハの「平均律クラヴィーア曲集」の、ある楽曲の清澄なフーガが曲線となって流れてくる。気がつくと、全山蝉時雨だ。汗は退き、涼風が心地よい。

土用波が来るまで、鎌倉は海が主人公となる。背景は由比ガ浜から左手へ三浦半島の幾重も臥す山、右手は稲村ヶ崎の突堤、その先に江ノ島が浮ぶ。八月十日の花火大会、その前後の週日を頂点として、海は〈豊饒《ほうじょう》の人〉を演出する。

飯島崎の浅瀬に、一面の海苔篊《のりひび》が立つと、もう秋だ。澄明なビロードの蒼穹《そら》と水平線の向こうに伊豆の山並みが霞む。正面に、大島が薄紫の島陰を濃くし、時おり巻雲が棚引く。山々の尾根から海に向かって鳶が大きく弧を描く。地曳網の漁は減り、定置網の小型船が坂ノ下と材木座から鯵《あじ》や梭魚《かます》を獲りに出漁する。

街では夏の日のさんざめきを海に忘れた人々が、再び社寺に萩や山茶花や曼珠沙華を索めて歩く。行く手に蟋蟀《こおろぎ》が侘しく啼き、秋はゆったりとラルゴの調べを奏でながら深まりを見せて沈潜し始める。

## 3

暖冬の一日、私は北鎌倉の駅にR子を迎えた。今日は吸い込まれるような紫紺のドレスに細身を包み、彫りの深い顔立ちが白く映えている。私たちは、白く輝く桜を池面に映す白鷺池を見やりながら、円覚寺の石段を登った。「まあ、暗いこと……」とR子は脹《ふく》よかな高い声で掌をかざす。総門を潜ると、昼前の陽が杉木立を透かして境内に光の帯を流していた。人は疎ら。

眼の前に雄大な三門が控える。仏殿、法堂《はっとう》まで一線上に並ぶ。R子はそれを指差して、「これはね、禅宗の伽藍の配置よ」と言う。奈良の古社寺に造詣の深い彼女の言葉を信じよう。続いて、「あら、泰山木がこんなに！　珊瑚樹も、木芙蓉もよ」と歩を移しながら私を振り返り、「夏はいいでしょうね、白いお花でいっぱいよ」と辺りに声を響かせる。行く手に庫院や僧堂、塔頭《たっちゅう》が建つ。静寂な妙香池。続燈庵の弓場道から矢風が流れてくる。R子は珍しいものでも見るように、弓を弾く人を眼で追っている。

二人は折り返して小高い丘陵を登り、洪鐘の前に出た。「この鐘ね、明治の中ごろ初めて日本に来た小泉八雲が撞いたんでしょ、読んだことあるわ」と銅鐘の縁を撫でている。八雲が「日本人の心」を評して、思いやりと深い情感、きめ細かな感性を挙げたことは私も読んだ。続いて帰源院に回る。草庵という感じだ。藤村や漱石が参禅した。小説『門』に、〈「父母未生以前本来の面目」を思案したが、「敲いても駄目だ。独りで開けて入れ」と云う声が聞こえた丈であった。〉とある。

帰源院即事

仏性は白き桔梗にこそあらめ　漱石

駅前の道から右手の石段を上がり、東慶寺に入る。田村俊子の墓碑の前に佇んで、R子は恍惚感に浸っている。波乱に富んだ俊子の作家人生を、自分のそれに重ねているのかもしれない。破鏡に沈む江戸の女が駈け込んだ縁切り尼寺だ。北条時宗夫人の覚山尼の創建。

「女と申す者は、不法の男にも身を任せ候事尋常に候へども、女は狭き心にては、ふと邪の思立にて自殺など致し候者これある事に候間、三ケ年の内当寺に相抱え、何卒縁切候て身軽になる寺法相願候」

覚山尼はこれを北条貞時を介して出願し、寺法は勅許された。今では想像も出来ない淑徳な話だ。

見ると、蕭条とした竹藪が折からの風に撓んでいる。梅林の続く中で、黄水仙が優しく微笑む。西田幾多郎、和辻哲郎、そして高見順と墓を回るうち、R子は「尼寺なのに、どうして殿方のお墓がたくさんあるの？」と私を振り返る。その表情はコケティッシュだ。

線路を越え、小径が誘うままに往くと明月院だ。昔、管領だった上杉憲顕の邸宅があり、「山ノ内」の名称を今に遺す。ここから「山ノ内明月谷」と風流な町名が始まる。織田有楽斎が寄付した「明月椀」は国宝館にあるが、螺鈿を鏤めて紫緑の淡い光が美しいと案内書にある。庭に藪椿が陽を浴びて煌めいている。山裾の矢倉へ歩を進める。「やぐら」とは、横穴式の墳墓だ。この土地は、大平山や鷲峰山など峰を連ねる天円山群を作り、北西の丹沢颪の衝立になる。そのため風は東へ逸れて金沢へ向かい、鎌倉の外輪を迂回して海へ去る。夏、南西風が街を梳《す》いて山側に涼風を運ぶ。多湿性を除けば、この自然の采配は街を温暖にして住む者を喜ばせる。

私たちは明月谷の小店で憩った。R子は、ふと、向うの山峡《やまかい》に眼を遣りながら、「〈則天去私〉って、晩年の漱石の述懐でしょ、そうすると、北鎌倉の仏さまはこの一世紀、何をご覧になったのかしらね……」と感慨深げに洩らした。

## 4

春も半ば、R子と、花々と新緑に萌える建長寺に一日を愉しんだ。

北鎌倉から街道沿いに十五分も歩くと巨福呂坂《こぶくろ》にかかり、その左手に建長寺はある。仏殿に通ずる敷石道の左右に、巨大な柏槇《びゃくしん》の前栽《せんざい》がある。柏槇は七株、どれも幹の周りが七メートル余の屈強な根幹を張り、奔放な枝ぶりで空を切る。

「この幹、男らしくて逞しいこと！」

R子は驚嘆する。蘭渓が将来した苗木は、七百年の星霜を木肌に刻み、奇怪な容姿であたりに大陸の風丰《ふうぼう》を放散している。

蘭渓や円覚寺の無学祖元などの宋僧は、いずれも鎌倉に寺を開き、時の将軍・執権の精神的支柱となった。互いに言語不通の困難を乗りこえ、一方は大陸文化の摂取と吸収に心を砕き、他方では異土に身を賭して仏法を根づかせようと情熱を傾けた。思えば京都文化を羨望視しつづけた北條氏は、中央に根づかぬ文化を自分たちの手で育むことに優越感を覚えただろう。宋僧を招いて大寺院を開くことは、武力の誇示に役立ったに違いない。その証拠に、いま市中の寺院は九十を数える。廃寺を加えれば二百に及ぶ。往時の鎌倉は、さながら中国の租界の佇まいを想像させてくる。

あれこれ思いを遶《めぐ》らすうち、R子が突然、「あっちへ行ってみない？」と言うので方丈の龍王殿に昇る。修学旅行の中高生が固まって移動していく。その流れに入って北側の回廊へ廻り、庭園に面して腰を下ろす。夢想国師の造る蘸碧池《さんぺきいけ》の回りに石組みが巡らされ、松、槇、躑躅が植え込まれている。折から春の陽に温められた風が、島影を映す池の面を撫でて過ぎる。欅の大木が二株、空を区切って亭々と聳え、清浄の気が辺りを払う。この絵を眼底に収めようと、私は眼を瞑る。

時の流れが七百年を遡り、そこで静止し、庭の主ででもあるかのような泰然とした気分に引き込まれる。夢想は夢想を呼び、ふと、昔読んだスタンダールの一節が甦り、耳もとで囁く――「私は繊細な感受性をもって美しい風景の眺めを求めた。その風景は、いわば私の魂のうえに奏でられるヴァイオリンの弓のようなものだった。」

――そうだとすれば、人は、人生という風景に、どのような魂の弦を用意すればよいのだろう……。

ようやく腰を上げて歩き出す。右手奥の小高いところに寺院があり、古びた文字で回春院と判る。R子の手を取って石段を登り、五十基ほどの墓石を一巡する。中ほどに、「葛西善蔵之墓」とあった。独特のユーモアとペーソスを持った明るい破滅型の作家だ。それと並んで五味康祐の墓もある。寺院を出ると、天園へ通じるハイキングコースの入り口が見えた。

文学作品に照らしてみれば、明治三十五（一九〇二）年秋、死期を迎えた正岡子規が己を客観視して歌った糸瓜の句こそ、〈離見の見〉を表現しているとは言えまいか。

絶筆三句

糸瓜咲て痰のつまりし仏かな
痰一斗糸瓜の水も間に合はず
をとゝひのへちまの水も取らざりき

夢寐《むび》から醒め、現実に引き戻された私たちは、重い足取りで寺の鎮守の半僧坊へ向った。十数年前の初夏、このコースを辿って天園の山頂に立った。あの日、螢ぶくろや岩たばこを楽しみながら武骨な岩根を進み、沁みるような心地よい風で沐浴した。あの感激は今はない。先へ進もう。

三方は山だ。参道に人影はなく、時折り鶯が澄明な声を顫《ふる》わせる。静寂な山間《やまあい》は幽暗一色に眠る。その暗がりの中で、十数本の桜が、艶に花の枝を伸ばして立つ。私たちは今、完全に花に見られている。行く手に枝垂れ桜木が一本、紅く耀く。作務衣の男がつまらなそうに落ち葉を掃く。

二人は息を切らして二百五十段の石段を登った。R子のスカートが揺れ、私は手を取って進む。楓の若葉が眼を射てくる。大権現の堂の崖に、鉄で出来た天狗の像が十数基建《た》ち、さながら異境の佇まいを現出させる。堂の前まで登りきる。漸く視界が開け、森の中に緑青の大伽藍が沈むように埋まり、樹間に椀状になった相模灘が白く光って蕩揺する。その先に、銀鼠色の伊豆の島影がふんわりと横たわっていた。

## 5

白い風の光る秋麗《うら》らの昼下り、私は江ノ電の長谷駅にR子を迎えた。降りてきた人波の中のR子と眼が合うと、ニコッと笑って近寄ってきた。小紋の絞り染めを着て、揺れる髪に珊瑚の玉《たま》簪《かんざし》が光る。黒髪を掻きあげながら微笑んで、

「お手紙、ありがと……」

と言った。R子は答える代わりにこやかな笑みを向けた。通りに出て大佛への道を歩き出す。寺は浄土宗高徳院という。境内に入ると閑静な空気が漂い、小鳥の鳴き声と共にそこここに羽ばたきが聞こえ、木立の枯れ枝を揺るがしている。

大佛の前に立って仰ぎ見るうち、鬢《びん》のほつれを風に嬲《なぶ》らせて言った。

「お掃除が行き届いて気持ちがいいこと。この佛様は柔和なお顔ね、夢でもご覧になってるよう、すっかり安息なさって……。お優しいこと」

案内書を見ると、大仏は阿弥陀如来だ。頼朝の侍女稲多野局《いなだのつぼね》が発起し、僧浄光の勧進で一二三八年、木造として着工され、六年で完成した。一二四八年の大風で倒れ、五二年に慶派の仏師により現在の青銅佛が鋳造され、大佛殿とともに安置された。一三三五年と六九年の二度、暴風で

倒壊し、いずれも復興されたが、一四九五年、大仏殿は流失、佛像は今のように露座となった。

奈良の大佛より小さく、台座を含めて総高十三メートル、顔は二メートル余、総重量百二十一トンという。半月形の眉と水平な眼、長い鼻。髭のある口元が僅かに微笑している。

左脇の入り口から体内に入る。青銅の継ぎ目がくっきりと横一線に流れて、往時鋳造された痕が偲ばれる。以前は背中に二つの窓が開かれて梯子で昇れた。今は観音厨子や念仏碑も取り払われた。

「どこの如来さんも、こうして優しいのかしら」

R子は佛像に魅入られた様子だ。

寺域はコの字型の回廊の北側に、移築した李朝の観月堂がもの寂びて置かれ、右手に與謝野晶子自筆の歌碑が建つ。明治の末、艶麗な歌ぶりを豪快に放った歌集『恋衣』の一首だ。

鎌倉や御佛なれど釈迦牟尼は美男におはす夏木立かな

再び大佛の前に立ったR子は、ふり仰いで悪戯っぽく笑っている。

「大佛さまは雪を着たり酸性雨を浴びたり、いつまでお座りになっているのかしら。街の中もご覧になれずに、夜《よ》伽《とぎ》もご存知なくて、お一人で夜を過ごされているのよ。お気の毒ね」

東の回廊に、檀徒が二年ごとに寄進している大草鞋《わらじ》が一足吊り下げられている。

「あら、この草鞋を履いて街をのっしのっしとお歩きになる大佛さまを想像すると、ちょっと面白いじゃない。ねえ？」

R子は同意を求めてにこやかに笑顔を向けた。


（了）

# 第三章　花と海と蒼い空

この町は低い山並みに囲まれている。その間に横たわる盆地のような平地が〝谷戸《やと》〟だ。谷戸の入口に「鎌倉七口」の切通しがある。西から順に極楽寺坂、大佛坂、化粧《けわい》坂、亀《かめ》が谷《やつ》坂、巨福《こぶく》呂《ろ》坂、朝比奈、名越《なごえ》坂など。今、これらは排気ガスに噎《む》せている。

戦前、町の空気は新鮮で、やわらかで、爽やかで、神経が細い繊維まで洗われるようだった。空気はイタリアのように乾いてはいない。むしろ湿って幾分重く、とろりとしていて、いつも薄い銀ねずみの靄に包まれていた。今、それらはない。だが、たまに町を清めるように降る雪の朝、海辺や寺の境内一面に、人跡もなく白皚皚の景色を見ると胸がすく。

ここの土地は、洞窟の多い岩の丘陵に包まれて至る所に墓地がある。中に入って苔むした墓を眺めていると、蜩《ひぐらし》の声が聞こえ、頭上には橙赤色の大輪の凌霄花《のうぜんかずら》が気紛れな人間を嗤っている。そのとき、ある言葉を思い出した。

「綺麗な花を咲かせる土は、きっと人間の屍を喰《くら》ってその膏に肥えたものほど人を落ち着かせる。花は、その根に人間の骨を抱いているものだけが人の魂を慰めることが出来るのだ。」

花どきは、山の清浄な空気が醸す瑞々しい輝きが花を美しくする。近くの釈迦堂切通しに静かな小径がある。生垣に沿って歩くと、芳香が鼻をくすぐる。思わず見回す。そこに金木犀や沈丁花がひっそり咲く。

このあたりの季節の花――春は海棠、桜、牡丹に射干《しゃが》。夏は躑躅、芍薬、紫陽花に花菖蒲と紫雲木《ジャカランダ》。秋は萩、銀杏、曼珠沙華に曼陀羅華《ダチュラ》。冬は梅――。そこに蝶や小鳥が飛び交い、めぐる季節に杜鵑《ほととぎす》も蜩《こおろぎ》も、歓びの声を交して友を呼ぶ。秋深ければ、八幡宮の大銀杏は斃れたが、荏柄天神社や安国論寺の銀杏が陽を浴びて美しく黄葉する。一方、瑞泉寺北方の山峡に連なる獅子舞が峯は、全山錦繍を織りなして穢れを知らぬ最後の鎌倉を謳っていたが、近年は人波に押されて息絶え絶えだ。

たまに虚《うつ》け者のように低い山の痩せ尾根を歩く。曲がりくねった狭い小径や、風雨に削られた石段や、籬や谷戸や、古い寺や廃園、それらの景観に出会えると気持がなごむ。今は知らないが、これに似た境地は京都の奥左京、花背の里にあった。昔、ある年の初夏、友人と尋ねたとき、静謐な佇まいと古風で醇朴な人情に接して嬉しかった。あれは、イタリアの寂びた石の町を彷徨って、ふと見る一隅の佇まいとは一と味違う魅力だ。

さらに道を行くと、羊歯の葉影に古井戸が顔を覗かせる。鎌倉十井の一つ、極楽寺坂の〝星の井〟は、「星月の井」と呼ばれて昼間でも星影が見えたという。

歩くうち鎌倉の別の顔が透けて見える。昔、祖父が本覚寺の境内で「ヨイヨイヨイ、ヨイタタッタヨイ」と私を背負って土鳩を追った頃の鎌倉、古い写真から顔を覗かせる明治や大正の鎌倉、そして歴史の中の鎌倉……。それらが失われた時のかなたの絵のように幻の姿で見え隠れする。

ある日、ハイキングコースを避け、山道を降りて麓の小径を徘徊すると、木立の奥に美しい勾配の屋根が見え、斜光を受けて光っていた。広くもない境内に休んで花を眺め、鳥の声を聞きながらふと眼をやると、崖下で遺跡が土に埋まっていた。ここも開発の爪あとが残されていた。遺跡の運命を弔って寺を後にする。

私の家は、東の衣張山《きぬばりやま》の裾にある。花のころ、二階から見下ろす谷戸を隔てて南の山の中腹に、自生する二本の山桜が姉妹のように咲き出す。花の衣がピンクから白へ装いを変え始めると、楚々とした手弱女の風情を見せる。満開のとき、フィレンツェに住んで二十年になる次男夫婦や孫たちと、パソコンで花を写して見せる。

町の自然は車と排気ガスで破壊され、周囲は雑然混沌としてきた。家の北側の山の造成で、土砂が逆川《さかさがわ》に流れ込み、神秘な乱舞を見せた源氏螢は影を潜めた。

それでも世界遺産の登録のため、市は推進協議会を作って躍起となる（因みに市の年度歳出予算五七九億、うち観光費二億三四八〇万円。人口十七万人。四分の一が六十五歳以上。外国籍者六十カ国千二百余人）。

＊

昭和三十年代、B社にいた頃、竹の庭で知られる報國禅寺裏の林房雄邸を幾度か訪ねた。「中央公論」に連載された「大東亜戦争肯定論」の校訂原稿を戴き、後に出版して反響を呼んだ。専用の原稿用紙に太い筆の字が奔っていた。毎回執筆が終るまで、庭に面した縁側で座敷犬の狆と遊んでいた。これがご縁で三島由紀夫氏と紀尾井町の福田家で対談して頂き、『対談・日本人論』として上梓した。

鎌倉に住む便宜から、編集部の使いで、度たび雪ノ下の小林秀雄邸に上った。ある朝、応接間で奥様手ずからのお茶を馳走になり、小林先生から、「本居宣長」の初校の赤字を懇切に伺った。後日、署名本を戴いた。

私が学生の頃、ランボオの『地獄の季節』（「錯乱」）の講義で、《あゝ、季節よ、城よ、無疵なこゝろが何処にある…（O saisons, ô châteaux ! Quelle âme est sans fauts ? …）》と暗誦したのが懐かしい。また、「ゴッホの手紙」や「モオツァルト」など、多くの文章からも啓発された。その小林先生にお目にかかれたのは嬉しかった。

小林先生の評論「モオツァルト」で、

「スタンダアルは、モオツァルトの音楽の根底はtristesse《かなしさ》といふものだ、と言った。」

と書かれたあと、「弦楽五重奏曲ト短調（K５１６）」の冒頭のアレグロに触れ、五小節の譜面を示して、

「ゲオンがこれをtristesse allante と呼んでゐるのを、読んだ時、僕は自分の感じを一と言で言はれた様に思ひ驚いた。」

とあるのに私も共鳴した。“tristesse allante”とは「悲しみの疾走」だ。あの出だしは聴く者に悲哀の到来を予告する（高橋英郎訳『モーツァルトとの散歩』。Henri Ghéon “Promenades avec Mozart”）。

また、会社の齋藤十一専務から小林先生にレコードをお届けしたことがある。J・S・バッハのトッカータ・ハ短調BWV911、ホ短調914、ト短調915、ト長調916だった。

このほか永井龍男、今日出海、中村光夫、竹山道雄、江藤淳、逗子の中里恒子の諸先生のお宅へゲラなどをお届けした。それぞれ何がしかの感懐が今も残る。

北鎌倉の駅付近や明月谷は、川端康成氏をはじめ小津映画で馴染みの地域だ。圓覚寺の総門前の白鷺池に咲く桜も美しい。通りを隔てた東慶寺に小林秀雄氏の墓がある。あたりは西田幾多郎や安部能成などの学者も眠っている。隣りの浄智寺には澁澤龍彦氏が眠る。生前活躍された頃、文壇も活気があった。昭和六十二年八月、夏休みで『高丘親王航海記』を読んでいたとき訃報を知った。享年五十九。旧制府立五中の先輩で、岩波書店で矢川澄子女史と仕事をされた後、そこで私も働いたので懐かしい人だった。

ある夏の日、鎌倉駅前の煎餅屋の角を曲がりかかる立原正秋氏を見かけた。麦藁帽に黒縁の眼鏡をかけ、白い絣の着物を着て夏帯を締めていた。下駄を履いてゆっくり歩くその姿に、夏の陽が白皙の風丰を耀かせていた。

立原氏は澁澤氏より二つ年上で、風と光の〝裂けめ〟を詠った。仕事で『剣ヶ崎』を担当し、本の見返しに美しい墨筆で署名された本を戴いた。その後数年、賀状を頂戴した。昭和五十五年の涼しい八月、五十四歳で逝かれた。今は瑞泉寺に眠る。辞世の歌六首のうち一首。

若き日に風の裂けめを視し日よりいつかこの日のあらむと思ひき

ある冬の日、建長寺の回春院に上り、齋藤十一氏の墓碑に小さな花を供えた。周りに人影はなく、百舌の声が林間に木魂して閑寂の時が流れていた。暫くは白く清らな墓を眺めていると、ふと葉巻の香りと共に艶のある氏の声が聞こえてきた。だが、それはすぐ鳥の声にかき消された。同じ塋域《えいいき》に葛西善蔵と五味康祐が眠っている。

帰りに明月院に立ち寄り、齋藤氏と親しかった詩人尾崎喜八氏の墓に詣でた。その時、後ろの森のほうからヘルマン・プライの「白鳥の歌」の美しいアリアが流れてきた……。

＊

時効の思い出を話そう。

昭和二十四年の夏、渋谷のＹＭＣＡで二つ年上のＱ子と知り合った。建築家の娘でＡ学院の専門部を卒え、父親はすでになく、Ｔ女子大で舎監を勤める母親と暮らしていた。どことなくディアナ・ダービンに似ていた。

ある日、学院の講堂で、ピアノを弾いて讃美歌の「いつくしみ深き」を綺麗なソプラノで歌った。Q子の荻窪の家に呼ばれ、父親の建築写真を覗き、彼女の淹れるコーヒーを飲みながらレコードでショパンのピアノ曲を聴いた。演奏はサンソン・フランソワだった。

秋に入り、長い風邪がようやく癒えた頃、菊の大輪を抱えて見舞いに来てくれた。遅い昼食のあと由比ガ浜に出て、唱歌の「浦の明け暮れ」や橋本國彦の「川」を歌った。美しい声は、波に吸われて海に消えていった。砂浜で小さな貝を拾いながら澄んだ眼差しを向けて、「ジイドの『狭き門』にアリサが従弟のジェロォムに告白するいい言葉があるのよ」と言って暗誦でもするように話し出した。

〈死ぬっていうことは却って近寄せてくれることだと思うの。生きているうち、離れていたものを近寄せてくれることだと。……私はあなたには年上過ぎるし、まだ他の女性を知らないあなたは、私があなたのものになった後で、あなたの気に入らなくなったときのことを考えると、苦しまなければならないだろうと思うの。だから、もう少しお年をとるまで待っていてよ。こんなことを言うのも、みんなあなたのお為を思ってだということをわかって頂戴。そして私には、あなたを愛さないようになぞ決してなれないのよ〉

鈍感な私も、Q子がジイドの言葉を借りて諭してきたことに気付いた。帰りは電車で荻窪まで送った。しかし、Q子は間もなく養子を迎えて去った。

六年が過ぎた五月の初め、Q子は産後の気鬱症から荻窪の踏み切りで自殺した。あとに二人の幼児が残された。その日の夕刊は、身体が慄え眼が潤んで読めなかった。その前年、私は結婚していた。

葬儀の日、遺影の前で「Q子さん！」と心の中で叫んだ。二人で聴いた数々の演奏会の甘美な記憶とともに二枚のレコードが遺された。彼女が好きだったブラームスの「円舞曲」と、ベートーヴェンのヴァイオリン・ソナタ「ロマンス・ヘ長調」と。

町に「喝采」という歌が流れていた。ある早春、根津美術館で知り合ったR子と鎌倉に遊び、街中で鰻を食べて少し飲み、酔いを醒まそうと歩くうち瑞泉寺に来た。臨済宗の禅寺だ。微醺を帯びていたが気にせず、寂びた幽暗の石段を登った。六十一段あった。

R子は、卵形の彫りの深い顔立ちで涼しい眼をしていた。そして和服がよく似合った。その日は緑がかったベージュの紬を着、紅型《びんがた》の朱紅の帯と挽茶の帯締を締めて色香を滲ませていた。大学で『源氏物語』を専攻し、指導教授から「紫の上」と呼ばれて可愛がられ、それを自認していた。それが私には少し驕慢にみえた。

その日、辺りに人は少なく、微かに風が流れてR子の襟元から仄かに甘い香りが匂った。一と足一と足、石段で褄を気にしながら足を運ぶ。そのたびにアップの髪に噛ませた珊瑚の玉簪が揺れた。庭の蠟梅は盛りを過ぎ、今は黄水仙が息づいている。梅はまだ蕾だ。藪椿の前に来たとき私を見返り、「これ、とても可愛い白い花が咲くの。林檎のような実も生るの」と艶々した葉を撫でている。R子の頰はまだ紅い。彼女は花は白と決めていた。

矢倉の下の清池《せいち》の前に来ると、R子は腰を下ろして崖を映す池の面を見ながら、

「あなた、〝離見《りけん》の見《けん》〟って、知ってるでしょ？」

と私を見ないで訊いた。知らないというと、

「あら、世阿弥の『花鏡』にある言葉よ」と講釈を始めた。やや得意気な感じだ。自分を客観視せよということらしい。私の軽薄を窘《たしな》めるかと思ったがそうではなかった。

陽が傾きだすころ、由比ヶ浜へ出た。波打ち際を歩いていると、R子は急に離婚話を洩らした。商社マンの夫との隔絶を絶って、二人の娘と家を出るという。私は返事に窮して困惑した。話は尽きず、帰りを東京まで送った。驕慢なところがあっても女性は弱い。

桜が咲き始める頃、R子に誘われて主《あるじ》のいないマンションを訪ねた。R子は観世の「鉄輪」と「百萬」の素謡を聴かせた。声は、壁に架かる若女《わかおんな》が曇るかと思うほど鬼気迫り、謡の狂女が乗り移ったようだった。その数日後に川端氏が逗子で自裁した。

思えばR子を含めて何人かの女性《ひと》とこの町を散策し、海に足を運んだ。彼女たちは時に嘆き時に歓んで、無言の海にこの世の慕情を嘯《うそぶ》いた。

＊

晩秋の陽は、遥かの海に沈んだ。西の半島も、茜に染めだされた海辺も、暗黒の沈黙《しじま》に溶け込んでいる。鳶の影はなく、浜に鳥が群れている。山から吹き降ろす風は寒く、海面に幾重もの皺を刻みだした。この海が、夏の花火で七万人に空の華を堪能させたのが嘘のようだ。

この日まで、妻をはじめ幾人かの女性と繞り合えたのは、亡き母の計らいではなかったろうか。彼女たちは、母のような親愛で私の鏡となってくれた。温かなその心情は、今も際限なく〈時〉の中にはまり込み、色褪せない。

プルーストは『失われた時を求めて』の最後の「見出された時」(Le temps retrouvé)で、

「私たちは自分自身の姿や年齢は見ることができないが、各人がまるで他人に向けられた鏡のように、相手の姿はよく見える」（鈴木道彦訳）

と書き、さらに、

「老齢は死とおなじ事情にある。ある人たちは、この二者に無関心で立ち向うが、それは彼らの勇気がまさっているからではなく、想像力が劣っているからだ」（井上究一郎訳）

と洞察する。そうであるなら、貧しい想像力をふり絞り、自分を映す他者を鏡として老年を生きるしかない。それも〝離見の見〟に通じよう。

懐旧とはおよそ未来的でない。プルーストの顰《ひそみ》にならえば、過去から見た未来である今、「見出された時」の只中に私はいるのかもしれない。昭和は遠く去り、心濁る社会と変わって鎌倉の海も山も傷心の波間を漾《ただよ》っている。

紅い水玉の少女は今、どこにいるのだろう。いつか紅い帽子と紅い水玉の服を着た美しい老婦人と出逢える日を、私は待つとしよう。

# 「あとがき」にかえて

今世紀の文化文明に名を馳せた思想家で評論家の林達夫は、多くの名筆を遺している。その中で、『歴史の暮方《くれかた》』という短章の言葉は好きだ。今、その暮れ方に立つ私は、老耄の肉体を保ちつつ九十一の時の中を漂っている。暮れ方の勾配を見定められぬまま、書き溜めた拙文を集めてここに置いた。

思うらくは生前に妻に読ませたかった。今は茫漠無常の世界に身を委ねて思いのまま、空を行く雲のように風の吹くまま流れてゆく。

＊

「いやいや、時は来る、この世は氷室なり、逆巻く海、地価の狂熱、激怒した遊星、やがては、ものもの必至の死の勦絶《そうぜつ》だ。おそらく、誠ある人々には、心構えよと明かされていた、聖書の中にも、ノルヌによっても、あれほど悪意なく言われていた定まり事だ。……なかなか伝説どころの話ではないのだ。」

（アルチュール・ランボー『歴史の暮方』小林秀雄訳）

林達夫は、今世紀初頭のフランスの詩人アルチュール・ランボーの『歴史の暮方』を踏まえて、知性の無力さと可能性、絶望的現実認識と希望への手掛かりを一度に形にして見せた、その文章がこれだ。

「絶望の唄を歌うのはまだ早いと人は言うかも知れない。しかし、私はもう三年も五年も前から何の明るい前途の曙光さえ認めることができないでいる。誰のための仕事をしているのか、何に希望をつなぐべきなのか、それがさっぱりわからなくなってしまっているのだ。」

「流れに抗して、溺れ死にすることに覚悟をひそかにきめているのである。私は欺かれたくない。また欺きたくもない。韜晦《とうかい》してみたところで、心をおなじうする友のすがたさえもはや見別けがつかない今となっては、どうしようもない。選民も信じなければ、多数者も信じない。

「出口のない、窒息するような世界の重荷に喘《あえ》いでいる人間の絶望の声、諦念、血路を拓こうと必死になっている痛ましい努力——それが見えない、または見えても見えないふりをしている思想家や作家は、少なくとも私には縁なき衆生である。私はいつも哲学や文学からは、いわば浦街の忍びやかな唄声を聞き取りたいと願っていた。Betise humaineを！　哀歌《エレジー》を！　華麗な大道の行列や行進には、まったく趣味を持たなかった。哲学や文学が行進のプログラムになっては、もはやそれらは哲学でも文学でもない」

矢嶋　俊雄（やじま　としお）
一九三一年　　鎌倉・妙本寺前に誕生
一九四八年　　早稲田大学文学部中退
一九四九年以降　中央公論事業出版、筑摩書房、番町書房、
新潮社、岩波書店で、編集・校閲担当
二〇二二年　　没

# 失われた愛を求めて

二〇二二年十二月一五日発行

著者――矢嶋俊雄
発行者――本多順子
発行所――冬花社（株式会社トーカ）
〒二四八－〇〇〇三
鎌倉市浄明寺四丁目三－二七
電話　〇四六七－二三－九九七三
FAX　〇四六七－二三－九九七四

印刷・製本――シナノパブリッシングプレス
装幀――小沼宏之［Gibbon］

＊落丁本、乱丁本はお取り替えいたします。

ISBN978-4-908004-48-3